Über dieses Buch

»Dieses Buch sollte ursprünglich gar kein Buch werden. Es entstand aus einer Serie von Briefen, die ich nach Kriegsende an die Eltern meines Mannes schrieb. Sie hatten die Zerstörung ihres Hauses durch Brandbomben überlebt und warteten, hochbetagt, auf unsre Rückkehr. Da es damit nicht so rasch gehen wollte, begann ich, ihnen über unser Ergehen in Amerika während der langen Trennungsjahre zu berichten. Unsere Existenz in diesen Jahren hatte sich in vieler Hinsicht ganz anders gestaltet, als man sich die Lebensumstände eines emigrierten Schriftstellers vorstellen würde. Gerade dieses Leben aber in seiner primitiven, ländlichen Umgebung hatte uns eine Kenntnis und Schätzung des amerikanischen Alltags geschenkt, wie sie vielen Einwanderern vorenthalten blieb. Je mehr ich mich erinnerte, desto länger wurden die Briefe. Als Erich Kästner, damals Redakteur der Münchner *Neuen Zeitung*, bei einem Besuch der Eltern Zuckmayers einige dieser Briefe zu Gesicht bekommen hatte, erschienen sie plötzlich, zu meinem größten Staunen, in seinem Feuilleton. Dadurch ermutigt, und durch viele Fragen angespornt, verfaßte ich den vorliegenden Bericht.«   Alice Herdan-Zuckmayer

Die Autorin

wurde in Wien geboren und verlebte dort ihre Kinder- und Mädchenjahre. Nachdem sie in Berlin einige Zeit als Schauspielerin tätig gewesen war, heiratete sie im Jahre 1925 den Dichter Carl Zuckmayer. Sie holte dann ihre Reifeprüfung nach und studierte einige Semester Medizin. Ihr Studium wurde im Jahre 1933 unterbrochen. Nach dem Einmarsch Hitlers in Österreich mußten Carl und Alice Zuckmayer ihr dortiges Heim, in Henndorf bei Salzburg, verlassen. Im Jahre 1939 wanderten sie mit ihren beiden Töchtern nach Amerika aus, wo sie während der Kriegsjahre eine Farm im Staat Vermont betrieben. Sie lebt heute im Wallis (Schweiz). Carl Zuckmayer starb am 18. 1. 1977.
1979 veröffentlichte Alice Herdan-Zuckmayer ihre Erinnerungen an die Pädagogin Eugenie Schwarzbach ›Genies sind im Lehrplan nicht vorgesehen‹ (S. Fischer Verlag).
Im Fischer Taschenbuch Verlag erschienen: ›Das Kästchen‹ (Bd. 733), ›Das Scheusal‹ (Bd. 1528), ›Genies sind im Lehrplan nicht vorgesehen‹ (5092).

ALICE HERDAN-ZUCKMAYER

DIE FARM
IN DEN
GRÜNEN BERGEN

FISCHER TASCHENBUCH VERLAG

388.–395. Tausend: April 1986

Veröffentlicht im Fischer Taschenbuch Verlag GmbH,
Frankfurt am Main, Dezember 1956

Die erste Ausgabe erschien 1949 bei Toth in Hamburg, die erste Taschenbuchausgabe
1956 in der Fischer-Bücherei KG, Frankfurt und Hamburg
Bearbeitete Neuausgabe: © Alice Herdan-Zuckmayer 1968
Druck und Bindung: Clausen & Bosse, Leck
Printed in Germany
780-ISBN-3-596-20142-x

Die Farm in den grünen Bergen

Auf freier Höhe, doch von Wald umfriedet,
Stehst du getrost in Wind und Wettern da,
Als wärst du an den Himmel festgeschmiedet.
Mir gabst du Heimat, in Amerika.

Mit blutigen Fingern lernt ich dich betreuen,
Viel hartes Holz verheizt ich im Kamin.
Und wie die Monde gehn und sich erneuen,
Lebt ich mit Quelle, Tier und Baum dahin.

Bis mich ein neues Stichwort auf die Szene
Des Tages bannte, in ein brennend Stück,
Doch wenn ich mich in Träumen heimwärts sehne,
Kehr ich im Nordlicht auf die Farm zurück.

Carl Zuckmayer

DIE REISE NACH AMERIKA

Im Mai 1939 erhielten wir die Nachricht, daß unser Visum nach Amerika für uns bereit sei.

Einige Tage später erhielten wir die Nachricht, daß wir mit Kind und Kegel aus Deutschland und Österreich ausgebürgert worden waren.

Wir begannen Abschied zu nehmen.

Wir waren damals über ein Jahr in Chardonne sur Vevey am Genfer See gewesen, wir liebten die Landschaft, das Dorf, die Weinberge, das Haus; die Hotelbesitzer waren unsre Freunde geworden.

Wir hatten hier Weihnachten und Neujahr gefeiert und die goldene Hochzeit unsrer Eltern.

Wir mußten nun Abschied feiern.

Die Eltern kamen nochmals aus Deutschland, die Freunde aus Österreich, Italien, Deutschland unter großen Ausreise- und Einreiseschwierigkeiten.

Wir spürten den kommenden Krieg in den Gebeinen, wir waren Auswanderer geworden, wir feierten den Abschied als etwas Endgültiges und Besiegeltes. Wir sagten auf Wiedersehn und hatten nur einen Schimmer von Hoffnung auf Wiedersehen.

In all den Jahren in Amerika hatten wir Sehnsucht nach Chardonne, man könnte es fast Heimweh nennen, obwohl wir nur ein Jahr dort gelebt hatten. Es war für uns der Platz in Europa, der voll ungestörter Erinnerungen war.

Unser Haus in Österreich, unsere Wohnungen in Berlin und Wien waren enteignet, geplündert, zerstört — das waren Alpträume. Aber von Chardonne konnte man ungestört träumen, und die wahre Sehnsucht erinnert sich wohl an das Unveränderte und Unvergängliche.

Nach Barnard, Vermont, kamen wir zum erstenmal fünf Wochen nach unsrer Ankunft in Amerika.

Die ersten fünf Wochen nach unsrer Ankunft in New York wohnten wir in der Wohnung einer Freundin, die wir seit 1925 aus Berlin kannten. Sie war, als wir ankamen, in Kalifornien.

Wir verbrachten fünf rauschende, tobende Wochen in New York, wir waren ununterbrochen eingeladen, auf die Worlds Fair mitgenommen, in die besten Restaurants New Yorks eingeführt worden, wir sahen die Neger in Harlem tanzen, aßen Spaghetti bei den Italienern, tranken Tee im chinesischen Viertel, spanischen Wein bei den Spaniern, Kaffee in jüdischen Kaffeehäusern, Bier beim »Maxl« im deutschen Hauptquartier und aßen Wiener Schnitzel in einem österreichischen Beisel.

Wir sahen alles, wir kamen zu allem, nur nicht zu uns selbst. In diesen Wirbelsturm hinein erschien plötzlich und unerwartet unsre Freundin, die von Kalifornien geflogen kam, und sagte: »Let's go to Vermont.«

Sie fuhr voraus, drei Tage später rief sie an, sie hätte ein kleines Haus für uns in Barnard gefunden.

Einige Tage später fuhren wir nach Vermont, zum erstenmal in einer amerikanischen Eisenbahn.

Das war eine Überraschung.

Der Zug nannte sich Schnellzug und fuhr in sieben Stunden eine Strecke, die er bequem in vier Stunden hätte zurücklegen können. Er hielt an unendlich vielen Stationen, und zwar hielt er mit einem jähen Ruck an und fuhr unter ebenso heftigen Stößen wieder ab. Nur die gut gefederten und samtbezogenen Sitze bewahrten einen davor, sich das Rückgrat zu brechen. Manchmal fielen Gepäckstücke bei dem Anprall des Haltens und Abfahrens des Zuges herunter. Die Passagiere lächelten dazu und waren guter Dinge.

Das war zum erstenmal, daß wir dem langsamen Tempo in Amerika und dem freundlichen Gleichmut der Amerikaner begegneten.

Es war ein heißer Tag, aber im Zug war es kühl.

Die Kühlungsanlage arbeitete wie eine Heizung mit umgekehrtem Vorzeichen, die Fenster waren hermetisch verschlossen, um die Kälte im Waggon zu bewahren und die Hitze auszuschließen.

Es war ein merkwürdiges Gefühl, hinter Fenstern eingeschlossen zu sein, die man nicht öffnen konnte, und beim Aussteigen auf den Stationen — wir stiegen aus Neugier an mehreren Stationen aus und ein — aus einem Kühlraum in einen Backofen zu geraten.

Vor der Einfahrt in die Stationen begann eine Glocke zu läuten, hell, scharf und stürmisch. Die Glocke hing an einem kleinen Glockenturm über der Lokomotive, und ich hatte die Vorstellung, ein Küster würde sie läuten, der im Nebenberuf auch Kohlen schaufeln mußte. Die Glocke stammt wohl noch aus der Zeit, wo sie Büffelherden in der Prärie zu vertreiben hatte, die sich den Zügen in den Weg stellten.

Nach sieben Stunden kamen wir mit einiger Verspätung an. Nicht an der eigentlichen Station, die wir später immer benützten; unsere Freundin Dorothy wollte uns dort nicht abholen, weil es ein Eisenbahnknotenpunkt ist, eine häßliche Stadt mit roten Ziegelbauten und jener Uneingewohntheit, die Durchgangsstationen anhaftet.

Dorothy erwartete uns an der Station mit ihrem Stationwagen, einem Auto, das wie ein Lieferwagen mit Fenstern aussieht und entweder neun Personen faßt oder weniger Personen und dafür mehr Gepäckstücke aufnehmen kann, die bei der Hinterwand, die man öffnen kann, hereingeschoben werden. Man kann auch Schulkinder, Enten, Gänse, Ziegen, Schweine und Möbelstücke darin transportieren, kurzum, es ist der praktischste Wagen fürs Land.

Wir fuhren von der Station und Stadt Windsor aus in die grünen Berge hinein, nach Barnard.

Der Staat Vermont heißt Green Mountain State: *Vermont*, der Staat der grünen Berge. Er liegt zwischen den Staaten New York, Massachusetts, New Hampshire, und grenzt im Norden an Kanada.

Wenn ich unsern Freunden beschreiben soll, wo unsre Farm liegt, auf der wir leben, so sage ich: sieben Bahnstunden von New York, vier Stunden von Boston, drei Stunden von der kanadischen Grenze.

Vermont ist ein kleiner Holzfällerstaat mit etwa 360 000 Einwohnern auf 9564 square miles (zirka 25 000 qkm) mit großen, dichten Wäldern, Bergen bis zu 1000 Metern, seine Wahrzeichen sind: der rote Klee und die Einsiedlerdrossel. Seine Hauptstadt heißt Montpelier und hat nur 8000 Einwohner, und die größte Stadt (Burlington) hat eine Universität und 27 000 Einwohner.

Die Winter sind lang und unvorstellbar hart.

Die Vermonter züchten Vieh: Holsteins, Guernseys, Jerseys, Ayrshires, Milchkühe. Sie haben große Hühner- und Truthahnfarmen. Sie bauen besondere Sorten von Saatkartoffeln an, und sie haben herrliche Äpfel, wenn sie nicht vorher vom Frost zerstört werden. Eines ihrer Hauptprodukte ist der Ahornsirup.

Sie sind innerhalb der Staaten ein relativ armer Staat, aber sie scheuen ihre Armut nicht, sie lieben den Reichtum nicht, sie haben wenig zu gewinnen und nicht viel zu verlieren. Diese Bescheidung und dieses Maßgefühl verleiht ihnen eine Unabhängigkeit von unsicheren Zeitläufen und wappnet sie mit Stolz und Furchtlosigkeit.

Wir kamen am späten Nachmittag in Barnard an, einem kleinen Dörfchen, das an einem See liegt, dem Silbersee. Dorothy führte uns in das Haus, das sie für uns gemietet hatte. Es lag nicht weit vom See und vom »Generalstore« entfernt, dem einzigen Laden des Dorfes, und eine große Gemeindewiese breitete sich vom Haus bis zum Friedhof aus.

Als ich die Küche betrat und nachdachte, wie ich mir nun an fremdem Ort, im fremden Land, die Dinge beschaffen werde, um einen Haushalt zu beginnen, öffnete ich einen Wandschrank und fand alles vor — einfach alles.

Da war Salz und Pfeffer, Kaffee und Marmelade, da war alles von Grieß, Reis, Mehl übers Backpulver bis zu den eingelegten Gurken, säuberlich und zweckmäßig nebeneinander geordnet. Butter, Fett, Fleisch lagen im Eiskasten, und als besondere »hommage« hatte uns Dorothy aus ihrem Weinkeller zwei Flaschen Rheinwein in den Eiskasten getan. Zigaretten lagen im Salon auf dem Tisch, Blumen standen am Fenster, Holz war neben dem Ofen säuberlich aufgeschichtet.

Das ist eine nicht ungewöhnliche Art der amerikanischen Gastfreundschaft, dem Neuankömmling und Greenhorn die Kisten und Kasten mit allem zu füllen, was er zum guten Anfang braucht.

Das Haus war sehr altmodisch eingerichtet. Die paar schönen Möbel, die es besaß, standen in dunklen Ecken, während die Möbel und Dinge der neunziger Jahre ins rechte Licht gerückt waren. Porzellanene Holländermädchen hielten Bücher, ein offener Indianerkopf war als Aschenbecher gedacht, die Wände konnte man vor eingerahmten Erinnerungssprüchen, Bildern von Präsidenten- und Mädchenköpfen kaum wahrnehmen, die Möbelstücke waren verschnörkelt, und die Schaukelstühle so zahlreich, daß man kaum irgendwo fest sitzen konnte. Die Lampenschirme waren so bestickt oder dunkelrosa, daß das Licht darunter nur düster hervorleuchtete.

Die Besitzerin des Hauses, eine leidende alte Dame, weilte bei einer Verwandten in einer andern Stadt, ich konnte also alles auf- und wegräumen und den störendsten Zierat verstauen.

In der Küche fand ich zweihundertzwölf Backformen vor; damit begann meine Backleidenschaft und hat mich seitdem nicht mehr verlassen.

In diesem Hause verbrachten wir drei Monate unseres ersten Sommers in Amerika.

Wir waren abwartend, erstaunt und beeindruckt von so viel neuem und andersgeartetem Leben.

In diesem Sommer brach der Krieg aus in Europa.

Im nächsten Sommer waren wir wieder in Vermont.

Herbst, Winter, Frühling lagen zwischen dem ersten und dem zweiten Vermonter Sommer, drei Jahreszeiten nur, mir schienen es zehn Jahre zu sein.

Ich kann mich wenig an jene Zeit erinnern, ich weiß nur, sie war erfüllt von falschen Hoffnungen, verlorenen Illusionen, Abwehr, Entwurzelung und Kampf um die Existenz.

Es war die erste Phase der Emigration mit allen Stationen des unpersönlichen, allgemeinen Emigrantenschicksals.

Es war der übliche Verlauf, man hatte keinen Anspruch darauf, eine Ausnahme zu sein.

Da waren die Emigranten: der Prokurist aus Bielefeld, der dachte, er hätte Aussichten auf eine Stellung in einem großen Warenhaus. Da war der bekannte Rechtsanwalt aus Berlin, der träumte von einem Angebot als Berater eines Konzerns. Den berühmten Herzspezialisten erwartete eine umfangreiche Praxis. Der Schriftsteller glaubte einen Kontrakt in der Tasche zu haben, der ihm die Aufführung seines Stückes auf dem Broadway sicherte. Da war der große Schauspieler, dem die Karriere in Hollywood winkte.

Aber es kam immer anders, ganz anders.

Der Prokurist konnte froh sein, wenn er eine Gelegenheitsarbeit fand und etwa in einer Fabrik Puppen ausstopfen durfte für den Weihnachtsbedarf. Der Rechtsanwalt lief treppauf, treppab mit einem Köfferchen voller Würste und verhandelte sie zumeist an Emigranten, weil sein Englisch zu schlecht war für amerikanische Kunden. Der Herzspezialist saß in irgendeiner elenden Bude und stuckte wie ein Gymnasiast für seine Prüfungen. Der Schriftsteller wurde — wenn er Glück hatte —

in Hollywood umgeschult. Der Schauspieler saß ebenda und harrte zitternd einer Statistenrolle entgegen, wo im Volksgemurmel sein fremder Akzent untergehen konnte.

Es hat sich nichts geändert: Amerika ist noch immer das Land, in dem Zugereiste, manchmal auch Einheimische, als Tellerwäscher beginnen, aber nur sehr wenige enden als Millionäre. Es ist eine neue Welt, und alles, was in der alten geschah, ist vergessen und wird auf der großen Tafel der Neuen Welt nicht angekreuzt, aber auch nicht angekreidet.

Es heißt wieder ganz von Anfang anfangen. »To start all over again« ist einer der bedeutsamsten Sätze, die Amerika geformt hat.

In Europa würde es heißen »ganz von unten anfangen«. Wobei es sich übrigens herausstellte, daß für Emigranten, die in Europa oben gewesen waren, der jähe Sturz nach unten leichter zu ertragen war als für jene, die auch in Europa das »oben« nicht erlebt hatten und nun verzweifelt versuchten, dies in wilden Heimweh-Phantasien nachzuholen und sich selbst etwas vorzuspiegeln.

Die Frauen waren zumeist der ruhende Pol in den ersten Jahren der Emigrationsgeschichte. Sie wurden Putzfrauen, oder sie verkauften Seifen und Bürsten und ermöglichten auf diese Weise Studium und Berufsausbildung der Männer. Manche Männer fühlten sich dadurch erniedrigt und beleidigt, und es dauerte geraume Zeit, bis sie sich entschlossen, den Ballast an Vorurteilen, Kastengeist und Geltungstrieb über Bord zu werfen und damit das Rettungsboot wesentlich zu erleichtern.

Ja, das war es. In der ersten Zeit schien es einem, als wäre man in einem Rettungsboot.

Das Schiff, auf dem man gelebt hatte, war untergegangen, man trieb auf dem Wasser, hatte noch etwas Proviant und hoffte, vor dem Sturm an Land zu kommen. Man sah Wasser und Himmel, aber man sah noch keine Küste.

In jenem ersten Herbst, Winter und Frühling war unsre Familie in alle Winde zerstreut.

Die Kinder lebten in verschiedenen Schulen in verschiedenen Staaten.

Zuck versuchte, ohne Erfolg, in Hollywood eine Goldmine zu finden, und nahm dann eine Lehrstelle an einer Hochschule in New York an.

Wir fanden eine Wohnung, deren Miete erschwinglich war. Ich wirtschaftete und kochte — eine damals mir noch ungewohnte

Tätigkeit. Das Kochen gelang mir wider Erwarten so gut, daß ich den Plan faßte, mich weiter darin auszubilden, um mich als Aushilfsköchin zu verdingen.

Zuck schrieb an einem Buch und dazwischen an manchem, das nicht verkäuflich war.

Der Krieg schwelte in Europa, und man lebte in einer dauernden Angst vor der nächsten Zukunft.

Zuck hatte Vorschuß von einem amerikanischen Verleger bekommen und mußte sein Buch so rasch als möglich abliefern. Daher vermieteten wir unsere New Yorker Wohnung über den Sommer und mieteten uns wieder in Barnard ein und wieder auf drei Monate.

Diesmal war es eine alte Farm, einer großen Hütte vergleichbar, die sich durch eine ungewöhnlich niedrige Miete auszeichnete. Zudem war es ein merkwürdiges, altertümliches Farmhaus, einsam, auf einem Hügel überm See gelegen.

Was die Villa im Dorf zu viel an Einrichtung gehabt hatte, das hatte das Farmhaus zu wenig.

Dorothy half aus. Sie kam mit einem Lastwagen angefahren und brachte Stühle, Tische, Vorhänge, Bettdecken mit. Wir tapezierten die Wände, hingen Vorhänge auf und Bilder — in zwei Tagen war das Haus bewohnbar.

Das Wasser mußte von einer Quelle, die drei Minuten vom Haus lag, hereingebracht werden. An der Quelle waren Schlangen gelagert.

Zuck sagte, es wäre eine harmlose Art von Schlangen, aber ich wollte um keinen Preis dort Wasser holen.

Es gab keine Wasserleitung, kein Badezimmer, und eine merkwürdige Toilette gab es in der Scheune, mit zwei Sitzen nebeneinander, wahrscheinlich um nicht allein zu sein in Nacht und Dunkelheit.

Wir hatten Petroleumlampen und Kerzenlicht und einen Herd in der Mitte der Küche. Die Abwasch war uralt, aus schwarzem Eisen, und in ihrer Mitte war ein Loch, durch das das Abwaschwasser in einen daruntergestellten Kübel floß. Manchmal floß der Kübel über und überschwemmte die Küche mit schmutzigem Wasser.

Es war ein sehr altes Farmhaus, Fliederbüsche ums Haus und mit einer wunderbaren Aussicht auf den See.

Der letzte Besitzer hatte die Farm verlassen müssen, weil er die Neunzig an Jahren überschritten hatte.

Einmal kam eine Nachbarin zu Besuch, die uns ihr selbstge-
backenes Brot ablieferte.

Sie ging in Zucks Zimmer, um ihr Geld fürs Brot einzukassie-
ren. Sie ließ sich in einem Schaukelstuhl nieder, begann zu
schaukeln und sprach übers Wetter, die Straßenverhältnisse,
und Zuck lobte ihr Brot.

Plötzlich hielt sie im Gespräch inne und starrte auf das Bett, das
in Zucks Zimmer stand.

»Oh«, sagte sie, »das ist das Bett, in dem Mrs. Hawthorn ver-
storben ist. Ich besuchte sie öfters, bevor sie starb.« Dann sah
sie Zuck an. »Ihnen macht es nichts aus«, sagte sie, »in einem
Bett zu schlafen, in dem jemand gestorben ist?«

»Nein«, sagte Zuck, »es macht mir nichts aus. Bei uns zu
Hause schlafen wir zumeist in Betten, in denen Leute vor uns
gestorben sind.«

Es war ein schöner Sommer auf dieser Farm, und wir hatten
viele Gäste.

Einmal in einer Vollmondnacht kamen spät abends unerwartete
Gäste.

Dorothy hatte in ihrem Stationswagen eine Ladung Freunde
und ihren Stiefsohn mitgebracht. Es sollte sein dreiundzwanzig-
ster Geburtstag gefeiert werden.

Es wurde ein Fest.

Wir sangen Lieder in allen Sprachen. Sie verstanden unsre Lieder, wir verstanden ihre Lieder.

Es war knapp vor der Morgendämmerung, aber noch schien der
Mond, als wir den Geburtstagssohn auf der Wiese sitzend fan-
den, zusammengekauert in grenzenloser und vollkommener
Verzweiflung.

Sie packten ihn auf und fuhren heim mit ihm.

»Merkwürdig«, dachte ich damals, »daß diese jungen Leute
so wenig vertragen und in eine so hoffnungslose Sterbenstrauer
verfallen.«

Drei Jahre später, vor seinem sechsundzwanzigsten Geburtstag,
ist er in Frankreich gefallen.

Am Ende dieses Sommers machten wir einen langen Spazier-
gang, Zuck und ich.

Wir gingen durch Wälder und an vielen bewohnten und verlassenen Farmen vorbei.

Wir hatten uns Essen mitgenommen und suchten als Mittags-
platz eine alte Holzhütte aus. Sie war sehr nach einer Seite ge-

neigt, gebückt von Alter und Schneestürmen, und nur die Holz-stöße, die in ihr gestapelt waren, hielten sie vom Zusammen-brechen ab. Es war im Beginn des Herbstes und ein schöner Tag.

Zuck saß gegen die Holzwand der Hütte gelehnt und rauchte seine Pfeife.

Ich kaute an einem Apfel.

»Möchtest du«, sagte Zuck, »möchtest du in Vermont bleiben?«

»Ja«, sagte ich, ohne mich zu besinnen, »das möchte ich.«

In dem Augenblick wußte ich, daß es eines Tages so geschehen werde.

Später sind wir oft an dieser Holzhütte vorbeigefahren auf unserem Weg zur nächsten Stadt.

In jenem Herbst erst, in dem wir nach Europa fuhren, ist sie zusammengestürzt.

BACKWOODSFARM

Drei Sommer lang waren wir Sommergäste in Barnard gewe-sen.

Nach dem dritten Sommer wurden wir Einwohner.

Wir hatten Hals über Kopf unsre New Yorker Wohnung auf-gegeben und beschlossen, aufs Land überzusiedeln. Der Ent-schluß war rasch gefaßt, aber nicht überraschend gekom-men.

In Amerika gibt es viele Farmer, die aus andern Berufen kom-men und als Laienfarmer begonnen haben.

Der Grund ihrer Übersiedlung aufs Land ist gewöhnlich darin zu suchen, daß sie ihre Lebenshaltung verbilligen müssen.

Ja, in der berüchtigten Zeit der Depression haben sich manche Familien, anstatt sich umzubringen, vom letzten Geld eine Schaluppe auf dem Land gekauft, um sich mit ein paar Hüh-nern, Kaninchen, Kartoffel- und Gemüseanbau über Wasser zu halten, und dabei versucht, am Wiederaufbau ihrer gefährdeten Existenz zu arbeiten.

Wir gehörten gewissermaßen zu jenen Leuten, die als Ursache ihrer Übersiedlung aufs Land einen ausgiebigen und beträcht-lichen Schiffbruch aufzuweisen hatten, und wir wollten uns nun als Laienfarmer versuchen.

Das Leben auf dem Land an sich war keine ungewöhnliche Lebensform für uns. Wir waren von Europa her gewohnt gewesen, den größten Teil des Jahres oder das ganze Jahr auf dem Land zu verbringen. Wir ahnten damals noch nicht, wie groß das Abenteuer sein würde, auf das wir uns einließen, wir ahnten nichts von Vermonter Wintern, wir wußten nicht, was es bedeutet, eine Farm zu haben ohne entsprechende Hilfe.

In jenem dritten Sommer wohnten wir in demselben Haus in Barnard, das wir im ersten Jahr gemietet hatten, es war zentral gelegen und ließ mehr freie Zeit zur Suche nach einer Farm als das bäuerliche, aber unpraktische Haus auf dem Hügel.

Zunächst mußten wir uns einen Wagen anschaffen, denn in Amerika ist ein Auto nicht eine Frage des Luxus oder des Vergnügens, sondern eine Lebensnotwendigkeit.

Die nächste kleinere Stadt, in der man einkaufen mußte, ist 15 km entfernt, die nächste Bahnstation 40 km, die nächste größere Universitätsstadt 48 km. Die Autohändler überrannten unser Haus.

Nach einer Woche hatten wir einen prächtigen Oldsmobile second hand — das heißt benützt — gekauft für 360 Dollar, wovon ein Drittel angezahlt werden mußte, der Rest der Zahlung war auf sechzehn Monate verteilt.

Die Autosteuer beträgt für einen solchen Wagen 18 Dollar im Jahr, fünf Dollar hat man an den Staat zu zahlen, in dem man lebt, Zwangsversicherung gibt's keine, die privaten Versicherungskosten sind gering, und das Benzin ist nicht teuer.

Diese geringen Haltungskosten machen das Auto in Amerika zu einem Gebrauchsmittel, das für breite Schichten der Bevölkerung erschwinglich ist.

Mein neuer alter Oldsmobile faßte fünf Personen, war äußerlich in vornehmem Beige gestrichen und innerlich mit einem grauen Stoff überzogen, der ebensogut für einen feinen Herrenanzug zu verwenden gewesen wäre. Mein Oldsmobile war keineswegs betagt, es war ein Modell 1937, und als wir ihn kauften, war er erst vier Jahre alt, in bestem Zustand, versehen mit Radio, Heizung, Frostentferner, Zigarettenanzünder und einem innern Licht am Schaltbrett, das anzeigte, ob man die äußern Scheinwerferlichter klein oder groß eingestellt hatte.

In diesem unserm neuerstandenen Wagen machte ich meine Autoprüfung und fuhr am Tage drauf durch den Staat Vermont in alle seine Ecken und Enden, um mir Farmen anzusehen.

Ich sah in den nächsten Tagen unzählige Häuser und Farmen, aber immer stimmte etwas nicht.

Manche lagen zu weit weg von der Straße, manche waren zu nah an der Straße gelegen. Ich sah moderne Häuschen, deren Schlaf- und Wohnräume den Umfang von Badekabinen hatten und deren Badewanne, Kochherd und Toilette in einem Raum zusammengedrängt waren. Andre Häuser wieder waren größer, jedoch waren die Außenwände so zart gebaut, daß der Wind, der durch die Wände blies, die Teppiche bewegte.

Ich sah massive, schöne, wohleingerichtete Häuser und sehnte mich nach dem Geld, das man brauchte, um sie bewohnen zu können.

Und dann gab es da und dort die wunderbaren alten Farmhäuser, halb zerfallen und oft verlassen. Sie waren um billiges Geld zu haben, aber man hätte mindestens zweitausend Dollar an sie wenden müssen, um sie beziehbar zu machen.

Diese »abandoned Farms«, die verlassenen Farmen, sind eine merkwürdige Erscheinung in Amerika.

Die Bauernhöfe sind verlassen worden, vielleicht weil der letzte Besitzer gestorben ist und der Erbe ein besseres Haus hat. Oder eine Familie hat das Haus verlassen, weil sie in eine fruchtbarere und wärmere Gegend in den Westen ausgewandert ist.

Sie sperren das Haus oft gar nicht ab, ein paar Stühle, Tische, Bettgestelle bleiben zurück, der Teekessel steht auf dem Herd und hier und dort hängt ein Kleidungsstück, liegt ein alter Hut, die von den Mäusen langsam zerfressen werden, und die Tapeten lösen sich von den Wänden.

Findet sich rechtzeitig ein neuer Besitzer, der das Haus vorm Zerfall bewahrt, so wird er meist seine Freude daran erleben. Denn diese verlassenen Farmen haben in ihrer Grundarchitektur das Zeug dazu, schöne Häuser abzugeben.

So waren die Häuser beschaffen, die ich sah, und als ich nach etwa zehn Tagen wieder einmal nach Hause kam, müde und ungeduldig von vergeblicher Suche, fand ich Zuck in seinem Ohrensessel sitzend, Pfeife rauchend, und er sah mich rätselhaft und belustigt an.

Zuck liebte das Autofahren nicht und machte täglich seine Spaziergänge, sechs und acht Stunden durch die unwegsamen Wälder auf alten Indianerpfaden, und überließ mir die Haussuche.

Als ich ihm an jenem Abend nun wieder die erfolglose Suche beschrieb, meiner Verzweiflung Ausdruck gab und uns Narren schalt, daß wir unsre gute Wohnung in New York aufgegeben hatten, ohne das richtige Haus für uns auf dem Land finden zu können, sagte Zuck plötzlich: »Ich habe das Haus gefunden.«
Er sagte nicht *ein* Haus, er sagte *das* Haus und mehr wollte er nicht erklären.

Am nächsten Morgen kamen Freunde von uns, die zugleich Zucks Verleger waren.
Sie beschlossen, mit uns zum Haus zu fahren.
Sie wollten das Haus sehen, in dem wir vielleicht in Zukunft wohnen würden, in dem Zuck vielleicht wieder schreiben würde.
Sie wußten, daß es lebenswichtig für uns war, das rechte Haus zu finden.
Sie nahmen uns in ihrem Wagen zum Haus. Das war ein schlechter Einfall, da sie einen prächtigen Stadtwagen hatten, der nicht für Vermonter Holzfällerwege gebaut war.
Als wir von der Hauptstraße in einen Waldweg einbogen — nach Zucks Geheiß —, fanden wir ein Wegzeichen. Da stand auf einem blauen Pfeil in Kinderhandschrift geschrieben: Dream Valley, Traumtal.
Das Tal war ein Traum an Schönheit, und die Stille wurde nur unterbrochen durch das Spinnen der Autoräder im weichen Gras, das Aufheulen des Motors, das Knirschen und Reiben der Metallstücke an Felsplatten und das Fluchen des Fahrers.
Plötzlich öffnete sich der Wald und gab eine verzauberte Sicht frei. Rechts lagen Almwiesen, links war ein kleiner Bergsee mit einem Ruderboot. In der Ferne sah man den blauen, kegelförmigen Ascutney-Berg. Und dann sah man das Dach eines Hauses, ein Stück Fenster und ein Stück Hauswand, bedeckt mit braunen Schindeln.
Das Dach war, wie es manchen amerikanischen Farmhäusern eigentümlich ist, auf der einen Seite steil über den Parterrefenstern gelegen, auf der andern Seite ist es wie aufgeklappt und mündet in sanfter Neigung über den Fenstern des ersten Stockes. Von der Giebelseite gesehen, bildet das Dach einen stumpfen Winkel, dessen eine Seite kurz und breit aussieht, während die andere Seite lang und steil herabfällt.
Das Haus war verschlossen.
Wir gingen ums Haus und lugten in die Fenster.

Da war ein Schlafzimmer mit drei Fenstern, holzgetäfelten Wänden und einem offenen Kamin. Dort hatten die Mütter des Hauses geschlafen, wurde uns gesagt.

Da war ein Speisezimmer nach Osten und Süden, und über der Tür hing der Spruch: »Ich rufe zu Dir in jeder Stunde.« Auf der Westseite war ein Saal mit sechs Fenstern und handbehauenen Balken an der Decke. Der Kamin in diesem Raum bestand in seinem oberen Teil aus einem mächtigen Felsblock. Wie sie den hereinbefördert haben mögen, ist uns heute unbegreiflich. Wahrscheinlich haben sie das Haus um den Kamin gebaut.

In Vermont war es lange nicht möglich, zu bauen, da die großen Indianerwege das Land durchzogen, und auf diesen Durchzugswegen der Indianer wurden die Häuser so rasch niedergebrannt, daß sich das Aufbauen kaum verlohnte.

Das Haus wurde 1783 erbaut, als die Indianerüberfälle beträchtlich nachgelassen hatten. Zu diesen Zeiten konnten die Siedler noch alles, auch Feuerplätze, aus Felsblöcken bauen.

In dem großen Kamin hing an einem eisernen Haken ein Teekessel. Als wir damals durchs Fenster schauten, war er noch vergoldet, und dies hatte der Ururenkel der irischen Großmutter getan, die ihren Teekessel mitgebracht und dort aufgehängt hatte. Wir kratzten später das Gold ab, und nun ist er rauchgeschwärzt wie eh und je.

In dem Felsen des Kamins ist der Bostonische Backofen. Man öffnet eine kleine eiserne Tür, schiebt Stroh und Holz in den Backofen, zündet es an und läßt die Steinwände vom Feuer erwärmen. Dann schiebt man die heiße Asche nach hinten, wo sie durch einen kleinen Kaminabzug in ein Kellerloch fällt, aus dem man sie, ausgekühlt, wieder hervorholen kann. Der Brotteig wird ins heiße Rohr geschoben und bäckt dort zu Brot.

Die Küche lag neben dem »Living-room«, wie er in Amerika heißt, dem Raum, in dem man lebt, in dem das Radio steht und das Grammophon, in dem der Vater Zeitung liest, die Mutter näht, die Kinder schreien.

Die Küche ist sieben Meter lang und ganz verschieden in der Breite, und das fand ich heraus, als ich später den Linoleumbelag bestellen mußte.

Ich habe mir ausgerechnet, daß ich in dieser Küche im Laufe der Jahre soviel Schritte zurückgelegt habe, als ich gebraucht hätte, um nach Florida zu gehen. Meine Familie sagte, diese

Feststellung sei übertrieben, ich könne keine 3600 km zurückgelegt haben. Sie hatten recht, aber manchmal bewahrt einen die Übertreibung vorm Zusammenbruch.

An die Küche schloß sich eine Scheune an, die später unsre Garage wurde.

Es gab noch abseits vom Haus eine riesige Scheune, in der wir später das Heu, die Schweine und zeitweise die Ziegen unterbrachten.

Ganz nah beim Haus stand eine kleine Scheune, in der Mais zum Trocknen aufgehängt wurde. Sie stand auf sechs Beinen aus Stein, wie die Hütten in Wallis, in denen man das Walliser Fleisch trocknet. Ich sah diese Scheune später von meinem Schlafzimmerfenster aus und dachte manchmal, ob sie nicht doch eines Tages den steilen Hügel hinabstolpern würde auf ihren steinernen sechs Beinen.

Es gab noch fünf Zimmer im ersten Stock des Hauses, aber die konnten wir damals nicht sehen, weil wir die Leiter nicht fanden.

Das also war unser Haus.

Die Backwoodsfarm war ihr Name, die Farm der Hinterwäldler.

Ich habe oft Maler und Architekten gefragt: Warum ist ein Haus schön, warum ist ein Haus wohlgeformt? Kann man ein Haus wohlformen mit Absicht und Vorbedacht? Warum kann ein durchdachtes, wohlkonstruiertes Haus Unbehagen erzeugen, warum kann ein verfallenes Bauernhaus entzücken? Es ist etwas Unbegreifliches, weil es nicht unmittelbar mit Kunst zu tun haben muß. Ein Maler erklärte mir einmal, es hätte mit dem Goldenen Schnitt zu tun, der Begegnung zwischen Geometrie und Schönheit.

Zuck saß auf der Stiege vor dem Haus und sprach über die Nachteile des Hauses. Er kannte sie, weil er tags zuvor im Haus gewesen war.

Als er in die Nähe des Hauses gekommen war, erzählte er, sah er einen Mann, der mähte die Wiese.

»Gutes Wetter«, hatte der Mann gesagt.

»Schönes Wetter«, sagte Zuck.

Der Mann mähte weiter, dann legte er die Sense hin und ging in die Küche.

»Gutes Quellwasser«, sagte er und trat in die Küchentür.

»Wollen Sie's kosten?«

»Ja«, sagte Zuck.

Das Wasser floß aus einer Röhre in einem dünnen Strahl in ein Zinnbecken.

Der Mann füllte einen Steinkrug mit Wasser.

Als Zuck den Krug absetzte, sagte er: »Hier möchte ich wohnen.«

»Yea«, sagte der Mann.

»Haben Sie je daran gedacht, dieses Haus zu vermieten?« fragte Zuck.

»Nein«, sagte der Mann.

»Können wir darüber sprechen?« sagte Zuck.

»Ja«, sagte der Mann, »kommen Sie irgendwann zu mir.«

Es war keine Wasserleitung im Haus, kein Badezimmer, keine Kanalisierung, keine Elektrizität, kein Telefon, keine Öfen. Das Haus war seit zwölf Jahren unbewohnt gewesen.

Wie es geschah, weiß ich nicht, aber es geschah.

Wir hatten eine Unterredung mit ihm, dem Besitzer des Hauses, der in der nächsten Stadt wohnte und dort einen Laden besaß.

Er vermietete uns das Haus. Wir wußten nicht recht, warum er es eigentlich tat, denn die Miete war niedrig. Er war ein großer, magerer, weißhaariger Mann, anzusehen wie einer der Pilgrimsväter, streng und schweigsam. Er sah uns an mit einem Blick, dem wir später noch oft begegnet sind. Der Blick bedeutete: merkwürdige, seltsame, verrückte Leute. Wir wußten lange nicht, daß sie uns von Anbeginn als Sonderlinge angesehen hatten.

Sie, diese merkwürdigen, seltsamen Einwohner von Vermont, konnten den Städtern aus New York, Chicago oder Los Angeles mitunter das Leben recht schwer machen durch Mißtrauen und Fremdheit.

Wir können uns nicht beklagen, wir hatten es nicht schwer mit ihnen, und das kam wohl daher, daß sie uns als Sonderlinge betrachteten.

Und manchmal habe ich den Verdacht: wir sind Sonderlinge geworden in der Sonderlinge-brütenden Luft von Vermont.

Der Mietskontrakt wurde in Form eines Briefes geschlossen, der, von keinem Notar beglaubigt, unser gegenseitiges Einverständnis bezeugte: der Hausbesitzer wollte das Haus bewohnbar machen, und wir wollten darin wohnen.

Dann machte sich der Hausherr an die Arbeit.

Das war Anfang August, und am 15. September zogen wir ein.

Wasserleitung, Badezimmer, Kanalisierung, Elektrizität, Telefon und drei Öfen waren da.

Er, der Hausherr — wir pflegten von ihm mit einem großen Anfangsbuchstaben zu sprechen —, er tat die Hauptarbeit mit Hilfe eines einzigen Arbeiters. Er wurde bleicher und dünner mit jedem Tag. Zuck machte sich Sorgen.

»Ich weiß nicht, ob Er durchhalten wird ohne zusammenzubrechen«, sagte Zuck, als er sah, wie Er den Abzugskanal in den steinigen Boden grub. Je tiefer Er grub, desto dünner und bleicher wurde Er.

Wir wußten damals noch nicht, was ein Vermonter alles aushalten kann und muß.

Unsere Möbel kamen von New York an. Es waren einige gute, antike Stücke dabei, die wir zu einem geringen Preis erstanden hatten, da der Besitzer diese enormen Stücke in einer kleinen New Yorker Wohnung nicht verwenden konnte.

Der große Renaissanceschrank und die Truhe wurden im großen Wohnzimmer aufgestellt. Der dazugehörige lange, schmale Holztisch kam mit einem bayrischen Bauernkasten in Zucks Zimmer. Der vier Meter lange Holztisch, ein Refektorientisch aus einem schwäbischen Kloster, wurde unser Speisezimmertisch. Er, der Hausherr, brachte uns aus seiner katholischen Kirche ausrangierte, schöne gedrechselte Kirchenbänke, die aufs prächtigste zu unserm Klostertisch paßten.

Wir hatten auch einige solide, moderne Möbel für unsre Schlafzimmer. Einige Stühle, Tische, Schreibkommoden hatte Er im Haus gelassen, und den Rest bestellte ich auf Abzahlung bei Sears und Roebuck, jenem märchenhaften Versandhaus für alles, was man zum Leben braucht.

Diesen Sears-und-Roebuck-Katalogen verfiel ich in den nächsten Jahren mit Haut und Haaren, und außerdem wurde ich eine Auktionssüchtige. Die Auktionen auf dem Lande sind schon allein des Schauspiels wegen wert hinzugehen, geschweige denn, was man da für besondere Stücke an gutem altem Handwerk finden kann.

In jenem ersten Winter hatten wir an Tieren nur zwei Hunde, drei Katzen, eine geistesgestörte Ente und ein schwaches Huhn. Ente und Huhn hatten wir von Freunden bekommen.

In jenem ersten Winter hatte ich nur im Haus zu tun, zu kochen, aufzuwaschen, aufzuräumen und zu nähen, vor allem Vorhänge und Bettdecken.

Ich bestellte das meiste Material bei Sears und Roebuck, und da ich keine Maschine hatte, mußte ich alles mit der Hand nähen.

Zuck bekam in sein Zimmer grüne Vorhänge, die gut zu seinen Vogelkarten paßten und zu dem bleich-grünen Bauernkasten.

Winnetou, unsre jüngere Tochter, hatte weiße Vorhänge mit Figuren drauf: Bauern, Kirchen, Häuser, Truhen, Herzen, Bäume in Rot und Blau, und ich nähte ihr vom selben Material Überzüge über das häßliche Gestell ihres Eisenbettes, das ich auf einer Auktion erstanden hatte.

Michi, die Ältere, hatte ein Zimmer mit gelben Vorhängen und Kissen, auf denen sich das Leben auf den Plantagen im Süden abspielte. Feine Damen aus der Glanzzeit vor dem Bürgerkrieg grüßten aus Equipagen die paradierenden Offiziere. Schwarze Negerinnen, die Mammies, panierten Hühner, southern-style, und im Hintergrund waren die weißen Paläste der Plantagenbarone abgebildet.

Wir nannten Michis Zimmer: »Vom Winde verweht.« Vielleicht war es eine Vorahnung, denn einige Jahre später heiratete sie einen Mann vom Süden und lebte nun in den Südstaaten.

Mein Zimmer hatte weiße Batistvorhänge, einen blauen Teppich und eine mit Chintz bezogene Daunendecke auf dem Bett und sah aus wie das Zimmer einer Dame. Dies hatte ich dringend nötig als Kontrast zum Küchendunst und später zur Stallarbeit.

Das Speisezimmer hatte blaukarierte, die Küche rotkarierte Vorhänge.

Fürs Wohnzimmer brauchte ich zwölf Stück Vorhänge an sechs Fenstern, und die kamen erst dann, als Sears und Roebuck einen Ausverkauf hatten an dunkelgestreiftem Baumwollmaterial für Herrenhemden.

Dieser erste Winter auf der Farm hätte sehr friedlich sein können, wenn nicht zwölf Wochen später der Krieg ausgebrochen wäre.

Da war nun das Haus, in dem ich leben sollte, und um das Haus waren die Wiesen und um die Wiesen die Wälder mit ungeschlagenem Unterholz.

Da war der Teich, aus dem abgestorbene Bäume ragten wie Arme von Ertrunkenen.

Da floß ein Bach steil abwärts in einen Wald, in dem Waschbären auf Bäumen kletterten, schnaubende Stachelschweine sich durchs Gebüsch schabten und schoben, da waren manchmal Luchse, die mit glühenden Augen auf Felsen kauerten und gellend schrien.

Da fauchten Wildkatzen, da liefen wilde Kaninchen, da schlurften und trabten Skunks, da saß ein Bär im Gestrüpp und fraß Himbeeren. Im Herbst flogen Kraniche über den Wald zum Teich, sommers schwirrten Kolibris vor den Fenstern, ungekannte Vogelmusik kam von den Bäumen her, und in den Scheunen saßen riesige Spinnen mit mächtigen Leibern in ihren Netzen.

Nachts stand über der Landschaft mit dem fremden Getier der Mond wie eine halb gesenkte Sichel.

Da waren Waldgebirge mit Tannen, Fichten, Föhren, Buchen, Birken, Ulmen und Ahornbäumen. Da waren in den Wäldern Wiesel, Marder, Füchse. Da war eine Landschaft, die der heimatlich gewohnten bis in Einzelheiten glich, und doch war sie ganz unvertraut und fremd.

Es war, als wäre man in einen verzauberten, verhexten Wald geraten, in dem alle Gestalt und Form sich verwandelt hatte, über dem selbst der Mond in einem andern Winkel hing.

Auch der Himmel schien nicht mehr gewölbt und glassturzartig die Erde zu begrenzen, ja es war, als seien Himmel und Erde parallele Flächen geworden, die sich im Unendlichen, uns Unsichtbaren zu schneiden schienen.

Dies erzeugte ein Gefühl der Weite und Unbegrenztheit, wie ich es nie zuvor gekannt hatte.

In der Optik lautet der Satz vom Winkel: »Die Größe des Bildes auf der Netzhaut hängt nur vom Sehwinkel ab.« Nun schien es, als hätte sich der Sehwinkel verschoben und mit ihm die Bilder auf der Netzhaut.

Man konnte sich nicht mehr des Erlernten bedienen, es war alles ganz neu und ganz anders.

Viele Einwanderer haben diesen Zustand als zweite Kindheit empfunden und bezeichnet.

Man mußte sehen, hören, tasten, riechen, schmecken neu erlernen. Man mußte sich an die großen Räume gewöhnen, an die Verteilung im Raum, und nur ganz allmählich fand man sein Gleichgewicht in den ungewohnten Dimensionen. Es roch anders im Wald, auf der Wiese, im Haus.

Es schmeckte alles anders, denn der Boden war süß und erzeugte süße Pflanzen und Früchte. Man vermischte das Süße mit dem Sauren, und der Geschmack war uns fremd. Man mußte sprechen lernen und Hunderte von Bezeichnungen wissen, die man zum täglichen Leben brauchte. Man lernte die Umgangssprache, aber man konnte mit der Sprache nicht umgehen.

Es war alles anders und ganz fremd.

Im Spätherbst lagerte sich eine Einsamkeit ums Haus, die von außen kam und sich fast zur Sichtbarkeit verdichtete. Später, mit dem ersten Schnee, fiel eine Stille ein, eine bewegte, auf und ab schwingende Stille, die in den Ohren dröhnte.

Samstag nachts war es geschehen. — — Sonntagmittag riefen uns finnische Freunde an aus der nächsten Universitätsstadt.

»Was wird geschehen?« sagte die Frau in einem besorgten Tonfall, »und was werdet ihr tun?«

»Was wir immer tun«, antwortete ich ahnungslos, »das Haus warmhalten, kochen, aufräumen, sich langsam einwintern.«

»Wenn man euch läßt«, sagte sie, und plötzlich merkte ich, daß sie englisch sprach, obwohl wir sonst immer deutsch miteinander redeten.

»Ist etwas geschehen?« fragte ich.

»Habt ihr denn nicht von Pearl Harbour gehört?« fragte sie erstaunt.

»Nein«, sagte ich, »wir haben kein Radio angedreht seit vorgestern. Was ist Pearl Harbour?«

»Der Krieg«, sagte sie.

Von Stund an hatten wir das Radio eingeschaltet, Tag und Nacht, mit nur wenig Unterbrechungen.

Es ist ein gespenstisches Instrument, das Radio. Da saßen wir nun in unserm Farmhaus, das wie eine Robinson-Crusoe-Insel in den Wäldern lag, und plötzlich hörte man den hallenden Lärm der Menschenmasse, die in einem großen Raum versammelt war. Man hörte das Scharren von Schuhen, das Murmeln von Stimmen, das Räuspern und Husten einer Menge, die auf etwas wartet, man hörte und sah in der Phantasie das wartende Washington. Dann trat einen Augenblick lang eine tiefe, tödliche Stille ein, und dann begann er zu sprechen, der »Mister Präsident«.

Es war ein langer warmer Spätherbst gewesen, und wir hatten noch wenig kalte Tage gehabt, obwohl es Anfang Dezember war.

Nun aber, in den Tagen der japanischen Kriegserklärung, begann eine schauerliche Kälte ins Haus zu kriechen, und man konnte nicht mehr unterscheiden, ob es die äußere Kälte war oder die Verzweiflung, die einen in einen Dauerzustand fröstligen Schauerns versetzte.

Man wartete drei Tage und drei Nächte, ob die Entscheidung mit Deutschland fallen werde.

Montag, Dienstag, Mittwoch . . .

Man saß in einer feuchtkalten Grotte eines Berges eingeschlossen und hörte die Zeit tropfen.

»Wenn ich wieder ans Licht komme«, dachte ich, »sind hundert Jahre vergangen. Alle werden tot sein, die ich gekannt habe, und alles wird verändert sein.«

Donnerstag schlug die deutsche Kriegserklärung ein.

Donnerstag nachmittag stellten wir fest, daß wir keine Lebensmittel mehr im Haus besaßen, und daß wir die Beschaffung von jeglichem vergessen hatten, vom Salz bis zum Brot.

Wir beschlossen, daß Zuck in den Dorfladen gehen sollte, um dort das Nötigste einzukaufen. Hin- und Rückweg zum »Generalstore«, dem einzigen Laden des Dorfes, war eine Strecke von anderthalb Stunden.

An diesem Nachmittag kann ich mich ganz deutlich und bis in alle Einzelheiten erinnern.

Ich saß im Wohnzimmer vor einer geöffneten Schranktür, an die ich einen Frühjahrsmantel aufgehängt hatte, und nähte am Saum des Frühjahrsmantels. Es war eine sinnlose Arbeit, ich konnte den Mantel fürs nächste halbe Jahr nicht verwenden, und ich weiß nicht, warum mir gerade dieses Kleidungsstück in die Hände gefallen war. Draußen heulte und sirrte der Sturm, wie wenn einem ein Seidenband durch die Zähne gezogen würde.

Zuck hatte den Ofen des Wohnzimmers bis obenhin mit großen Stücken Holz angefüllt und aus gewaltigen Scheitern ein Feuer im Kamin gebaut.

Trotzdem zog die Kälte von den Außenwänden her in unsichtbaren Schwaden durchs Zimmer und vereiste Fingerspitzen und Zehen.

Nun stand Zuck vor mir, mit dem großen Tragkorb auf dem Rücken und dem Rucksack in der Hand.

»Du darfst das Feuer nicht ausgehen lassen«, sagte er. »Ich kann vor zwei Stunden nicht zurück sein.«

Ich saß und nähte weiter, und plötzlich hatte ich das merkwürdig schmerzlose Gefühl, einen Eisklumpen hinter der Stirn zu haben, gerade oberhalb der Nasenwurzel. Als Zuck gegangen war, ließ ich den Mantel stehen und setzte mich ans offene Kaminfeuer, um meine Finger zu wärmen.

»Jetzt ist es aus«, dachte ich, »jetzt sind wir ganz abgeschnitten von drüben. Keine Briefe mehr, keine Nachricht. Jetzt ist alles vorbei.

Dort sind wir ausgewandert, dort haben wir nicht mehr hingehört. Hier sind wir eingewandert, aber wir gehören noch nicht zu ihnen. Werden sie uns hier mißtrauen, weil wir aus dem Land kommen, in dem die Pest herrscht? Werden sie uns in Lager sperren, wie sie's in Frankreich getan haben, oder verschicken, wie es in England geschah?

Das ist das Ende. Auswandern und Einwandern sind von einer Endgültigkeit wie Tod und Geburt. Noch bin ich nicht wieder geboren.«

Ich saß da, dumpf und stumpf, und wartete auf die Berührung des Hexenstabes, der einen langsam versteinern konnte, oder auf die des Zauberstabes, der einen das Fliegen zu lehren vermochte.

Als Zuck nach Hause kam, waren die Feuer niedergebrannt, und es war eiskalt im Haus.

Zuck, der keinen Spaß verstand, wenn man seine Feuer nicht hütete, war diesmal milde wie ein Weiser, und nach geringem Tadel brachte er seine Feuer wieder in Gang.

»Was sagen sie im Ort?« fragte ich ihn.

»Sie sagen nichts«, sagte er, »sie sprechen nicht vom Krieg.«

»Vielleicht weil wir Fremde sind«, sagte ich.

»Ich weiß nicht«, sagte Zuck nachdenklich, »ich habe das Gefühl, auch wenn wir nicht dabei sind und zuhören könnten — vom Krieg wird nicht gesprochen.«

Am selben Abend geschah es, daß, als Zuck die Wasserleitung aufdrehte, nur mehr eine geringe Menge von einer schwärzlich schlackenartigen Flüssigkeit herauskam, und dann hörte das Wasser auf zu fließen.

Vom Wassertank in der Küche her kam ein gefährlich brodelndes, zischendes Geräusch.

»Es ist kein Wasser mehr im Tank«, sagte Zuck, »ich muß den Küchenofen ausgehen lassen, sonst explodiert der Kessel.«

Ich ging ans Telefon und rief den Hausherrn in der Stadt an. »Es ist kein Wasser mehr in den Röhren«, sagte ich, »und der Kessel ist am Explodieren. Bitte schicken Sie jemanden, oder kommen Sie gleich herauf auf die Farm, um nachzusehen, was passiert ist.«

»Ich werde morgen vorbeikommen«, sagte er ruhig. »Ich weiß schon. Das sind eingefrorene Röhren. Die frieren gerne ein bei 30 Grad unter Null.«

Wir verbrachten die halbe Nacht in Arbeit.

Zuck trug glühende Kohlen aus dem Küchenbrand ins Freie und holte Kübel voll Wasser aus dem Teich, der mit einer dünnen Eisschicht bedeckt war, die er erst aufhacken mußte.

Ich kochte Wasser im Teekessel der irischen Urgroßmutter überm offenen Kaminfeuer und schmolz die Eiswürfel aus dem Kühlschrank, um sie als Trinkwasser verwenden zu können.

Als am nächsten Morgen unser Hausherr mit einem Spengler erschien, brachten sie Kerzen, Fackeln und Bunsenbrenner mit und erwärmten die Röhren damit so energisch und nachdrücklich, daß eine Röhre im Badezimmer platzte. Eine Sturzflut ergoß sich gerade oberhalb unsrer Bibliothek mitten ins Wohnzimmer.

Alle diese Katastrophen lehrten mich, von Stund an Herd und Feuer zu achten und — was auch immer kommen möge — niemals zu vergessen, das Nächstliegende zu tun.

Samstagmorgen wachte ich frühzeitig auf, beunruhigt von einer starken weißen Helle, die von den Wänden des Zimmers auszustrahlen schien.

Es war noch stiller als sonst, und an jenem Morgen hörte ich zum erstenmal jene bewegte Stille, die, unrhythmisch, oftmals den oberen oder unteren Ton wiederholend, in der Terz des Kuckucksrufs im Raum auf und ab zu schwingen schien.

Es war noch immer sehr kalt, aber in der Nacht war Schnee gefallen, der erste Schnee.

Eingeschneit schien das Haus noch einsamer zu liegen und weiter entfernt von menschlichen Siedlungen.

In dieser Schnee-Einsamkeit hörte ich die tröstlichen Geräusche des Morgens.

Ich hörte Zuck aufstehen, ich hörte ihn die Feuer auflegen, in die Küche gehen, um das Frühstück zu machen. Zwischen uns war ein Gentleman-Abkommen getroffen worden, daß er der Frühstückskoch sein sollte und ich die Tages- und Abendköchin, nebst allem Geschirrwaschen.

Ich hörte das Klappern des Geschirrs, roch den heiß begossenen langsam durchtropfenden Kaffee und begann, mich warm, behütet und geborgen zu fühlen.

Da hörte ich plötzlich Schritte auf dem Weg zum Haus. Das war ungewöhnlich und unheimlich, da in den Herbst- und Wintermonaten, nachdem Sommergäste und Freunde abgereist waren, kaum jemand zum Haus kam.

Ich stand auf, ging zum Fenster und sah zwei Männer den steilen Berg heraufkommen.

Der eine war in einer dunklen Uniform und mir unbekannt, der andere war der Sheriff unsres Bezirks.

Ich konnte mich zunächst nicht rühren vor Angst.

»Die kommen ihn abholen«, dachte ich. »Fünftausend Kilometer weit weg sind wir vom Lande des ›Abholens‹, und jetzt wird's ihm hier geschehen.«

Ich warf einen Schlafrock über, lief die Treppe hinunter und blieb an der Tür des Wohnzimmers stehen.

Ich konnte nicht verstehen, was die Männer sagten, aber der Tonfall ihrer Stimmen klang ruhig und bedächtig.

»Hier sind unsre Einwanderungspapiere«, hörte ich Zuck sagen.

Die Unterredung dauerte knapp zehn Minuten.

»Alle übrigen Bestimmungen werden Sie durch die Zeitungen erfahren«, hörte ich den Sheriff laut sagen.

Dann verabschiedeten sie sich, und ich sah sie wieder den Berg hinuntergehen.

Ich ging zu Zuck in die Küche.

»Sie konnten den Berg nicht rauffahren«, sagte er. »Sie mußten ihr Auto an der Hauptstraße stehen lassen. Der Weg ist zu vereist und verschneit.«

»Was wollten sie, und was wird weiter geschehen?« fragte ich.

»Ich glaube, nichts«, sagte er, »sie wollten nur unsre Papiere sehen.«

An diesem Tag setzte ein Schneefall ein, der nicht aufhören wollte, und der Schnee vor den Fenstern stieg wie ein Hochwasser.

In der Nacht konnten wir kaum schlafen.

Im Gebälk stöhnte und ächzte es, und manchmal knallte es in den Dachsparren wie dumpfe Einschläge von Gewehrkugeln. Das kam, wie man uns später erklärte, von den großen Holznägeln, die sich an alten Häusern durch die Witterung lockerten.

Am folgenden Tag, als ich die Küchentür öffnete — sie ging nach innen auf — und ins Freie wollte, stand ich im nächsten Augenblick bis zu den Hüften im Schnee. Als Zuck mich ausgeschaufelt hatte, und ich wieder in der Küche war, sagte ich: »Wir haben noch zwei Konserven übrig. Glaubst du, du kommst durch bis zum Dorf?« »Ich werde es versuchen«, sagte er.

Er versuchte es auf Skiern und sank so tief in den weichen Schnee ein, daß er sie wieder abschnallen und tragen mußte und sie erst wieder auf dem letzten Stück des Weges, auf der Landstraße, verwenden konnte. Er kam nach drei Stunden zurück, bepackt wie ein Maulesel, durchnäßt und erschöpft.

Nachdem er zwei Whisky gekippt hatte, sagte er: »Das war eine schöne Expedition. Diesmal ist es noch gut gegangen. Aber ich muß Schneereifen haben, sonst kann man's nicht schaffen.«

»Und Vorräte müssen wir haben«, sagte ich, »nicht nur auf zwei Tage. Wir müssen uns hier einrichten wie auf einer Almhütte im Großglocknergebiet. Wenn das so weitergeht, können wir bis zu einer Woche hier eingeschneit werden. Wenn nur der Schneepflug käme, damit man wieder einen gangbaren Weg hat!«

In dieser Nacht kam der Schneepflug.

Wir waren spät eingeschlafen, denn in dieser dritten Schneenacht war ein neues Geräusch hinzugekommen: das Rutschen der kompakten Schneemassen vom Dach und das donnernde dumpfe Aufplatschen des abgerutschten Schnees, der sich vor den Parterrefenstern wie Packeis auftürmte. Als wir endlich eingeschlafen waren, wurden wir kurz darauf von einem Erdbeben aufgeweckt.

Die Wände zitterten, die Fenster klirrten, das Haus schien in seinen Grundfesten erschüttert zu werden.

Gleichzeitig hörte man einen Motor winselnd laufen, als sei ein Flugzeug im Abtrudeln begriffen, und Scheinwerfer durchleuchteten unser Haus.

Das war der Schneepflug.

Es war drei Uhr nachts.

Wir zogen rasch Kleider und Mäntel an und gingen hinunter in die Küche.

Der Schneepflug war bis zur Küchentür gefahren und hatte einen breiten glatten Weg geschaufelt.

Nun drehte er vor der Küchentür brummend und surrend um, so daß sein Hinterteil zur Küchentür zu stehen kam. Er sah aus wie ein müder Maikäfer, der sich überfressen hat.

Zuck holte Bier aus dem Keller, und die Schneepflugmänner kamen in die Küche.

Es waren ihrer drei. Sie klopften ihre schneeverkrusteten Mäntel und Pelzhandschuhe aus und hängten ihre nassen Wollhauben auf. Nun setzten wir uns um den warmen Küchenofen, sie klatschten in die Hände, um sich zu erwärmen, und dann tranken sie Bier aus der Flasche.

Dann begannen die Gespräche: »Viel Schnee. Wird ein langer Winter werden. Kommen vom Berg Hunger, wo die vielen Farmen sind. Zuerst kommen die Farmen dran. Viel Schnee. Wird aber noch ärger kommen. Zwei Stunden haben wir heute vom Berg Hunger zu euch gebraucht. Wird noch länger dauern. Jetzt fängt der Winter erst an. Vor achtzehn Jahren, da war ein Winter . . .«

Und dann kamen die Geschichten von Unwettern und Katastrophen. Und mit einem Male fühlte ich mich dem Winter, den Unwettern, den Katastrophen zugehörig.

Vom Küchenherd und von den drei Schneepflugmännern ging eine Wärme aus, die einem die Fremdheit benahm und einen Funken Hoffnung entzündete.

Als sie um halb vier Uhr ihren Schneepflug wieder bestiegen, winkten sie und riefen: »Gute Nacht. Hoffentlich wird's besser zu Weihnachten.«

Das war zehn Tage vor Weihnachten.

Wir hatten an Weihnachten vergessen.

DIE WEIHNACHTEN

Die letzte richtige Weihnachtsfeier war 1937 in unserm Bauernhaus in Henndorf gewesen.

Mit dem Turmblasen begann es.

Am späten Nachmittag leiteten die Bläser vom Kirchturm mit alten Liedern die Weihnacht ein.

Dann trappelten die Bauernkinder in unser Haus, an die sechsunddreißig Stück spielten ihr Weihnachtsspiel und wurden beschert.

Dann kam die Familienbescherung unter dem großen Christbaum.

Je kleiner und jünger unsre Kinder waren, desto größer mußte der Baum sein.

Dann kam das Essen, reichlich und rituell, und dann kam das Aufbleiben bis Mitternacht.

Man beschaute sich seine Geschenke, man spielte mit den Kindern, man streckte die Zeit bis Mitternacht.

Man ging zur Mette, den Hügel entlang zur hell erleuchteten Kirche. Von allen Seiten strömten bemäntelte Gestalten der Kirche zu, die ihre Laternen vor sich hertrugen.

In der Kirche war eine große Krippe aufgestellt, barocke Bauern und Hirten knieten holzgeschnitzt um das Kind in der Wiege, und in der Kirche selbst roch es stallmäßig nach Hirten und bäuerlichen Anbetern, die in den Bänken knieten und Weihnachtslieder sangen.

Nach der Mette waren wir alljährlich bei Herrn Carl Mayr eingeladen, unserm Freund, dem Erbeingesessenen und Herrn von Henndorf.

Er erwartete uns in seinem Gartensalon. Sein Haus sah aus wie ein kleines Schloß.

Das Leben auf der Wandtapete des Gartensalons war sehr bewegt und stellte eine Reise in Amerika vor mit Wäldern, Indianern und Kutschen, in denen altmodische Damen und Herren zum Niagara fuhren.

Es soll nur fünf solcher Tapeten geben, eine davon ist in einem Haus im Staate New Hampshire.

Das Zimmer selbst war voll zierlicher seidener Möbel, und da stand der Tisch, feierlich gedeckt mit viel Silber, köstlichem Porzellan und kristallenen Gläsern. Es gab das traditionelle aufweckende Essen für Mettenbesucher: Weißwürste und Bier, Torten, Bäckerei und Wein. Später in der Nacht: Champagner. Die Kinder blieben nach dem Essen eine Weile bei uns im Zimmer, dann zogen sie sich in die Küche zurück zu der Haushälterin, die einmal ihre Kinderfrau gewesen war. Sie waren schlaftrunken, aber zu stolz, um es zuzugeben, und wollten das lange

Aufbleibendürfen, ihre längste Nacht im Jahr, bis zur Neige auskosten und genießen.

Das war die Henndorfer Weihnacht.

Es kommt mir vor, als würde sie so lange zurückliegen wie meine Kindheit.

1938 war die erste Emigrationsweihnacht in der Schweiz, eine freundliche, wehmütige Weihnacht unter neu erworbenen Freunden am Genfer See.

Dann folgte die erste Weihnacht in Amerika, und sie war so sehr und bis zur Vollkommenheit unweihnachtlich, daß ich mich nur mit verwundertem Staunen und leisem Frösteln daran erinnern kann.

Die Kinder verbrachten diese erste amerikanische Weihnacht im Osten, die Ältere in New York, die Jüngere in ihrer Schule in Vermont.

Wir saßen im Westen, fünftausend Kilometer von den Kindern entfernt, in einem italienischen Keller in San Francisco und versuchten, Weihnachten zu vergessen.

In den Fenstern der Häuser standen Christbäume mit bunten elektrischen Lichtern besteckt, die schon zwei Wochen vorm Weihnachtsabend allabendlich angeknipst werden und den Eindruck eines Faschingsfestes erwecken. Was aber in San Francisco noch bunt und lustig hersah, schien sich in Hollywood in eine gespenstische Meeresgrundlandschaft verwandelt zu haben.

In Hollywood und den angrenzenden Bezirken sah ich noch zu Silvester Weihnachtsbäume auf Straßen und in Gärten stehen, die mit fahlblauen Lichtern besät in der schneelosen südlichen Landschaft wie verwesende Algen aussahen, an die sich Leuchtfische geklammert hatten.

1940 hatte sich unser Weihnachten schon etwas erholt und gebessert. Wir besaßen immerhin eine eigene Wohnung in New York, die Kinder waren bei uns, und wir versuchten, das Beste aus unserer damaligen Lage herauszuholen. Diese Wendung ist eine holprige Übersetzung des gewichtigen amerikanischen Satzes, man könnte es fast eine Devise nennen: »To make the best of it.«

Ich hatte im germanisch-deutschen Viertel von New York echte bunte Wachskerzen mit Kerzenhaltern gefunden, unser Christbaum wurde vom Fenster weggerückt in eine Ecke, die außer Sicht des Hausmeisters lag, und mit Wachskerzen besteckt.

Am Weihnachtsabend roch es nach Wachs und Nadelbaum und fast nach Weihnachten.

Das Verwenden von Wachskerzen auf Christbäumen ist in Amerika streng verboten, obwohl ich nicht glaube, daß dadurch der Feuerschaden in den Vereinigten Staaten wesentlich herabgesetzt wird. Besonders, da es erlaubt ist und als angenehme Sitte in amerikanischen Häusern gebräuchlich, den abendlichen Eßtisch mit schönfarbigen Kerzen zu schmücken.

Ja, mit dem Feuer, und zugleich mit Haus, Hof, Heim, Herd hat es in Amerika eine so merkwürdige und zunächst unbegreifliche Bewandtnis, daß ich erst davon berichten will, um von unsrer dritten Weihnacht erzählen zu können, jener Weihnacht, die wir in Haus, Hof, Heim, an Herd und Feuerplatz feierten.

Es scheint mir also das Verbot gegen echte Christbaumkerzen nur ein hilfloser Versuch zu sein, gegen die Feuermeere aufzukommen, die über die Staaten branden und einen unermeßlichen Schaden anrichten. Die Verlustliste durch Feuer beträgt etwa zehntausend Tote jährlich, der Schaden wurde zum Beispiel für das Jahr 1945 auf 484 274 000 Dollar angesetzt, das sind etwa zwei Milliarden Schweizer Franken. Im Laufe der Jahre machte ich die erstaunliche Beobachtung, daß es sich relativ selten um Brandstiftung handelt, jedoch zur Feuerverhütung so wenig getan wird, daß es verwunderlich erscheinen muß, wie viele Häuser und Gebäude in Amerika noch stehen.

Es ist da ein ganzes Netz von Unachtsamkeit zu verzeichnen: Kamine werden nicht rechtzeitig entschlackt, Heizungen nicht rechtzeitig nachgesehen, Kinder läßt man mit Petroleum und Holzöfen spielen und an elektrischen Leitungen basteln, das Gras ums Haus brennt man alljährlich so nah am Haus und so unvorsichtig ab, daß der leiseste Wind einen Präriebrand entfachen kann und in kürzester Zeit Hof und Heim in Schutt und Asche legt.

Aber erst dem Tun und Treiben der Zigarettenraucher zuzusehen, kann einen mit Alpträumen reichlich versehen. Ich pflegte jahrelang in ein bestimmtes Kino zu gehen und sah mit panischem Schrecken die Zigarettenmale der Besucher auf Stühlen, Bodenbelag und Wänden.

Wunderbarerweise brannte das Kino erst nach drei Jahren aus, und zwar ging es heimlich und in der Nacht zugrunde, nach der letzten Vorstellung, es schwelte sich langsam zu Asche und ging still dahin, ohne Menschenleben zu kosten.

Seit Jahren hat ein gewaltiger Feldzug eingesetzt gegen das Feuer in Amerika.

Es wird an Gefühl und Vernunft appelliert, aber es scheint, als ob sie das Wichtigste vergessen haben: nämlich die Wurzel zu suchen, die in der Tradition liegt, sozusagen in der historischen Gewöhnung an den Brand.

Seit Jahrhunderten sind die Amerikaner daran gewöhnt, daß ihre Häuser, kaum aufgebaut, in Schutt und Asche gelegt wurden, von Indianern oder anderen Feinden. Es war ein allgemeines traditionelles Mißgeschick, das die Amerikaner zu einem permanenten Neuaufbau oder zur Weiterwanderung zwang.

Nun steht das Achthaben, das Erhaltenwollen der Dinge zweifellos im engsten Zusammenhang damit, wie sehr man sein Herz an Dinge hängt, wie schmerzlich man ihren Verlust empfindet.

Permanenter Verlust scheint aber den Schmerz allmählich abzutöten, die Achtsamkeit herabzusetzen, die Bindungen zu lockern und endlich dahin zu führen, daß die Vergangenheit vergessen und für die Zukunft gelebt wird.

Anfangs erschrak ich vor dem Phänomen, das sich immer wieder vor unsern Augen abspielte.

Da richteten sich Leute ein Haus ein, mit unendlicher Sorgfalt und Mühe, mit eigener Hände Arbeit, mit Phantasie und Einbildungskraft. Kaum aber ist das Haus fertig, und sie könnten es nun genießen und sich daran in Ruhe erfreuen, verkaufen sie's kurzerhand und suchen sich ein anderes Haus, das sie ungebrochen und mit gleichem Eifer ausbauen und einrichten wie das verflossene Haus und die unzähligen verflossenen Häuser, die sie schon hinter sich gebracht haben.

Ich sah amerikanische Familien von Ort zu Ort wandern, Häuser und Wohnungen beziehen und wieder verlassen, wie ichs aus meiner Kindererinnerung nur von Offizieren der österreichisch-ungarischen Armee kannte, die von Krakau bis Budapest von Garnison zu Garnison ziehen mußten und immer wieder versetzt wurden.

Nun versetzten sich die amerikanischen Familien freiwillig und immer wieder mit der Hoffnung, daß der nächste »Job« günstiger und das nächste Haus schöner und besser sein werde als das eben verlassene.

Allmählich begann ich, das Phänomen zu begreifen: die Amerikaner sind von keiner Landschaft, keinem Haus, keiner Umgebung abhängig, weil sie in ihrem riesengroßen und wahrhaft grenzenlosen Land überall beheimatet sind, und bei aller Verschiedenheit des Ostens, Südens, Westens und Mittelwestens doch ein und dieselbe Sprache sprechen. Sie haben sich wohl ihre Wegzeichen und Orientierungsposten übers ganze Land aufgestellt: Drugstore, Tankstelle, Kaufhäuser, die können übers ganze weite Land verteilt überall gleich aussehen und erwecken daher in dem ausländischen Reisenden die Vorstellung, daß alles ganz gleich sei in Amerika.

Natürlich sieht ein Ort in Texas ganz anders aus als ein Ort in Vermont, New Orleans im Süden hat gar keine Ähnlichkeit mit Boston, und man könnte Bände von Bilderbüchern zusammenstellen über die Verschiedenheiten in Amerika.

Aber gerade darum scheinen sie sich Punkte errichtet zu haben, die keinerlei Umstellung verlangen: dieselben Tankstellen fürs Benzin, dieselben Sandwiches und Eiscremes im Drugstore, dieselben Einkaufsmöglichkeiten in den Standardgeschäften.

Individualismus ist Privatsache in Amerika, aber seine Verbreitung ist viel größer und gewaltiger, als man sichs gemeinhin vorstellen kann.

Wir hatten uns nun mit untrüglichem Instinkt in jenem Staat niedergelassen, der den Individualismus bis zur Eigenbrötelei überzüchtet hat, der Käuze brütet und von einem ganzen Legendenkranz von Geschichten umwoben ist, deren Grundthema die unbrechbare Unabhängigkeit ist und der Wille, die Dinge auf eigene Weise zu tun, auch wenn die Wege dazu noch so ungewöhnlich sind.

Die Vermonter sind in Amerika als besonders schrullig und eigenwillig angesehen und auch als engstirnig und reaktionär verschrien. Ich kann dem nicht beistimmen. Eigensinnig bin ich selbst und messe mich gern mit andern achtbaren Eigensinnigen. Der Engstirnigkeit bin ich in Vermont weit seltener als in Europa begegnet, und was das Reaktionäre anbetrifft, so müssen selbst den Vermontern feindlich gesinnte Leute feststellen, daß Vermont eine Reihe von Senatoren und Gouverneuren stellt, die sich durch Fortschrittlichkeit und Persönlichkeit ein nicht geringes Ansehen im Lande erworben haben.

Das Altväterische aber an den Vermontern und ein gewisser Hang zur Tradition waren die Eigenschaften, die uns die Einwurzelung bedeutend erleichterten.

So gab und gibt es um uns Leute und Nachbarn, die zu einiger Seßhaftigkeit neigen, und einer der seßhaftesten unter ihnen ist unser Hausherr.

Er hatte zwar, als wir das Haus bezogen, schon seit zwölf Jahren nicht mehr dort gewohnt, weil er ein Geschäft in der Stadt hatte und in die Nähe des Geschäftes übersiedeln mußte.

Aber im Geiste hat er dieses Haus nie verlassen, und er verwendete seine Sonn- und Feiertage dazu, manchmal auch ein paar Ferientage, um in dem Haus zu arbeiten und es instand zu halten.

Daher war auch unser erster Eindruck von dem Haus der gewesen, daß es von einer bewohnten Unbewohntheit war. Auch damals, als es noch keine Wasserleitung und keine Beleuchtung hatte und nur ein paar Möbelstücke darin verstreut waren, sah es aus wie ein betreutes und behütetes Haus, und wir begriffen bald, daß es sich hier nicht einfach um einen Zufall und das Mieten eines Hauses handelte, sondern daß dieses Haus in unsre Obhut übergeben wurde und wir es zu betreuen hatten.

Ich kenne kaum ein Haus, das wie dieses in rechten Maßen in die Landschaft gestellt, in seinen Formen, in seiner Einfachheit und seinem Innern soviel harmonische Schönheit ausstrahlte.

Wir wollten ursprünglich keine neue Bindung eingehen, wir hatten große Lust, frei zu sein wie die amerikanischen Haustauscher.

Aber da war nun dieses Haus, dem wir verfielen.

Dieses Haus einzurichten, war keine Kunst, die Möbel rückten sich selbst an die Plätze, an die sie gehörten.

Weihnachten feiern in diesem Haus geschah daher nicht in zwangsläufiger Ausübung einer Tradition oder in Erinnerung an frühere Feste. Es war neu und anders, und ein Weihnachten, das zu diesem Haus gehörte.

Drei Tage vor Weihnachten war Zuck in den Wald gegangen, hatte eine prächtige Tanne ausgesucht und sie mit der Axt geschlagen.

Der Abtransport des großen Baumes durch den verschneiten Wald war nicht ganz einfach.

Als er mit dem Baum in die Küche kam, sah er griesgrämig aus wie der Knecht Rupprecht.

Es war aber nicht nur die Baumeslast, die ihn vergrämte, sondern andere, schier untragbare Lasten an Ungewißheit, Unsicherheit, voraussichtbarem Unheil. Ja, ich könnte eine ganze Reihe solcher Unglückswörter anführen, die mit dem verneinenden und dumpfen »un« beginnend sich in einem Ring um uns gelagert hatten und uns aus allen Ecken anzuglotzen schienen wie unheimliche Kröten und Unken.

Man konnte sich ihrer nur erwehren durch einfältige Tätigkeiten wie etwa Waschen, Bügeln, Aufräumen, Kochen, Nähen — Arbeiten, die zu einem sichtbaren nützlichen Ende führten.

Ein schmutziges Wäschestück waschen und bügeln, den Küchenboden säubern, reiben, wachsen, Strumpflöcher mit einem Gitterwerk von Fäden bedecken oder gar erst aus einem Stoff ein anziehbares Ding nähen oder aus vielerlei Rohmaterial etwas kochen, das war immer wieder derselbe Vorgang, nämlich von einem ungeordneten Anfang in den Stand der sauberen Ordnung zu kommen oder einem ungeformten Stoff Form und Geschmack zu geben.

Dieser sich immer wiederholende primitive Leistungsprozeß war ein größerer Schutz gegen Kummer, Gram und Lebensangst als die Anwendung aller Mittel des Verstandes, der Vernunft und des Geistes.

Dies erklärt auch wohl die Tatsache, daß Frauen in bedrohten und wirren Zeiten sich meist leichter zurechtfinden und angstloser orientieren können als Männer, die dem chaotischen Anfang und den einzelnen Entwicklungsstadien mehr zugetan sind als der endlichen Form.

Übrigens bezieht sich diese Anmerkung mehr auf europäische Männer, denn Amerika könnte man mit einem großen Haushalt vergleichen, in dem Männer und Frauen gleichermaßen sich in den Anfang stürzen, im Nurmi-Lauf das Endziel zu erreichen trachten und den Wertbegriff in das Resultat verlegen.

Ich flüchtete mich also in jenen Tagen vor Weihnachten in die zeitlose und zeitausfüllende Tätigkeit des Backens.

Da unser Christbaumschmuck samt und sonders in Österreich verblieben war, kaufte ich nur einige Silberketten, Engelshaar, den Gipfelstern und vor allem Backformen. Ich hatte Herzen, Tannenbäume, Hasen, Mondsicheln, Sterne und Ingwerbrot-Männer in Metallformen gefunden, und nun begann ein nächtliches Backen von Bröselteigherzen, Linzer-Teig-Bäumen, Schokoladehasen, Nußmondsicheln, Zimtsternen und Lebkuchenmännern, daß das Haus in eine Dunstwolke von Backwerkduft gehüllt war.

Ich formte Marzipankartoffeln und rollte Mozartkugeln. Auf hellen Holzbrettern verteilt lagen die Bäckereien in allen Farbschattierungen zum Auskühlen, Marzipan und Schokoladekugeln zum Festigen ihrer äußeren Hülle, während die vergoldeten und versilberten Nüsse an Schnüren von den Balken der Decke hingen und trockneten.

Es war da eine ganze Welt von Gestalten und Formen in der Küche versammelt, und man stand auf festen Füßen unter ihnen.

In der Nacht, bevor die Kinder ankamen, saß ich in der Küche und zog bunte Fäden durch die Bäckereien.

»Morgen kannst du sie alle an den Baum hängen«, sagte ich zu Zuck, der seit eh und je unser Baumputzer gewesen war.

»Freust du dich auf Weihnachten?« fragte mich Zuck.

»Nein«, sagte ich, »freuen kann ich mich nicht. Ich kann höchstens versuchen, mich nicht zu fürchten davor.«

Wir saßen und knüpften Schnüre und besprachen die Lage, praktisch, sachlich und ohne Illusionen.

Die ausländischen Guthaben der Feinde waren zunächst gesperrt worden; das prächtige große Radio, das wir als frühes Weihnachtsgeschenk von einer amerikanischen Freundin zugesandt bekamen, hatten wir gleich nach Empfang an den Sheriff abliefern müssen, damit die Kurzwellen daraus entfernt werden konnten. Wir hatten uns verpflichten müssen, keine Waffen im Haus zu haben, was gar nicht heimlich war auf einer so einsam gelegenen Farm. Man durfte nicht ohne behördliche Erlaubnis reisen.

Das waren alles keine schlimmen oder einschneidenden Maßnahmen, aber man konnte nicht wissen, ob dies nicht nur ein Anfang war.

Vor allem aber ahnten wir nicht, ob die Bevölkerung, die um uns war, uns als Feinde ansehen werde, und es gibt wohl nichts Bedrohlicheres, als einem Mißtrauen zu begegnen, das, durch Mißverständnis entstanden, sich schwerlich in Vertrauen verwandeln läßt.

Wir zählten die trüben Tatsachen auf, wir erwogen alle Möglichkeiten kommender böser Ereignisse, wir suchten nach Auswegen und trachteten, Lösungen zu finden. Dabei knüpften wir unentwegt Fäden, zerbrachen manche Backfigur und aßen das Zerbrochene auf.

Am nächsten Tag kamen die Kinder.

Alles war fertig, der Baum, der bis zur Decke reichte, war geschmückt, und ich hatte lediglich dafür zu sorgen, daß die Kinder den Baum nicht abnaschten vor dem Abend des 24. Dezember.

Die Kinder waren damals schon recht alt, fünfzehn und achtzehn Jahre, aber sie waren allem Anschein nach entschlossen, beim Betreten des elterlichen Hauses einige Jahre von sich zu werfen, und sie agierten in ihren Ferien als aufgeweckte, lebhafte, höchstens zwölfjährige Zwillinge.

Sie liefen durchs Haus, versuchten, durchs Schlüsselloch ins Weihnachtszimmer zu spähen, sie riefen sich unverständliche Kindersprüche zu, nannten sich bei seltsamen Namen und sangen die alten Bauern- und Weihnachtslieder, zweistimmig und mit wunderlichen Verzierungen.

Es war, als hätten wir das ganze Haus voll Kinder, wir begannen, uns zu freuen, und wurden gewillt, ihretwegen zu feiern, trotz allem Ungewissen, Unbekannten und Gefährlichen, das außerhalb der Bannmeile unseres Hauses lag.

Am frühen Nachmittag vor dem Weihnachtsabend begann ich, den Tisch im Weihnachtszimmer zu decken.

Es war der große Refektorientisch, an dem achtzehn Personen bequem sitzen konnten, ohne die Ellbogen an die Rippen pressen zu müssen.

Wenn wir Gäste hatten oder die Kinder da waren, saßen wir an diesem großen Tisch, legten aber kein Tischtuch auf. Vielmehr wurden Teller und Bestecke an jedem Platz auf kleine, bemalte Platten, fest gewebte Tuchvierecke oder Matten gelegt, so daß die Holzfläche des Tisches auf weite Strecken sichtbar und unbedeckt blieb.

Diese amerikanische Art, den Tisch zu decken, stellt nicht nur das schöne Holz wohlgefällig zur Schau, es ermöglicht auch eine Reinigung der polierten Holzfläche und der waschbaren Unterlagen nach jeder Benützung, die säuberlicher und ästhetischer ist als die Wiederbenützung gebrauchter und befleckter Tischtücher.

An diesem Tag nahm ich das große Damasttischtuch für vierundzwanzig Personen, das ich von meiner Mutter geerbt hatte, und breitete es auf dem gewaltigen Tisch aus.

Jenes Tischtuch und Erbstück war im letzten Augenblick vor dem Zugriff der Gestapo gerettet und uns in die Schweiz nachgebracht worden mit allen seinen vierundzwanzig Servietten.

Da wir mit allerleichtestem Gepäck nach Österreich geflohen waren und alles zurücklassen mußten, so erweckte das Tischtuch in mir immer wieder die Vorstellung, als wäre uns ein Federbettüberzug oder ein leerer Vogelkäfig gefolgt oder sonst ein Stück Hausrat, das wahllos aus der Truhe gerissen vorm Feind gerettet worden war.

Aber zu jenen Weihnachten wie an allen folgenden kam sogar dieses mitgeschleppte Nutzlose zu Ehren, um dann bis übers Jahr im Wäschespind zu liegen und in seiner Gewesenheit dahinzudämmern.

Als ich das Tuch aufgelegt hatte und den Tisch mit Kerzen und Grünzeug zu schmücken begann, hörte ich, wie ein Auto zum Haus hinaufgekeucht kam.

Es kämpfte sich durch die gepflügte und wieder schneeverwehte Straße und blieb kochend und zischend vor der Haustür stehen.

Ich ging ans Fenster und sah einen Mann aus dem Wagen steigen, den ich, obwohl er mir den Rücken zukehrte, gleich erkannte an seiner ungewöhnlichen Größe und Breitschultrigkeit.

Ich ging in die Küche und ließ den Riesen ein. Er trug hohe Stiefel, Skihosen und eine buntkarierte dicke Wolljacke. Vom Kopf nahm er eine Kappe mit aufgeschlagenen Seitenteilen, die man im Sturm als Ohrenklappen verwenden konnte.

Er sah aus wie ein schöner starker Holzfäller, der tagsüber hohe Stämme fällt und abends am offenen Feuer die Taten des Tages mit den Lumberjacks preist und sie zu neuen Rübezahl-Taten anfeuert.

Es waren von ihm allerhand Geschichten im Umlauf, die immer wieder darin gipfelten, daß er von ungewöhnlicher Stärke sei und keinerlei Beleidigungen oder auch nur landesübliche Hänseleien hinnehmen würde, ohne sie mit handgreiflicher Kraft zu quittieren.

Man sagte, er stamme aus angesehener Familie, es hieß, er sei der Stadt, den Leuten und seinem eigenen Jähzorn entflohen und habe sich aufs Land in die Landwirtschaft und Einsamkeit geflüchtet, um hier als sein eigener Herr seinen Umgang selbst wählen zu können.

Er hatte drei Kinder und dazu eine Frau von so zauberhafter Sanftmut, daß sie die Herzen der Bevölkerung rührte und man von ihr zu sprechen pflegte wie von einer verzauberten Prinzessin, die beim gewaltigen Riesen leben mußte.

Ich fürchtete mich anfangs vor ihm und vor allem vor seinem Händedruck, der ebenso herzlich wie schmerzhaft war.

Nun stand er also in der Küche, stampfte mit den Füßen, wie es alle taten, wenn sie von draußen hereinkamen, um Schnee und Eis loszuwerden. In der einen Hand hielt er eine Kappe, und in der andern eine große runde Hutschachtel für Damenhüte.

Er stellte die Hutschachtel behutsam auf den Tisch, als würde er ein mächtiges Buchenscheit auf einen Holzstoß placieren in einem Zimmer, in dem Kinder schliefen, die er nicht wecken wollte.

Ich schaute die Schachtel verwundert an, dann forderte ich ihn zum Sitzen auf und zog einen Stuhl neben den Küchenofen, damit die Schmelzbäche von seinen Kleidern und Schuhen zunächst auf den linoleumbelegten Küchenboden abfließen konnten.

»Wie sind Sie denn heraufgekommen?« fragte ich ihn, »der Weg ist doch fast wieder zugeschneit?«

»Das verdammte Ding schafft's überall«, sagte er, »überall kommt es durch.«

»Das verdammte Ding« — Ford 1915 — stand wie eine alte Schindmähre vor der Küchentür und schnaufte noch immer.

»Soll ich nicht warmes Wasser in den Kühler tun?« fragte ich besorgt.

Er stand auf, öffnete die Küchentür, ging zum Auto, nahm eine alte Pferdedecke heraus und warf sie über die Motorhaube.

Dann klopfte er den Wagen, als ob er die Flanken seines Pferdes beklopfen würde.

»Das genügt«, sagte er, und wir gingen nun ins Wohnzimmer, ich rief Zuck und die Kinder, die aus dem oberen Stockwerk herunterkamen, und wir setzten uns ans offene Kaminfeuer.

Zuck warf ein großes Birkenscheit ins Feuer, und die Rinde der gelben Birke knisterte und verzog sich im Feuer. Zuck braute zur Erwärmung unsres Amerikaners einen heißen Grog, die Kinder und ich tranken Tee mit Rum, und wir sprachen über den Schnee, die Wegverhältnisse und ob man farmen sollte.

Im kommenden Frühjahr wollte er eine Hühnerfarm mit viertausend Kücken beginnen, wir hatten im Sinn, uns Leghühner, Enten und Gänse anzuschaffen.

»Vielleicht aber muß ich einrücken«, sagte er, »dann wird's nichts mit der Hühnerfarm.«

Dann stand er auf und verabschiedete sich rasch.

»Ich muß heim«, sagte er.

Er ging durch die Küche und deutete auf die Hutschachtel.

»Das hat unsre *Ju Ulikki* gemacht, sie ist Finnin«, sagte er, »hoffentlich ist es richtig.«

Dann stieg er in seinen Wagen, ließ ihn anlaufen, daß er wie eine Kaffeemühle schnarrte.

Als er losfuhr, winkte er und rief zum zerbrochenen Fenster seines Autos heraus: »Merry Christmas!« und damit rollte er den Berg hinunter.

Kaum war er fort, schnürten wir die vielen Bänder der Hutschachtel auf, hoben den Deckel und nahmen vorsichtig eine Seidenpapierlage nach der andern heraus.

Auf dem Grund der Hutschachtel lag ein Kranzkuchen, groß wie ein Mühlstein.

Ich hob ihn heraus und legte ihn auf den Küchentisch. Er war gelb von Safran, mit Korinthen und Pistazien besteckt, roch nach Kardamom und sah aus wie auf Bildern von Julfesten in Schweden.

Wir verteilten uns rund um den Kuchen und buchstabierten die Inschrift, die sich über sein ganzes Hügelgelände hinzog.

Da stand in weißem Zuckerguß und fehlerlosem Deutsch geschrieben: *»Fröhliche Weihnachten!«*

DAS TELEFON

In jenem ersten Winter hätten wir wenig von Land und Leuten erfahren, wäre nicht das Telefon gewesen.

Übers Telefon konnte man erfahren, wie unsre Nachbarn lebten, was sie dachten, was sie kochten, wann sie Wäsche wuschen, was ihnen widerfuhr; aus ihren Stimmen konnte man hören, ob sie traurig, mißmutig oder fröhlich und guten Mutes waren.

Wir sind neun auf einer Linie.

Das heißt, wir haben ein Gesellschaftstelefon, das wir mit acht Partnern teilen. Nicht etwa in der Weise, wie es in europäischen Städten bei Gesellschaftstelefonen üblich ist, wo gellendes, anhaltendes Läuten das Rufzeichen ist, wo eine schwarze oder weiße Scheibe andeutet, das Telefon sei nunmehr besetzt und ein anderer Partner spricht, ohne daß man ihn hören kann, und man zähneknirschend warten muß, bis die Scheibe automatisch anzeigt: die Strecke ist frei. Nein, wir neun sind wirklich auf einer Linie und teilen unser Telefon im weitesten Sinne.

Unsere Telefonkompagnie machte uns vor kurzem erst in freundlichster Weise folgende Mitteilung: »Seine Linie mit anderen zu teilen ist eine freundliche Gepflogenheit der Neu-Engländer. Ob sie an ein und demselben Skitau hängen« — (zur Bekräftigung dieses Vergleichs ist unter dem Anruf der Telefonkompagnie ein Skitau abgebildet, an das sich zwei strahlende junge Männer mit einem noch strahlenderen jungen Mädchen klammern) —, »ob sie also gemeinsam ein Skitau benützen oder ein und dieselbe Telefonlinie benützen, dies liegt alles auf derselben Linie der freundlichen neu-englischen Gepflogenheit, das Bestmögliche aus einer schwierigen Situation zu holen. Materialknappheit hat das gewaltige Ausbauprogramm der Neu-Englischen Telefonkompagnie verzögert. Bald wird das nötige Material wieder vorhanden sein, und bald werden wir wieder imstande sein, das Privattelefon für die einzuführen, die es haben wollen. Inzwischen aber können wir dadurch, daß wir mehr Abonnenten auf die Linie nehmen, vielen ein Telefon verschaffen, die sonst leer ausgehen müßten. Wenn Sie kurze Gespräche führen und auf Ihr Rufzeichen sofort antworten, dann können Sie und Ihre Nachbarn die Wohltat des Gesellschaftstelefons voll und ganz genießen.«

Unsere Telefone bestehen aus braunen Kästen, die festgemauert an der Wand sind und seitlich eine schwarze Drehkurbel haben. Auf dem Kasten steht, durch eine Schnur verbunden, das eigentliche Telefon. Wir haben ein modernes, wo Hör- und Sprechmuschel an einem Stamm sind, vielfach aber sind noch Telefone vorhanden, wo man die Sprechmuschel mit der linken Hand erfaßt und sie wie einen Blumenstrauß in der Hand hält, während man die Hörmuschel wie ein schwerfälliges Hörrohr für Taube mit der rechten Hand ans Ohr pressen muß.

Jeder von uns hat sein eigenes Rufzeichen, Morsezeichen, die schwer erlernbar sind für Neulinge, besonders wenn sie unmusikalisch sind oder kein Gefühl für Rhythmus haben. Unsere Nummer ist Bethel 69 ring 12. »Ring« heißt läuten, und die Zahl 12 bedeutet unser spezielles Rufzeichen.

Bethel ist eine kleine Holzfällerstadt, in der unsere Telefonzentrale liegt, 69 ist unsere Linie, die wir mit acht Partnern teilen. Uneingeweihte, zugereiste Sommergäste oder Fremd-linge aus New York verlangen auf unserer Linie mit 12 ver-bunden zu werden, wir Eingeweihten aber sprechen unsre Zah-len getrennt aus, wir nennen unsre Nummer eins-zwei, wobei die Eins das lange und die Zwei die kurzen Zeichen bedeuten. Musikalisch ausgedrückt besteht unsre Nummer aus einer hal-ben Note und zwei Vierteln.

Wir haben neun Variationen auf unsrer Linie. Zwei lang, zwei kurz ist der Bote und Postbringer, fünf Zeichen in gleichmäßi-gen Abständen bedeuten den Besitzer des Sägemehls für unsre Ställe, eins kurz, eins lang ist die Farmerin, bei der ich mir Rat und Trost holen kann in schweren Stunden, zwei gleichmäßig ist eine ausgezeichnete Hausfrau und Tischlermeistersgattin, bei der ich übers Wetter klagen kann und törichte Einrichtungen bemängeln, vier gleichmäßig ist eine leidende alte Dame, die man zu Festen anruft und nach ihrer Gesundheit fragt. Die andern Teilnehmer sind uns nicht persönlich, sondern nur durch ihre Zeichen und Stimmen bekannt. Die einzelnen Zeichen un-terscheiden zu lernen ist keine Kunst. Die Erlernung der Selbst-verbindung jedoch auf derselben Linie erfordert einige Übung, wenn man es von elender Stümperei zu einer gewissen Voll-kommenheit bringen will.

Ich muß ehrlich zugeben, es dauerte Wochen, bis ich es zu-standebrachte, klar zwischen zwei lang zwei kurz und vier gleichmäßig unterscheiden zu können, und die leidende Dame von vier gleichmäßig entwickelte eine bemerkenswerte Geduld im Anhören meiner Aufträge, die für den Boten auf zwei lang zwei kurz bestimmt waren. Ja, manchmal stieß ich sogar auf einen mir ganz unbekannten Teilnehmer des Zeichens eins lang drei kurz.

Nicht daß ich besonders unmusikalisch wäre, ich konnte mir die Zeichen in den reinsten Tönen und im besten Takt vorsingen, ich hätte sie auf dem Klavier anschlagen und auf der Mund-harmonika blasen können, sie aber auf die runde Bewegung der schwerfälligen Telefonkurbel zu übertragen — das war die un-gewohnte Schwierigkeit. Und nun gar ein so schweres Zeichen zu bewerkstelligen wie etwa eins lang eins kurz, eine Zusam-mensetzung, die eine abgerissene klagende Melodie ergibt, einen tiefen Seufzer mit einem kurzen Aushauch — dazu brauchte ich lange Zeit, und die Tischlersgattin auf zwei gleich-mäßig half mir oftmals, indem sie die Kurbel im rechten Takt für mich drehte, denn auf unsrer Linie, auf der man alle Zeichen hört, ist es ja gleich, wer die Kurbel dreht.

Ich bin froh, daß ich die Leute von zwei lang eins kurz nicht kenne, von jener anschwellenden Melodie, die so abrupt abbricht; die Verbindung mit ihnen herzustellen wäre nicht leicht, insbesonders, da sie schwerhörig sind und manchmal von Nachbarn verständigt werden, die zu Fuß zu ihnen gehen müssen, um sie zu bitten, an ihr Telefon zu gehen, wenn ihr klagendes Zeichen stundenlang immer wieder ungehört verhallt.

Hat man einen gewissen Grad der Vollkommenheit im Kurbeldrehen erreicht, stellt sich damit auch die Fähigkeit ein, das Kurbeln anderer richtig einzuschätzen. Da sind die Ungestümen, die die langen Zeichen wie Fanfarenstöße ausstoßen und die kurzen in scharfen Achteln folgen lassen; da sind die Zaghaften, die langgezogen zirpen und in schwachen, leisen Vierteln enden; da sind die Geschäftlichen, Sachlichen, die den Takt von zwei Achteln und zwei Sechzehnteln anschlagen, und da sind die Fröhlichen, die bei den gleichmäßigen Intervallen die Zeichen wie kühlende Regentropfen plätschern lassen. Ja, selbst die Zentrale in Bethel, die automatisch und nicht mit Drehkurbel verbinden muß, hat ihre eigene Spielart, und wer einmal nachts das Telefonzeichen als Weck- und Warnruf hat heulen hören, der weiß, es handelt sich um Unglück oder Tod oder um jemanden, der aus Hollywood anruft und vergessen hat, daß bei ihm im Westen die Sonne vier Stunden später untergeht, und daß ein Abendgespräch um acht Uhr den Schläfer im Osten aus seinem besten Schlaf um Mitternacht weckt.

Das also ist unser Telefon, ein beredtes und vielseitiges Instrument, auf dem neun Partner spielen.

Es ist viel und oft besetzt, aber da ist ein Übereinkommen getroffen worden. Man hebt den Hörer ab, und hört man dieselben Personen noch nach einer halben Stunde sprechen, und man hat das Gefühl, das Wesentliche sei besprochen, dann dreht man die Kurbel. Den Sprechenden gellt sie nicht in den Ohren, sie macht bei aufgehobenem Telefon ein schnarrendes, knirschendes Geräusch, und dann folgen die üblichen Sätze der Sprechenden: »Ich glaube, jemand braucht unsere Linie. Auf Wiedersehn und auf später.«

Man mußte eine gewisse Einteilung treffen; so versuchte ich zum Beispiel niemals sonntags nach der Kirche anzurufen. Vielmehr schaltete ich mich in die Linie ein und lauschte all den köstlichen Rezepten über »pies«, jene Kuchen, deren Kruste knusprig und schmelzend zu machen eine Kunst ist, und deren Inhalt von Äpfeln über Heidelbeeren bis zu Kürbissen aus allem besteht, was man in einen Kuchen tun und nicht tun kann.

In den ersten Zeiten, als ich noch ein Neuling war, die Zeichen nicht recht verstand und mich oft und töricht meldete, wenn jemand anderes verlangt wurde, zog ich mich diskret aus den Gesprächen zurück. Dann aber, wenn der Schnee sehr hoch ums Haus lag, und der Sturm heulte, und ich Angst hatte, er könnte uns die Telefonleitung zerreißen und uns von der Welt abschneiden, ein Vorgang, der nicht selten geschah und tagelang anhalten konnte, da packte mich einfach die unwiderstehliche Lust, in Verbindung mit der Welt zu sein, solange die Verbindung noch bestand.

Jedes Gespräch, das auf unsrer Linie geführt wird, kann von allen Teilnehmern derselben Linie gehört werden, man kann sozusagen schweigend teilnehmen an den Gesprächen der anderen, an ihren Sorgen, Kümmernissen und Freuden und solchermaßen Anteil haben an ihrem Leben. Ein leises Klicken in der Leitung zeigte an, daß sich jemand eingeschaltet hatte. Die meisten Zuhörer hörten still und lautlos zu, manchmal konnte es aber passieren, daß einer husten oder niesen mußte und sich auf diese Weise verriet. Einen unsrer Partner kannten wir alle an seinem asthmatischen Atmen, er selbst hatte sich an sein Asthma gewöhnt und machte daher keine Anstrengungen, seinen Atem anzuhalten beim Lauschen, und so wurden unsre Gespräche manchmal durch sein gleichmäßiges Röcheln begleitet.

Dieses Nichtalleinsein in einem Gespräch, dies Telefonieren in einem unsichtbaren Kreis hatte auf uns alle die erzieherische Wirkung, nichts Böses über seinen Nachbarn sagen zu können und eine gewisse für die Allgemeinheit bestimmte Freundlichkeit an den Tag zu legen. Meine Rücksichtnahme ging so weit, daß ich, wenn ich hier und da einmal mit deutschen Freunden telefonierte, alles Unwesentliche auf deutsch sagte, während ich alles Wesentliche über die Farm, über unser Leben, übers Wetter ins Englische übersetzte, damit unsere Partner auf der Linie auch alles richtig verstehen konnten.

Ja, einmal geschah es, daß ich aus dem Stand des passiven Zuhörers in den des aktiven Vermittlers gedrängt wurde. Eines Sonntags wurde nämlich unser Partner auf zwei lang zwei kurz so gellend und nachdrücklich angerufen, daß ich sofort den Eindruck hatte, es wäre etwas geschehen, und ans Telefon ging. Ich erfuhr, daß die Farm der Mutter von zwei lang zwei kurz brannte und unser Partner sofort zur Hilfe eilen mußte. Ich blieb in der Leitung und konnte nun von allen acht Partnern abwechselnd und etappenweise den Verlauf des Brandes hören, die brennende Farm selbst jedoch war auf einer andern Linie. Nun holte man die Kühe aus dem brennenden Stall, da — jetzt stürzte der Plafond ein, die Balken krachten, das Dach brannte, die Pumpen arbeiteten, der Stall brannte ab, das Feuer verlosch, das Farmhaus war gerettet, der Stall hoch versichert — all diese Vorgänge teilten sich unsre Partner auf der Linie mit. Als das Feuer erloschen war, ging ich erleichtert in die Küche, aber da kam das Zeichen zwei lang zwei kurz immer wieder, klagend und verzweifelt. Ich wußte, daß der Partner noch nicht wieder zu Hause sein konnte, und ging ans Telefon.

Eine aufgeregte Stimme glaubte, mit zwei lang zwei kurz zu telefonieren, und ließ mich zunächst gar nicht zu Worte kommen. Sie rief aus der Stadt an und hatte erschreckende Gerüchte über das Feuer gehört. »Sie brauchen sich nicht aufzuregen«, unterbrach ich sie, »das Feuer ist gelöscht, der Schaden war gar nicht groß.«

»Mit wem spreche ich denn?« fragte sie erstaunt, »bin ich falsch verbunden?«

»Nein«, sagte ich, »ich bin von der Linie.«

»Sind Sie sicher, daß das Feuer gelöscht worden ist? Hat man Sie direkt angerufen und davon verständigt?« fragte sie noch immer aufgeregt.

»Nein«, wiederholte ich, »aber ich bin von der Linie.«

»Ach so, natürlich«, antwortete sie erleichtert, »Sie sind von derselben Linie. Da danke ich auch schön für die Auskunft.«

Wir neun auf der Linie, wir wollen keine Sensationen, wir wollen das Alltägliche hören, Gespräche über Kochrezepte, Krankheiten, Wetterkatastrophen, Hochzeiten, Autounglücke, Viehverkäufe und Todesfälle. Als einmal auf unserer Linie ein Sommergast in einen Giftmordverdacht verwickelt war und dies auf unsrer Linie mit allen Details besprach, legten wir Zuhörer degoutiert die Hörer auf, weil diese Art von Ereignissen nicht in unsern Rahmen paßte.

Es ist auch unzulässig, den Rahmen zu sprengen und sich etwa einzumischen in andrer Leute Gespräche, wie dies einmal von einer alten Farmerin versucht wurde.

Sie lebt in der Einöde mit ihrem Bruder, der aussieht wie ein Zwergenkönig und ein wenig schwachsinnig ist. Er kann nicht lesen und nicht schreiben, aber er versteht es, mit dem Vieh umzugehen und das Feld zu bebauen. Sie, die alte Farmerin, eine große, starke Frau mit scharfen hellen Augen, trägt einen durchlöcherten Filzhut und einen Waschbärenpelz, der fast enthaart ist und das nackte Leder auf weiten Flächen zeigt, ihre wassersüchtigen Beine sind mit Fetzen umwickelt, und ihre Füße stecken in Filzschaftstiefeln. Sie geht auf einen Knotenstock gestützt und befiehlt ihrem Bruder, die rechte Arbeit zu tun. Sie sorgt für die Hühner, sie liebt die Hühner und läßt ihre Lieblingshühner in ihrem Bett brüten.

Einmal in einem harten Winter geschah es, daß sie krank wurde, und der kleine alte Bruder mußte sich stundenlang durch den tiefen Schnee seinen Weg ins Dorf erkämpfen. Farmersfrauen kamen zu Hilfe, pflegten sie und versorgten sie mit dem Nötigsten.

Die alte Farmerin wurde gesund und hatte den Schrecken der Krankheit längst vergessen, als im Frühjahr Arbeiter vom Roten Kreuz heraufkamen in die Einöde, um in ihr Farmhaus eine Telefonleitung zu legen. Denn die Gemeinde des Dorfes hatte beschlossen, ihr ein Telefon zu schenken, damit sie im Krankheitsfalle Hilfe herbeitelefonieren könne und nicht einsam in den Bergen sterben müsse.

Die alte Frau, die ein halbes Jahrhundert an eine vollkommene Einsamkeit gewöhnt war, hatte nun plötzlich ein Werkzeug an der Wand hängen, das sie mit der Welt verband, von der sie so lange abgeschnitten gewesen war. Sie begriff nicht, daß dieser Apparat als Verständigungsmittel gedacht war, sie gebrauchte ihn als Ausdrucksmittel und schaltete sich hörbar in unsern Kreis ein.

Sie kritisierte die Kochrezepte, sie schalt Mütter aus, daß sie nicht die richtigen Arzneien bei den verschiedenen Kinderkrankheiten verwendeten, sie schrieb den Farmern vor, wie sie zu pflügen und zu melken hätten, sie mischte sich in die Gespräche von Liebespaaren und sagte ihnen, wohin die Liebe führen könne — obwohl sie selbst ein Fräulein war —, sie wußte über Schnee und Eis und Regen Bescheid, sie wußte alles besser, sie mischte sich in alle Gespräche ein, wir konnten nicht mehr zu Wort kommen, sie beherrschte die ganze Linie. Ja, manchmal konnte es geschehen, daß sich drei bis vier Partner unserer Linie gemeinsam gegen sie richteten, und ein Wortwechsel entstand, der den Sinn des Telefons als Verständigungsmittel vollkommen illusorisch machte.

Im Winter, als die alte Farmerin ans Haus gebunden war, wurde ihre Einmischung in unser aller Leben immer beträchtlicher, die Beschwerden häuften sich, und im nächsten Frühjahr wurde zur Abhilfe geschritten.

Wieder stiegen Arbeiter des Roten Kreuzes hinauf zu der Farm, nahmen das Telefon aus dem Haus und befestigten es an einem Baum, der nicht weit vom Haus entfernt war. Dann bauten sie ein kleines Gehäuse um das Telefon, um es vor Wind und Wetter zu schützen.

Die Alte stand in ihrer Stube am Fenster und beobachtete das Tun und Treiben der Arbeiter. Dann holte sie das alte verrostete Gewehr aus dem Bürgerkrieg aus der Ecke hervor und humpelte damit dem Baum zu.

»Was soll das«, sagte sie zu den Arbeitern, »wozu soll das gut sein, was ihr da treibt?«

»Das Telefon behaltet Ihr«, sagte einer der Arbeiter, »aber da draußen im Freien wird Euch keine Lust mehr ankommen, Euch in andrer Leute Gespräche zu mischen.«

Die Alte blieb einen Augenblick sprachlos stehen und starrte die Arbeiter an. Dann begriff sie, was geschehen war. Sie hob das Bürgerkriegsgewehr und schlug mit dem Kolben so lange auf das Gehäuse, bis es vom Baum brach, und dann zerschmetterte sie das aus dem Gehäuse gefallene, auf dem Boden liegende Telefon. Dann wendete sie den Lauf des Gewehres gegen die Arbeiter.

»Ihr«, schrie sie, »werdet mich nicht lehren, was ich zu tun habe. Ich will euer Telefon nicht, wenn ich nicht meine Meinung sagen darf, ich brauche euer Telefon nicht, wenn man mir das Maul verbieten will. Schert euch zum Teufel, oder . . .«

Es ist seither wieder still geworden auf unserer Linie, und das Gleichmaß und die Ruhe sind wieder hergestellt. Wir neun hängen wieder alle an einem Skitau und ergeben uns der freundlichen neu-englischen Gepflogenheit, das Bestmögliche aus einer schwierigen Situation zu holen.

In Henndorf war es so gewesen: da hatte Zuck immer Hunde gehabt, er hatte mit den Hunden gelebt; es waren seine Hunde.

Da waren zwei Stammhunde, schöne, braunweiße Spaniels, später kam noch ein Sohn der beiden dazu, der in unserm Haus verblieb.

Die Spanielhündin warf einmal im Jahr Junge, dann krabbelte es im Haus vor lauter jungen Spaniels, bis sie verkauft oder verschenkt wurden. Aber immer blieben die Stammhunde, die würdevoll das Haus zierten.

Einmal schenkte Zuck mir einen Bernhardiner, der wurde mein Hund. Als er nach zwei Jahren an einer Vergiftung zugrunde ging, gab ich mir das Versprechen, mich an kein Tier mehr zu gewöhnen und es zu lieben.

Es gelang mir für beträchtliche Zeiten, diesem Versprechen treu zu bleiben, dann aber in Amerika begannen mich Tiere zu belagern, auf mich einzudringen und Besitz von mir zu ergreifen, ohne daß ich mich ihrer erwehren konnte.

Den Anfang machte eine Katze.

In unserm zweiten Amerikasommer kam Winnetou zu uns nach Barnard, um ihre Schulferien bei uns zu verbringen, und packte eine Katze aus.

»Ich mußte sie leider mitbringen«, sagte sie.

Ich schüttelte den Kopf und sagte: »Du weißt doch, daß ich Katzen nicht leiden kann.«

»Ja«, sagte Winnetou, »das weiß ich. Aber da ist über die Ferien ein dummer Bub in unsre Schule gekommen, der kriegt Asthmahusten von Katzenhaaren, und drum haben sie alle Katzen abschaffen müssen.«

Die abgeschaffte Katze blieb in unserm Haus.

Nach vierzehn Tagen kroch sie in Zucks Kasten, baute sich ein Nest aus Zucks weißen Hemden und gebar darin fünf Katzen.

Am Ende des Sommers packte Winnetou die Katzenmutter wieder ein; drei Junge wurden verschenkt, und wir behielten einen schwarzweißen Kater und eine blonde dreigefärbte Katze und nannten sie Pyramus und Thisbe. Thisbe wurde bald Tipsy genannt; es war leichter auszusprechen und bedeutet »beschwipst«.

Pyramus und Tipsy erzeugten im ersten Jahr ihres Lebens ein

eigenes schwarzweißes Junges, das wurde Spiegel das Kätzchen getauft.

Aus diesem Spiegel wurde mein erster Augapfel.

Zunächst hatte ich mich viel um ihn zu kümmern, weil seine Mutter Tipsy, bei seiner Geburt fast gestorben, sich wenig um ihn kümmerte. In den ersten drei Wochen mußte ich Tipsy einfangen und sie zum Stillen zwingen, denn sie war durch die schwere Geburt eine unnatürliche Mutter geworden, und wenn nicht der Vater Pyramus gewesen wäre, so wäre Spiegel als Waisenkind aufgewachsen.

Pyramus, der stattliche Kater, glättete, leckte und betreute Spiegel wahrhaft mütterlich, nachts aber pflegte sich Spiegel am Fußende meines Bettes einzunisten, und dabei blieb es, auch als er schon ganz ausgewachsen war.

Spiegel überstand mehrere erschreckende und lebensgefährliche Katzenkinderkrankheiten, und oftmals mußte ärztliche Hilfe herbeigezogen werden. Die Tierärzte erklärten, daß Kater eben anfälliger seien als Katzen, und daß dies ein sehr schwächlicher Kater sei, und wenn er nochmals die Staupe kriegen würde, dann wäre es endgültig aus mit ihm.

Spiegel wurde durch seine vielen Krankheiten so selbstbewußt, eigensinnig und verzogen, wie es eben die Eigenheit kranker und immer wieder genesender Kinder ist, die der Aufmerksamkeit und Besorgnis ihrer Umgebung gewiß sein können.

Wir waren inzwischen auf die Farm übersiedelt. Tipsy lebte als echte Landkatze in der Scheune und ging auf Mäusefang, unser guter Pyramus war einer Katzenepidemie zum Opfer gefallen, und Spiegel, zu einem anderthalbjährigen Kater erwachsen, lebte städtisch, ohne Wildheit mit uns im Haus und verabscheute das Leben der Landkatzen.

Über Nacht kam die Verwandlung.

Eines Morgens, knapp nach Sonnenaufgang, kam Zuck in mein Zimmer, stellte sich an das Bettende und nahm jenen angestrengt abwesenden Gesichtsausdruck an, der die Verkündigung merkwürdiger und überraschender Nachrichten anzeigte.

Ich war mürrisch über das frühe Gewecktwerden, denn ich hatte eine fast schlaflose Nacht hinter mir.

Spiegel war wieder krank geworden, hatte sich die Nacht lang in Krämpfen gewunden, und ich konnte nur durch Baldriantee, magisches Handauflegen und dumpfe Ammengesänge seine Leiden lindern.

Erst knapp vor Sonnenaufgang waren wir beide erschöpft eingeschlafen.

Nun stand also Zuck im Zimmer, sah weder mich noch Spiegel an und sagte leise: »Hast du die Kater heut nacht gehört?«

»Natürlich hab ich sie gehört«, sagte ich, »die ganze Nacht haben sie unter meinem Zimmer gekämpft wie die Tiger und geheult wie stinkende Koyoten. Tipsy wird wohl wieder läufig sein?«

»Nein«, sagte Zuck flüsternd mit einem scheuen Blick auf Spiegel, »nein, es ist nicht die Tipsy.«

Ich hielt den Atem an. »Das ist doch nicht möglich«, stammelte ich und sah entsetzt auf Spiegel.

»Doch«, sagte Zuck, »Spiegel ist eine Katze.«

In der nämlichen Woche wurde Spiegel kerngesund, und einige Wochen später gebar er drei Junge.

Er bekam von da an oft Junge, er wetteiferte mit seiner Mutter Tipsy im Jungekriegen. Ja, oft hatten wir mehr Katzen als Mäuse im Haus. Wenn Spiegel jedoch katzenfrei war, nicht stillte und seine Jungen vergessen hatte, benahm er sich so beschaulich, ehrwürdig und geruhsam wie ein Kater, und wir hüteten uns, ihn als Katze anzusprechen.

Spiegel verstand jedes Wort, das gesprochen wurde, er begriff alles, was im Hause geschah, und er zwang uns, zu begreifen, daß er der Herr und Kater des Hauses zu bleiben wünschte, er zwang uns, seine Mutterschaftszeiten nur als Metamorphosen anzusehen.

Er sah uns mit seinen tellergroßen grünen Augen durchdringend und forschend an, und sein Blick jagte manchem Fremden Furcht ein. Sie dachten, der Ausdruck seiner Augen könnte sich dereinst in den Ausdruck der Menschensprache verwandeln, sie sprachen von Seelenwanderung, und sie fürchteten seine Krallen. Uns aber war Spiegels Unheimlichkeit vertraut, er wurde der Hexenmeister unsres Hauses, und wir gehorchten ihm.

Dann kamen die Hunde ins Haus.

Die Spaniels waren in Österreich verblieben, und trotzdem sich ein großer Schweizer Zirkus darum bemüht hatte, wurden sie nicht herausgegeben. Sie waren »beschlagnahmtes Eigentum«, ob man sie jedoch auch ausgebürgert hat, konnte ich später in den Akten nicht finden. Vorm Verhungern wurden sie von einer Henndorferin gerettet, die lange Jahre für uns gearbeitet hatte und die Hunde auf eigene Rechnung treulich und liebevoll versorgte, bis sie, einer nach dem andern, an Altersschwäche in ihren Armen sanft einschliefen.

Zuck war es nun nach dem Verlust seiner Hunde gar nicht sehr nach Hunden zumute, aber wir mußten Hunde anschaffen, weil das Gehöft zu einsam lag und Hunde auch einen guten Schutz bieten sollten gegen allerhand kleinere und größere Raubtiere.

In unserm Wochenblatt wurde im Spätsommer des Jahres, als wir die Farm bezogen, ein guter Platz für zwei junge Wolfshunde gesucht.

Die Mutter der jungen Hunde lebte bei zwei älteren Damen in der Stadt. Die Damen hatten ein schönes Haus mit empfindlichen Möbelstücken, echtem Porzellan und edlem Glas. Sie besaßen viele kleine Hunde, die im Haus lebten, die Wolfshündin mit ihrem Wurf aber war in der Garage untergebracht.

Wir wurden von den alten Damen betrachtet und geprüft, ob wir auch hundelieb seien, dann durften wir uns zwei Hunde aussuchen, sie wurden uns mit Segenswünschen geschenkt, und wir konnten sie mit nach Hause nehmen.

Sie waren damals noch zwei kleine wollige Tiere, und der Tierarzt riet uns, die Hunde zu ihrem und zu unserm Besten im Freien zu halten wie Polarhunde.

Sie schliefen in einer für sie gebauten Hütte, die von einem weiten Drahtgezäun umgeben war, so daß sie auch tagsüber genug Auslauf hatten.

Zuck taufte sie Robert und Bertram, und da sie zwei männliche Hunde waren, mußten wir bald eine zweite Hütte bauen, um ihnen nicht Anlaß zu Zank und Streit zu geben, und jeder schlief in seiner Hütte.

Später, als sie schon ausgewachsen waren, ging Zuck stundenweit mit ihnen spazieren durch die weglosen Wälder, und sie brachen durchs Unterholz wie große Wölfe, die vom Rudel abgekommen sind.

Sie waren nicht bösartig, aber sie hatten keine richtige Einschätzung von ihrer Stärke.

Wir baten daher Gäste, sie mögen die Tür des Hundezwingers nicht mutwillig und ohne unser Beisein öffnen. Manche Gäste aber, besonders die Damen, die sich auf Hunde nicht verstanden, oder Knaben im Alter der Lust an bösen Streichen versuchten es doch. Kaum hatten sie jedoch den Riegel der Zwingertür geöffnet, sprangen die Hunde dagegen, brachen hervor, warfen den Gast zu Boden und tobten auf ihm herum, als hätte man ihnen einen Spielknochen geschenkt. Auf das jauchzende Gebell der Hunde und das Geschrei des Gastes mußten wir zur Hilfe eilen, und das Aufheben, Abklopfen des Gastes, verbunden mit einer Labung durch Schnaps oder kaltes Wasser, gehörte mit zu unsrer Beschäftigung als Hundebesitzer.

Robert und Bertram durften auf Grund ihrer ungezähmten Wildheit nicht ins Haus und kamen nicht weiter als bis zur Garage, wo sie in den Nächten der Schnee- und Eisstürme schliefen.

Einmal aber kamen sie doch ins Haus, und das war am 1. Januar 1943. Sechsunddreißig Gläser standen als Zeugen der Silvesternacht wohlaufgebaut auf dem Küchentisch, bereit, abgewaschen zu werden.

Ich stand an der Abwasch, mit dem Rücken zur Küchentür, und ließ das dampfende Wasser ins Waschbecken fließen. Plötzlich wurde die Küchentür aufgestoßen, zwei Lawinen von Schnee und Eis wälzten sich in die Küche und zermalmten alles.

Das Splittern des Glases und mein schrilles Geschrei jagte die Hunde, die wie eine Naturkatastrophe über meine Küche hereingebrochen waren, wieder zur offenen Tür hinaus, aber der Schreck ließ sie noch schnell den Küchenboden in einen See verwandeln.

In wenigen Sekunden hatten sie alle sechsunddreißig Gläser zu Scherben zerschlagen.

Als Zuck einige Minuten später in die Küche kam, durch die Hundelachen watete und vor dem Glassplittermeer stand, saß ich auf dem Küchenstuhl und hatte meine seifenschaumbedeckten Hände friedlich auf der Küchenschürze gefaltet.

Mir war so abgeklärt zumute wie nach einem überstandenen Hurrikan.

»Ich bin sehr froh«, sagte ich, »daß die Gläser noch nicht gewaschen waren.«

Und dann machten wir uns an die Aufräumungsarbeiten.

Nach den Hunden kam unerwartet die Ente Gussy ins Haus und mit ihr das Huhn Elise.

Es war im frühen Frühling, und wir waren bei Freunden zu Mittag eingeladen gewesen.

Nach Tisch hatten wir ihre Farm besichtigt.

In einem der modernen großen Hühnerhäuser war ein Huhn, das ganz absonderlich armselig, mager und verstört aussah. Es wurde von den andern Hühnern zwar nicht angefallen, aber sobald es zur Futterstelle wollte, machten sich die andern einen Spaß daraus, es wegzudrängen.

»Es wird eingehen«, erklärte der Verwalter, »es ist ein gesundes Huhn, aber es kann sich nicht durchsetzen.«

»Kann ich es kaufen?« fragte ich, »ich möchte mit einem schwierigen Huhn beginnen, damit ich mich an den Umgang mit schwierigen Tieren gewöhne, bevor wir uns Geflügel anschaffen.«

»Sie brauchen nicht mehr als 50 Cents dafür zu geben«, sagte der Verwalter, »es legt keine Eier, weil es zu verschreckt ist. Aber da wäre noch eine Ente«, setzte er hinzu, »die können Sie umsonst haben. Sie ist zu zäh zum Schlachten und bringt den ganzen Entenhof in Aufruhr.« So lernten wir Gussy kennen, die asoziale Ente.

Sie saß auf einem Misthaufen wie auf einer Festung, böse, einsam, blutüberströmt. Kamen andere Enten in die Nähe, stürzte sie sich, auf Angriff gefaßt, von ihrer Festung herab, griff die Überzahl an und zog sich nach kurzer Zeit besiegt, von scharfen Entenschnäbeln zerhackt, aus vielen Wunden blutend, wieder auf ihren Misthaufen zurück. Wir nahmen Elise und Gussy mit uns, wohlverpackt in zwei Pappkartons.

Wir bauten ihnen in unsern leeren Ställen je einen Stall mit Drahtzäunen als Schutz gegen kleine Raubtiere, und da saßen sie nun in zwei Vogelkäfigen, in denen eine Kuh bequem Platz gehabt hätte.

Elise blühte auf, sie holte alles nach, was ihr im Gemeinschaftsleben versagt geblieben war, und nach drei Wochen mußten wir sie auf Diät setzen, sonst wäre sie geplatzt.

Später, als die wirklichen, die nützlichen Farmhühner eintrafen, war sie die Erste am Platz im Hühnerhaus, sie wurde sozusagen die Empfangsdame, die den Neuankömmlingen Nester, Stangen und Futterplätze zeigte. Sie war nicht intelligent, aber ihr durchschnittliches Wesen fügte sich angenehm in die Hühnergemeinde ein.

Ganz anders war der Fall Gussy.

Sie betrachtete uns als ihre Todfeinde, sie sah uns scheel und böse an, wenn wir ihr Futter brachten, als hätten wir ihr Rattengift unters Futter gemischt. Aber sie gedieh, ihr blutgetränktes Gefieder wurde glatt und weiß, ihr zähes Fleisch verwandelte sich in Festigkeit und Kraft.

Sie machte ungezählte Ausbruchsversuche, so daß wir bald ausgezeichnete Entenfänger wurden, wir übten an ihr, was uns später in der Behandlung unsrer Entenscharen von großem Nutzen sein sollte.

Gussy machte uns auch mit der Tatsache vertraut, daß amerikanische Enten, besonders aber die Rasse der Muscovys, zu der Gussy gehörte, in keiner Stunde ihres Lebens vergessen, daß sie von Wildenten abstammen. Als später Scharen von weißen Muscovys über das Dach unsres Hauses wie Jagdflugzeuge kreisten und sich in den Teich stürzten, fiel damit jeder Begriff von Haustier oder zahmer Ente. Bei ihrem dreiundzwanzigsten Ausbruchsversuch gelang es Gussy, zu entkommen.

Wir gaben sie verloren, vom Fuchs zerrissen, vom Wiesel gebissen, vom Skunk ermordet.

Im frühen Sommer aber, als wir schon einen stattlichen Hühnerhof und einige Enten und Gänse hatten, kam Gussy wieder.

Wo sie einen Enterich gefunden, und wohin sie ihre Eier gelegt und wo sie gebrütet hatte, wußten wir nicht, es mag wohl eine der verfallenen Scheunen im Wald gewesen sein. Nun aber kam sie langsam über die Wiese gewatschelt, und hinter ihr watschelten und zirpten elf gelbe neugeborene Enten.

Uns wiederzusehen war keine Freude für sie. Sie sah uns mit demselben Ausdruck des Widerwillens und der Abneigung an, mit dem sie uns von Anfang an betrachtet hatte, aber sie schien entschlossen, ihr Mißtrauen zu besiegen, um ihren Jungen einen guten Futterplatz zu verschaffen. Sie blieb nicht lange bei ihren Jungen. Sie verließ sie, als sie noch kaum ausgefedert waren, überließ sie unsrer Obhut und ergab sich wieder ihrem wilden Leben.

Manchmal kam sie heim und wohnte im Stall mit den andern Enten, manchmal blieb sie lange fort, manchmal brütete sie unsichtbar in einem alten Gemäuer und gab dann ihre Jungen bei uns ab. Es war erstaunlich und bewundernswert, wie sie es verstand, den Entenhof nur als zweckdienliche Durchgangsstation zu benützen und nichts von ihrer unbegrenzten Wildentenfreiheit aufzugeben.

In jenem Frühjahr, als wir Gussy verloren gegeben hatten, kauften wir eine Entenmutter mit zwei Jungen.

Es war ein seriöser Kauf, sie waren weder physisch noch psychisch defekt, und sie bekamen keine Namen.

Zunächst wenigstens nicht.

Später nannten wir die Entenmutter »Emma« (»die Möven sehen alle aus, als ob sie Emma hießen«), die Tochter starb, bevor sie benannt werden konnte, und der Sohn wuchs sich zu einem Riesenenterich aus. Zuck meinte, sein Vater müßte ein Albatros gewesen sein.

Mit dem Ankauf aber von Emma und ihren Jungen fing der Ernst des Lebens an, und der Aufbau der Farm begann.

DER ANFANG

Zwölf Jahre lang hatten wir in Henndorf gelebt, umgeben von Bauernhöfen.

Kühe weideten unter unseren Fenstern, Hühner waren mir über den Weg gelaufen, Gänse und Enten an mir vorbeigewatschelt. Ich hatte Milch getrunken, Butter gegessen, allmorgendlich war mir mein Frühstücksei serviert worden, und doch hatte ich keine Ahnung, wie die Tiere lebten, deren Produkte ich aß und trank, wie sie gemolken wurden, wann sie Eier legten, was sie fraßen.

Es lag wohl nicht daran, daß ich kein Interesse dafür hatte, es war einfach so gewesen, daß es mir gar nicht in den Sinn kam, mich darum zu bekümmern.

Landwirtschaft, Bauern: das war ein Reich für sich, ein Revier, das man nicht zu betreten hatte, wenn man nichts davon verstand.

Die Landwirte, die Bauern: die wußten es, die verstanden es, sei es durch moderne Forschung oder durch jahrhundertelange Überlieferung, wie man das Feld zu bestellen und Vieh zu halten hatte.

Unerfahrene, Ungelernte hatten auf diesem Gebiet nichts zu suchen.

»Der Landmann sät. Der Mäher mäht. Der Zimmermann zimmert. Der Bäcker bäckt. Die Magd melkt.«

Das sind die reinen einfachen Sätze aus dem Lesebuch unsrer Kindheit, und sie sind verbunden mit Bildern, die diese Tätigkeit versinnbildlichen sollen.

Es waren bunte, angenehme Bilder, sie rochen nach Wiesen, Heu, Holz und frischem Brot. Aber die Tätigkeiten, die Handlungen an sich waren uns ganz fremd geblieben und unbegreiflich. Wir haben die Sätze und Bilder aufgenommen wie Märchen und keine Lust verspürt auf Verwirklichung. Und nun war ich in ein Land gekommen, in dem es keine Märchen gab im gewohnten Sinn, ein Land, in dem die Reviere frei sind für jeden, der darin jagen will, ein Land, in dem die diesseitigen Jagdgründe unermeßlich sind.

Ich darf säen, mähen, zimmern, backen, melken, ich kann alles bis zu einem gewissen Grad erlernen.

Auf manchem Gebiet wird man ein Stümper bleiben, auf andern bringt man es zum Dilettanten, und einige wenige Dinge erlernt man wirklich und kann sie für alle Zeiten.

Zunächst einmal stellten wir ein Inventar unsrer Kenntnisse zusammen.

Zuck verstand etwas von Zoologie, speziell von Schmetterlingen, Raubtieren, Wildvogelleben und liebte Tiere. Ich konnte, mit geringen Ausnahmen, Tiere nicht leiden, hatte aber einst sieben Semester Medizin studiert inklusive Anatomie und erklärte daher, ich würde mich vor nichts grausen — ein sehr wichtiger Faktor im Farmleben, wie sich später herausstellte. Von Tieren verstand ich nichts, dafür aber einiges von Gemüsebau.

Unsre vorhandenen Kenntnisse waren spärlich und gering, aber es blieb uns keine Wahl als das Versäumte nachzuholen und zu erlernen, was wir nicht wußten.

Wie aber konnte man die fehlenden Kenntnisse auf schnellstem Weg erwerben?

Unsre landwirtschaftlichen Nachbarn konnte man nicht behelligen, sie waren meilenweit entfernt von unserm Haus und überhäuft mit Sorgen, da ein beträchtlicher Teil ihrer Hilfskräfte einrücken mußte und andere Farmarbeiter in die Fabriken abwanderten, wo sie höhere Löhne bekamen.

Knechte und Mägde im europäischen Sinn gibt es in Amerika nicht und schon gar nicht in Vermont, wo sie jede Art von Dienen und Dienstbarkeit verabscheuen. Vermont ist kein Negerstaat, so daß auch diese Dienstkräfte ausscheiden. Für einen gelernten Farmarbeiter wäre unsre Farm, so wie wir sie vorhatten, viel zu klein und sein Stundenlohn für uns viel zu hoch gewesen.

Wir mußten in den folgenden Jahren mit Hilfsbuben auskommen, die zeitweise erschienen und auch wieder gingen, Halbwüchsige zwischen zwölf und sechzehn Jahren, denen man jegliche Arbeit erklären mußte.

Es war also von Anbeginn unsrer Farmunternehmung klar, daß wir ganz auf uns selbst gestellt sein würden und auf theoretischem Wege zu den praktischen Kenntnissen und Erfahrungen gelangen mußten.

Wir hatten uns folgende Fragen vorgelegt:

Was für Tiere wollen wir anschaffen?

Wo sollen wir die Tiere kaufen?

Wie baut man Geflügelhäuser und Ställe?

Wie füttert man die Tiere?

Wie hoch werden die Kosten sein, wie hoch der Gewinn?

Nun gibt es in Amerika die gesegnete und unerläßliche Einrichtung des Departements für Landwirtschaft in Washington, dem ich noch ein ganzes Kapitel widmen muß. Dieses USDA — das ist die Abkürzung für United States Department of Agriculture — gibt Broschüren heraus, die auf vier bis achtzig Seiten klar und verständlich die Fragen der Landwirtschaft behandeln.

Mit dieser Einrichtung wurden wir bekannt gemacht durch einen Brief, der eines schönen Tages bei unsrer Post lag.

Der Absender war der Abgeordnete, der Kongreßmann des Staates Vermont, seine Adresse war:

Congress of the United States, House
of Representatives, Washington D. C.

Für Ungelernte sei beiläufig erwähnt, daß jeder der achtundvierzig Staaten, ob klein, ob groß, den Kongreß in Washington mit je zwei Senatoren beschickt. Jedoch ist die Anzahl der »Representatives« jedes Staates abhängig von seiner Einwohnerzahl, so daß z. B. ein Staat wie Kalifornien mit 6 158 000 Einwohnern 20 Representatives hat, Wisconsin mit 3 Millionen Einwohnern 10 Representatives, während Vermont mit 361 000 Einwohnern nur einen Vertreter hat.

Von unserm einzigen Representative bekamen wir folgenden Brief:

»Lieber Freund,

Landwirtschaft ist heutzutage noch wichtiger als sonst. Die nützlichen Broschüren, die anbei verzeichnet sind, stellen das Ergebnis der Forschungsarbeiten und der Experimente dar, die das Departement der Landwirtschaft unternommen hat.

Sie können auf der Liste jene Broschüren anzeichnen, die Sie haben wollen, es sollen aber nicht mehr als fünf sein, damit noch viele andere von meinem begrenzten Vorrat profitieren können.

Als Ihr Representative im Kongreß möchte ich Ihnen und andern Vermontern dienlich sein. Schreiben Sie mir über alles, was die Gesetzgebung betrifft, und auch jederzeit, wenn Sie das Gefühl haben, ich könnte Ihnen behilflich sein.

Vergessen Sie nicht, Ihren Namen und Ihre Adresse anzugeben. Mit den besten Wünschen

Ihr   ......«

Wir hatten also einen Vertreter in Washington, an den ich mich wenden konnte, und dies tat ich umgehend, indem ich ihn bat, ob er mir mehr als die üblichen fünf Broschüren zukommen lassen könnte, denn ich sei Laie und Anfänger.

Worauf er mir ebenso umgehend antwortete, daß er das USDA von meinen Wünschen informiert habe. »Es wird wohl etwas Zeit brauchen, aber ich nehme an, daß Ihnen Ihre Bestellung in einer Woche bis zehn Tagen zugesandt werden wird«, schrieb er und schloß: »Mit allen guten Wünschen verbleibe ich Ihr...«

Inzwischen hatte ich herausgefunden, daß das USDA auch Zweigstellen in allen Staaten hat, und daß unsre Zweigstelle in Vermont Broschüren herausgab, die lediglich auf die klimatischen und landwirtschaftlichen Bedingungen des Staates Vermont eingestellt sind, und die konnte ich mir persönlich im Landwirtschaftsbüro der nächsten Stadt aussuchen und abholen.

In dem Büro konnte man zehn Broschüren kostenlos erhalten, aber sie gaben mir viel mehr, weil ich Anfänger war und daher einer größeren Anzahl von Broschüren bedurfte als Fortgeschrittene. Außerdem ermutigten mich die Beamten des Büros dazu, ihnen die ahnungslosesten und absurdesten Fragen zu stellen, ohne daß sie oder ich errötet wären.

Die Auswahl meiner Broschüren bezog sich auf folgende Gegenstände:

Das Farmbudget. Wie wählt man ein gesundes Pferd?
Milben und Läuse auf Geflügel.
Buttern auf der Farm. Desinfektion der Ställe.
Milchziegen. Entenzucht.
Gänsezucht.
Pläne zum Aufbau einer Farm.
Das Schwein. Trocknen von Arzneipflanzen.
Hühnerrassen.
Schutz vor Blitz.
Der Verkauf von Eiern.

Hühnerhäuser und ihre Inneneinrichtung.
Milchwirtschaft für Anfänger.
Der Farmgarten.
Aufbewahrung von Benzin und Kerosin auf der Farm.
Auswahl der Hennen für Eierproduktion.
Arbeitskleider für Frauen.
Weißer Ladino-Klee. Kartoffelsorten auf Vermonter Farmen.
Wie serviert man Ahornsirup auf Schnee?
Wie schafft man sich einen guten Misthaufenvorrat an?
Tiere für Kleinfarmen.
Das Füttern der Hühner.
Johannisbeeren und Stachelbeeren und ihre Beziehung zur Rosterkrankung der weißen Kiefer.
Verkauf von Farmprodukten durch Postpakete.
Anfertigung von Sesselüberzügen.
Für Zuck holte ich:
Das Leben der Wildvögel auf dem Farmteich.
Das Instandhalten der Kamine und Öfen.
Ein trockener Keller.
Das Schleifen von Messern.
Zwei Broschüren, die ich nur aus historisch-ökonomischem Interesse bestellt hatte, nämlich: die Aufstellung von einigen Vermonter Gesetzen, die Heim und Familie betreffen – und: Das finanzielle Übereinkommen zwischen Vater und Sohn auf der Farm – bekam ich nicht zugeschickt, wahrscheinlich ist die Nachfrage danach so gering, daß sie sie nicht mehr nachgedruckt haben.
Wir hatten also den ganzen langen Winter Broschüren studiert, besprochen, berechnet, erwogen.
Zuerst hatten wir die Anschaffung von Hühnern, Enten, Gänsen, Schweinen, Kühen und Pferden im Sinn.
Von den Kühen und Pferden kamen wir ab. Die Berechnung ergab, daß Kühe – und wären es nur zwei gewesen – kostspielige Umbauten der vorhandenen Ställe, beträchtliche Anschaffungen von Utensilien für Milch- und Butterwirtschaft erfordert hätten, und daß der Abtransport der Milch zu einer Sammelstelle auf einer Straße, die rund sechs Monate im Jahr fast unbefahrbar war, ein unlösbares Problem gewesen wäre.
Zum Eigenverbrauch hätten die Milchprodukte wenig Sinn gehabt, Buttern erfordert viel Arbeit, und die gesamte Familie außer mir verabscheute Milch.

Als Michi, die Ältere, im reifen Alter von einundzwanzig Jahren plötzlich allabendlich gegen sechs Uhr ein Glas Milch trank, konnte ich diesen Geschmackswechsel nicht begreifen, bis ich einmal zufällig aus ihrem Glas trank und dabei feststellen mußte, daß ein gesunder Schuß Whisky die Milch zu einem Cocktail verwandelt hatte. An Stelle der Kühe beschlossen wir Ziegen anzuschaffen, die in jeder Weise genügsamere Tiere waren und viele Vorteile boten.

Pferde wurden auch von der Anschaffungsliste gestrichen, obwohl Zuck und Winnetou leidenschaftliche Reiter sind, aber Reitpferde konnten wir uns nicht leisten, und in »Tiere für die Kleinfarm« fand ich den entscheidenden Satz: »Wenn auch ein Pferd oder ein Traktor zum Pflügen notwendig erscheinen könnte, so ist es für den Besitzer einer Kleinfarm viel vorteilhafter, sich diese Art Hilfe zu mieten, als etwa dafür ein Pferd zu kaufen und zu füttern. Wenn sich jedoch der Kleinfarmer bei seinen Nachbarn zeitweise zum Umackern und Pflügen ihrer Felder verdingen will, so könnte dies die Anschaffung eines Pferdes, das er dazu braucht, allerdings rechtfertigen.«

Zuck und Winnetou wollten sich nicht zeitweise bei den Nachbarn verdingen, darum kriegten sie auch kein Pferd. Vielmehr mieteten wir uns manchmal Nachbarn, die mit ihren Ochsen oder Pferden — für Traktoren war unser Land zu abschüssig — pflügten und eggten.

Als wir nun Stand und Art der Tiere beschlossen hatten, gingen wir ungebrochenen Mutes an den Bau der Ställe.

Dem Himmel sei Dank, der uns davor bewahrte, voraus zu ahnen, welche Plagen und Mühen uns daraus erwachsen würden.

Als der späte Frühling kam, und der schlimmste Frost vorbei war, begannen wir Anfang Mai mit dem Bau der Hühnerhäuser und dem Ausbau der alten Ställe.

Ich ging zu einem Tischler, einem bedachtsamen, älteren Mann. Der prüfte die Pläne, begutachtete sie, bestellte das Holz und die Dachpappe. Ich hatte die Nägel zu beschaffen, die Fenster und die Inneneinrichtung.

Als alles Material beisammen war, blieb der Tischler zunächst weg, denn gut Ding braucht Weile, und es ist unschicklich in Vermont, sich nach Arbeit und Lohn zu drängen.

Nach einer Woche verzweifelten Wartens unsrerseits fand sich unter unsrer Post ein kleiner Zettel mit der Anmerkung:

»Konnte nicht kommen. Bin sehr beschäftigt. Will Euch nicht im Stich lassen. Beginne Samstag.«

Er kam und arbeitete ganz allein. Zuck hielt ihm die schweren Grundpfeiler, und ich durfte ihm manchmal Nägel halten und verlegte Handwerkszeuge suchen.

Ich hatte noch niemals täglich und stündlich am Bau eines Hauses teilgenommen, und da man in Amerika unentwegt fragen darf, soll und muß, stellte ich meinem Baumeister viele Fragen.

Jedesmal, bevor er eine meiner Fragen beantwortete, hielt er in der Arbeit inne, begab sich, ob er nun auf dem Dachbalken oder auf der Leiter schwebte, in eine ausgeruhte Hockstellung, schob seine Brille bis auf den Mund hinunter, sah mich forschend an und erklärte mir dann durch die Brille durch und sie leise mit seinen Lippen bewegend, verständlich und weise alles, was ich wissen wollte.

Inzwischen arbeitete ein anderer Mann am Ausbau der Ziegen- und Schweineställe in einer vorhandenen Scheune. Bei ihm konnte von Geruhsamkeit keine Rede sein.

Er wurde »Wodan« genannt, weil ihm ein Auge fehlte, über das die Haare wild herunterhingen.

Er kam mit seinem Truck den Berg heraufgerast und nahm die Kurve ums Haus genau so, daß man jedesmal fürchten mußte, nun sei ein Stück vom Haus weg.

Er brauste wie ein Gewitter über unser Haus.

Als er einmal das Dach umdeckte, prasselten die alten Schindeln in unsern Gemüsegarten wie Hagelschloßen. Er riß junge Birken mit der Wurzel aus, um sie für Zäune zu verwenden, er braute und rührte Zement wie ein Rübezahl in seinem Zorn.

Es ging von ihm die Legende, er könne sechzehn Eisportionen essen und hinterher Bier trinken, ohne zu platzen. Er war der Paul Bunyan des Ostens, jene Heldensagenfigur des riesigen Holzfällers des Westens, der alles kann.

Anfangs konnte er uns nicht leiden und schimpfte, warum zum Teufel diese verdammten Fremden sich einen so verfluchten Platz ausgesucht hätten und besser daran täten, wieder zur Stadt zu ziehen.

Seine Flüche lernte ich erst nach und nach verstehen. Eines schönen Tages aber, als er mit seinen Riesenschuhen, an denen Mist, Zement und Lehm klebten, über meinen frischgewaschenen Küchenboden stampfte, machte ich ihm einen Riesenkrach, und von Stund an wurden wir Freunde. Unsre Unterhaltungen nahmen von da an ehrliche, offene Formen an, und ich pflegte deutlich mit ihm zu reden: »Reparieren Sie das Dach, aber vielleicht versuchen Sie es, die Schornsteine dabei nicht abzubrechen und mir ins Küchenfenster zu werfen.«

Oder ich sagte zu ihm: »Regulieren Sie den Teich, aber sehen Sie zu, daß der Abfluß nicht durch unser Haus läuft, ich liebe keine Forellen im Wohnzimmer.«

Er blieb zwar ein Niagara, aber mit der Zeit konnten wir einige Staudämme gegen ihn aufrichten.

Manchmal brachte er seine Frau mit.

Sie blieb im Lastauto sitzen, sie kam nicht ins Haus, und sie las. Sie war distinguiert gekleidet, ihre Frisur und ihre Hände waren tadellos gepflegt, und sie las stets die Neuerscheinungen der amerikanischen Literatur.

Wodan pflegte seiner Frau ein Kissen hinter den Rücken zu schieben, bevor er an die Arbeit ging, und dies lederne Kissen im Rücken ließ ihre Haltung noch strenger und gemessener erscheinen.

An diesen Tagen arbeitete Wodan still vor sich hin und benahm sich wie ein Adler, dem man die Schwungfedern gestutzt hatte.

In vier Wochen waren die Ställe fertig.

Die größte Pracht waren die funkelnagelneuen Hühnerställe, die zweihundert Meter vom Haus entfernt inmitten schönster Wiesen und Hügel standen, und von deren Fenstern aus man den herrlichen Blick in die Berge hatte. Ich muß gestehen, daß wir heimlich mit dem Gedanken spielten, die zwei Häuser anstatt der Hühner zu beziehen und das große Haus den Kindern und Gästen zu überlassen, aber wir widerstanden wehmütig der Verlockung.

Die Ställe standen auf mächtigen Steinen, denn wenn man jemals den Wunsch hegen sollte, sie mit sich fortzuführen und an einen andern Platz zu verlegen, so brauchte man die Steinfüße nur durch Räder zu ersetzen und damit das Hühnerhaus in einen Zirkuswagen zu verwandeln, den man von Pferden oder Traktoren fortziehen lassen konnte. Die Hühnerhäuser waren nach allen Regeln des Fortschritts und der gesammelten Erfahrungen (nicht unsrer, sondern der des USDA) gebaut. Die Fenster gingen nach dem Süden. Es waren englische Fenster zum Auf- und Niederklappen, die mit Fliegengittern versehen waren, und unterhalb und oberhalb der Fenster waren Ventilationsklappen angebracht. Die Fensterwand war zweieinhalb

Meter hoch, die gegenüberliegende Hinterwand jedoch nur anderthalb Meter, so daß das Dach von der Vorderwand steil abfiel, um den Schnee winters zum Gleiten zu bringen. An diesen schiefen Plafond vergaß man immer wieder und stieß sich beim Reinigen der Ställe den Kopf in der Weise an, daß man taumelte, die Augen verdrehte und aussah wie ein Knockoutgeschlagener aus dem Film, der in die Knie geht.

An der Hinterwand war eine Art großer, offener Kommodenschublade befestigt und darüber Stangen angebracht, auf denen die Hühner nachts saßen und schliefen.

Dreimal die Woche konnte man bequem und rasch mit Stahlbesen und Schaufel den beträchtlich angesammelten Hühnermist aus der Kommodenlade kehren, ihn abtransportieren und auf unsern edelsten zukünftigen Komposthaufen deponieren.

An der einen Seitenwand, gegenüber der Tür, waren die Nester aufgehängt. Sie wurden von Sears und Roebuck fertig geliefert und sahen aus wie kleine Häuser aus Blech mit zehn runden Öffnungen, fünf im ersten Stock und fünf im zweiten Stock, davor je eine Stange, auf der die Hühner spazierten und sich ihr Nest aufsuchten zum Eierlegen. Die Nester mußten etwa einen halben Meter hoch über dem Boden hängen, denn die Hühner wollen zu jeder entscheidenden Beschäftigung ihres Lebens emporspringen oder flattern, wohl in Erinnerung an ihre Vogelabstammung.

Einmal, als die Wandhaken sich gelockert hatten und repariert werden mußten, stellten wir die Legenester zwei Tage lang auf den Boden. Während der ganzen Zeit blieb das Parterre der Nester unbesetzt, während sich die Hühner stritten und rauften um die Nester im ersten Stock.

Auch die großen, langen Futtergefäße in der Mitte der Hühnerhäuser standen auf eisernen Füßen. Sie sahen aus wie Tisch und Bänke in Waldschenken oder vor Berghütten: in der Mitte jene langgezogene Futterrinne, rechts und links davon zwei schmale Latten, auf die sich die Hühner zum Fressen setzten.

Die Futterrinne war von Eisenstangen überdacht, durch die die Hühner die Köpfe stecken konnten. Ohne diese Schutzstangen liebten sie es, in ihrem Futter spazierenzugehen, darin zu scharren und es zu beschmutzen.

Der Boden der Häuser war mit Sägespänen bedeckt, in die Nester taten wir außer den Sägespänen noch etwas Heu — obwohl Heu nicht ganz vorschriftsmäßig war —, aber es freute die Hühner sichtbarlich.

Dann waren noch die Trinkgefäße da, kleine Tanks mit einer Schwimmvorrichtung, die das Wasser gleichmäßig in eine Schale verteilte, die wie eine Reisrandform um den Wassertank lag.

Die Wasserversorgung der Tiere war an heißen Sommertagen mühevoll, da wir keine Wasserzuleitung zu den Hühnerhäusern hatten und das Wasser aus unserm Haus zutragen mußten. Im Winter aber wurde die Wasserversorgung der Tiere zu einer der entsetzlichsten Plagen und Katastrophen in unsrer Leidensgeschichte.

Als die Hühnerhäuser und Ställe fertig waren, wartete ich auf die Ankunft der Winnetou, die zu den Pfingstferien heimkam, um mit ihr gemeinsam die Tiere zu holen, die wir bestellt hatten.

Zu allererst holten wir von einer Farm sechs ausgewachsene Hennen, hell bis dunkelgrau gestreift, die wie große Perlhühner aussahen.

Der Tag, an dem die ersten sechs ankamen, war ein schöner warmer Tag. Die Sonne schien durch die blankgewaschenen Fensterscheiben der Hühnerhäuser, die Sägespäne rochen nach frisch geschlagenem Holz, und das Heu duftete aus den Nestern.

Das Huhn Elise ging im Hühnerhaus umher und meinte, das Futter für Sieben sei nur für sie allein da.

Wir trugen nun die Kisten, in denen wir die Hühner transportiert hatten, ins Hühnerhaus und öffneten die Käfigtüren und warteten. Die Hühner spazierten eins nach dem andern aus dem Transportkäfig und betrachteten sich ruhig und ohne Aufregung ihren neuen Stall.

Elise ließ sich durch ihre Ankunft nicht beim Fressen stören, die neuen Sechs hüpften bald auf die Bänke, um aus der Futterrinne ihr säuberliches, frisches Futter zu genießen.

Winnetou und ich standen den halben Tag am Fenster und sahen unsern ersten Hühnern zu, wie sie scharrten, Futter nahmen und Körner pickten.

Ja, es geschah sogar, daß ein Huhn ein Nest aufsuchte und ein Ei zu legen begann, eine ungewöhnliche Tatsache, wenn man bedenkt, daß Hühner manchmal drei Tage bis zu einer Woche brauchen, um sich von dem Schock der Umsiedlung zu erholen und wieder zur Gewohnheit des Eierlegens zurückzukehren.

Bald konnten wir die sechs Hühner unterscheiden an ihrem Gefieder, an ihren Bewegungen, an ihrem Gesichtsausdruck. »Das sind also unsre Stammhühner«, sagte Winnetou, und wir nannten sie: Michaela, Maria, Magdalena, Christine, Auguste, Agathe. All diese Namen stammten aus dem reichen Schatz der Vornamen, die unsre Töchter besitzen.

Eine Woche später hatten wir alle Tiere beisammen: 57 Hühner, 20 Enten, 5 Gänse, 4 Ziegen, 2 Schweine, 2 Hunde und 3 Katzen. Mit diesen 93 Tieren begann unser Farmleben, die Zeit der stillen Betrachtung und Beschaulichkeit war dahin, unsre Tiere hielten uns auf den Beinen, im Trab, in Atem und gönnten uns keine ruhige Stunde mehr.

DIE NÜTZLICHEN

Die Farmtiere strömten herein, zuhauf, in Gruppen, vereinzelt. Auf die Stammhühner folgten 50 Stück acht Wochen alte »Rhode Island Reds«, rotgefederte Hühner von jener zwiefachem Nutzen dienenden Rasse, die gut Eier legen und zugleich von zartem Fleische sind, also eßbare Eierleger darstellen.

Unsre Stammhühner gehörten ebenfalls einer zwiefach nützlichen Rasse an, den »Barred Plymouth Rocks«, was man mit »gestreiften Plymouth-Felsen« übersetzen könnte, ein geradezu symbolischer Name für sie, denn sie waren die »rochers de bronze« in den brandenden Wogen unsres Hühnerhofes.

Wir hatten die Rhode Island Reds, die »Roten von Rhode Island«, auf einer Farm bestellt, die pullorumfreie Hühner verkaufte, Hühner, die von jenem bakteriellen Keim frei waren, der, vom Mutterhuhn aufs Ei übertragen, die Kücken schon in der zweiten Woche ihres Lebens erkranken läßt und ihnen einen frühen Tod bereitet. Dieser Krankheit, auch Kückenruhr oder weiße Diarrhöe genannt, die ein großer Verlustfaktor in der Hühnerzucht ist, kann nur dadurch begegnet werden, daß die Hühnermütter unter Kontrolle gestellt werden.

Daher gibt das USDA in den hühnerzüchtenden Staaten alljährlich eine Liste heraus, die jene Hühnerfarmen namentlich und mit Adressen verzeichnet, deren Hühner auf Vorhandensein des Pullorum-Bazillus untersucht und geprüft worden sind, gleichwie es mit dem Vieh geschieht, das man auf Tuberkulose oder Bruccellosis untersuchen läßt.

Winnetou und ich fuhren also auf eine pullorumsichere Farm, um dort unsre gesunden Hühner abzuholen.

Den Rücksitz des Autos hatten wir herausgenommen, den Cheviotstoff der Sitzlehnen mit Tüchern verhangen, den Samtteppich entfernt und den Fußboden mit Zeitungspapier ausgelegt.

Durch diese Vorkehrungsmaßnahmen behielt unser Wagen trotz der Geflügel-, Ziegen- und Schweinetransporte jahrelang eine gewisse Eleganz bei, die einem beigefarbenen Oldsmobile gebührt.

Wir wollten die Hühner in Hühnerkisten verpackt haben, aber der Farmer hatte keine vorrätig und stopfte die tobenden Tiere in zehn Hafersäcke.

Ich kann das Grausen nicht schildern, das uns befiel, als wir die hüpfenden, rollenden Säcke in unserm Wagen sahen, das rasende Kreischen hörten und den infernalischen Gestank rochen, den die verängstigten Tiere verbreiteten.

Die Fahrt dauerte eine halbe Stunde; wir durften die Fenster des Wagens nicht öffnen, denn der Tag war kalt, und die jungen Hühner kamen aus ihren warmen Häusern.

Nach einer Viertelstunde Fahrt wurden die Säcke still und unbewegt.

»Fühl nach, ob sie tot sind«, sagte ich zu Winnetou und trat aufs Gas, um rascher heimzukommen.

Winnetou kniete sich auf den Sitz und beugte sich nach hinten, um die Säcke zu berühren.

»Sie sind noch warm«, sagte sie.

Als wir zu Hause ankamen, trugen wir die Säcke zu den Hühnerhäusern.

Die weiblichen Hühner kamen ins zweite Hühnerhaus, und erst als sie erwachsen wurden und sich der Zeit des Eierlegens näherten, durften die Besten und Wohlerzogensten unter ihnen zu den Stammhühnern ins erste Hühnerhaus.

Die fünfundzwanzig Hähne jedoch kamen in zwei »Ranges«, kleine Häuser, die wie verbreiterte Hundehütten aussahen und die man auf Hühnerweiden stellt als sichere Nachtquartiere und als Tagaufenthalt bei schlechtem Wetter.

Als wir die jungen Hennen auspackten, schrien und tobten sie, liefen geängstigt hin und her, kreischten und benahmen sich wie ein Schulausflug von törichten Kindern.

Als wir aber die Säcke öffneten, um die jungen Hähne herauszulassen, glaubten wir zunächst, es mit Amokläufern und heulenden Derwischen zu tun zu haben.

Sie rannten im Kreis umher, verloren Richtung und Ziel, als hätte sie eine plötzliche Blindheit überfallen. Erst als es uns gelang, sie zu den großen Futtergefäßen zu treiben, reihten sie sich dem Futter entlang auf und verwandelten sich zu einer zwar noch schreienden, aber kompakten Masse, einer totalen Masse, wie man sie in den Wochenschauen zu sehen bekam, wenn die Führer sprachen.

Diese jungen Hähne waren eine große Plage und erfüllten mich mit tiefem Abscheu gegen die Abgründe der Hühnerseele. Sie erschienen mir manchmal als eine Bande verwahrloster Jugendlicher mit kriminellen Anwandlungen.

Nichts machte ihnen mehr Spaß, als die Schwachen unter ihnen zu überfallen, und sie wandten die wirksamsten Methoden zur planmäßigen Verängstigung ihrer Opfer an.

Als sie noch kaum einen Monat bei uns waren, begingen sie eine so schändliche Handlung, daß ich kein Mitleid mehr mit ihnen empfand, als sie später geschlachtet wurden. Eines Tages hatten sie sich einen schwächlichen Hahn aufs Korn genommen und ihn im wahrsten Sinne des Wortes in die Enge getrieben. Sie hatten ihn so lange gejagt, bis er mit dem Kopf gegen die Steinmauer des Hühnerhofes gerannt war und, nun vollends die Sinne verlierend, seinen Kopf in einem tiefen dunklen Loch der Mauer barg. Welch eine Lust für unsre Hähne, das kopflose, flügelschlagende Tier, das hilflos in der Mauer steckte, zu zerhacken und seinen Körper in eine blutige Masse zu verwandeln!

Wir hörten das Geschrei, eilten herbei, und ich fuhr mit dem Stallbesen unter die blutberauschten Hähne. Sie stoben auseinander, als wäre der Teufel unter sie gefahren.

Zuck versuchte den Kopf des gemarterten Hahnes aus der Steinmauer zu lösen. Der Hahn bewegte sich kaum mehr, und sein Körper hing an seinem Hals wie ein schwerer Sack an einem Strang. Es blieb nichts übrig, als ihn zu köpfen, und später lösten wir den Kopf mit einem Brecheisen aus der Mauer.

Ach, wie haßte ich meine Hähne!

Die jungen Hennen waren weniger wild und grausam, aber von einer unaussprechlichen Dummheit, die mich mit einer gewissen Verachtung gegen die Tierwelt erfüllte.

Später, als wir keine Junghühner mehr kauften, sondern unsre eigenen Hennen brüten ließen und die Kücken auf unserm Hof aus dem Ei krochen, änderte sich das Bild wesentlich.

Aus den dummen, zerstreuten, ewig ängstlichen Hühnern wurden geschäftige, bedachtsame Mütter, und die mutterbeschützten Kücken wuchsen auf zu Junghühnern, die von Geburt auf gelehrt wurden, was sich für Hühner geziemt.

Die Erinnerung an die ersten Wochen ihres Lebens, in denen sie von ihrer Mutter mit einem glucksenden Laut zum Futter gelockt und das Futter vom mütterlichen Schnabel für sie zerkleinert wurde, die Zeit, in der die Henne sie bei Regen, Kälte, Nacht und Gefahr unter die Flügel nahm, gab den jungen Hühnern vom Kückenalter an ein Gehaben von Sicherheit, das den Brutkastenhühnern fehlt.

Die Kücken, die der Brutkasten ausgebrütet hatte, benahmen sich zumeist wie eine Schar rastloser, stets auf Angriff gefaßter, immer zu kurz kommender, sich zur Wehr setzender Waisen, bei denen man auf alles gefaßt sein konnte.

Womit nichts gesagt sein soll gegen Brutkästen, die für große Hühnerfarmen unerläßlich sind, da die Tiere ausschließlich der Massenproduktion dienen und die guten und schlechten Instinkte der Tiere durch mechanische Vorrichtungen bis zu einem gewissen Grad reguliert werden können.

Unsre Farm war jedoch klein und nicht auf Massenproduktion eingestellt. Überdies schienen sich mehr als die Hälfte unsrer Tiere von Anfang an entschlossen zu haben, sich ihren individualistischen Neigungen und ihrem persönlichen Eigenwillen hemmungslos hinzugeben und uns zu zwingen, ihr Leben mit ihnen zu teilen.

Manchmal hatte ich den Eindruck, in einer Kolonie von schrulligen Persönlichkeiten zu leben, die von uns verlangten, daß wir ihre sonderlichen Abwege und ihre käuzischen Einfälle als das Natürliche und Gegebene hinzunehmen hatten.

Als die Hühner etabliert waren, holten wir die Ziegen. Das Halten von Ziegen ist eine seltsame Sache in Amerika. Nicht, daß man verachtet wird, die »Kuh des armen Mannes« zu halten, aber es ist etwas Mysteriöses damit verbunden, ja, es scheint, als wäre man damit in eine Gemeinschaft gleichgesinnter Brüder und Schwestern geraten und einer Sekte beigetreten. Den Aufsätzen über den Wert der Ziegen und Ziegenprodukte haftet etwas Pamphlethaftes an, und eine Art Gesundbeterei umwittert sie.

Die reinen Tatsachen sind die: Eine Ziege braucht den fünften Teil an Futter, den eine Kuh benötigt. Sie hat in einem kleinen Stall Platz, sie ist angeblich genügsam (unsre Ziegen waren sehr anspruchsvoll), sie besitzt nur zwei Euterzitzen, anstatt vier, und ist daher rascher zu melken als eine Kuh. Die Fettkügelchen der Ziegenmilch sind kleiner, die Rahmbildung geht langsamer vor sich, daher soll Ziegenmilch leichter verdaulich sein als Kuhmilch. Aus diesem Grund wird sie für Säuglinge verwendet und für Leute mit Magengeschwüren, deren Magenwände durch überreichlichen Genuß von Obstsäften oder vielleicht auch durch Whisky und Gin beschädigt worden sind. Säuglinge und Magenpatienten sind die einträglichsten Abnehmer für Ziegenmilch. Zur Zeit, als der Liter Kuhmilch 12 Cents kostete, konnte man Ziegenmilch an Hospitäler für 50 Cents pro Liter, an private Kranke oder Säuglinge für 65 Cents verkaufen, so daß die Milch der »Kuh des Armen« einen ganz schönen Gewinn einbrachte.

Was den vieldiskutierten Geschmack der Ziegenmilch betrifft, so werden Ziegenmilchfanatiker behaupten, sie habe ein Mandelaroma, gemischt mit dem zartbittren Geschmack frischer Nußhäutchen, und ihre schneeweiße Farbe zeuge von ihrer köstlichen Reinheit.

Die Ziegenmilchgegner wieder meinen, sie schmecke abscheulich penetrant und die Farbe errege Übelkeitsgefühle in ihnen.

Die Kämpfer für und gegen die Ziegenmilch vergessen dabei nur die Tatsache, daß Geschmack eine undefinierbare Gewohnheit darstellt, die mit individueller Einbildungskraft aufs stärkste verbunden ist.

Was nun den mitunter vorhandenen und von keinem Ziegenfreund zu leugnenden abstoßenden Geruch der Ziegen und ihrer Milch anbetrifft, so weiß jeder vernünftige Ziegenbesitzer, daß man entweder überhaupt keinen Bock halten darf, oder daß der Ziegenbock in strengster Klausur, fernab von den Ziegen, sein einsames Dasein fristen muß, da er der Träger eines penetranten Geruchs ist, der auf Stall, Fell der Ziegen, Milch, Kleider, Futter und alles, was in seine Nähe kommt, übergeht.

Wir hatten zwei Ziegen bei einer Ziegenfamilie in einer kleinen Stadt bestellt, die etwa eine Stunde von unsrer Farm entfernt lag.

Auf uns wartete eine ältere, reinrassige Ziege, eine Saanen mit einem langen Stammbaum, und der Name ihres Großvaters war: Prinz Franz von der Schweiz, und eine ganz junge Saanen, deren Abstammungspapiere verloren gegangen waren.

Den Hintersitz des Autos hatten wir wieder entfernt, die Wände mit weißen Futtersäcken verbrämt und Massen von Zeitungen und Sägspänen auf den Fußboden des Wagens getan, so daß das Auto wie ein Stall auf Rädern aussah.

Der Ziegenbesitzer war ein freundlicher Mann mit einer freundlichen Familie. Er war Postbeamter im Hauptberuf, Ziegenbesitzer im Nebenberuf und blies sonntags die Trompete in einer Musikkapelle.

Er führte uns auf den Weideplatz, der neben dem Haus lag. Dort waren unsre zukünftigen Ziegen angepflockt.

Schon von ferne hörten wir das unablässige, brüllende Meckern einer Ziege, und der Besitzer erklärte, daß er die ältere Saanen zum halben Preis an uns verkaufen würde, trotz ihres gewaltigen Stammbaums, weil sie eine sogenannte meckernde Ziege wäre und er ihretwegen Anstände mit seinen Nachbarn hätte.

Unsre meckernde Saanen hatte einen mächtigen Bart, keine Hörner und hieß Heidi.

Heidi war schneeweiß, sah sehr ehrwürdig und klug aus und konnte einfach das Alleinsein nicht vertragen, wie sich sehr bald herausstellte. Solange sie menschliche Ansprache hatte, gab sie das Meckern auf, kaum aber allein gelassen, brüllte sie wie ein zerbrochenes Alphorn. Da wir weit und breit keine Nachbarn hatten, schadete dies nur unsern Nerven, und die hatten wir ohnehin längst verloren.

Die andere Saanen, ein kleines, vier Monate altes Zicklein, war an denselben Pflock wie ihre Schwester gebunden. Die Geschwister sprangen munter und lebenslustig umher, als aber die Kleine in unsern Wagen verfrachtet wurde, schrie die zurückbleibende Schwester in solch namenloser Verzweiflung nach ihr, daß wir uns vorkamen wie Plantagenbarone auf einem Sklavenmarkt, die eine Negerfamilie aufs grausamste voneinander trennten.

Ich tauschte mit Winnetou einen kurzen Blick des Einverständnisses, und schon hatten wir die andere kleine Saanen dazugekauft.

Die Wiedervereinigung der tobenden Geschwister war für unsern Wagen keine Kleinigkeit.

Nun aber hatte sich Winnetou während der Verladung, Kaufpreisbesprechung und -bezahlung die ganze Zeit über mit einer kleinen, braunen Toggenburg beschäftigt, die müde auf der Wiese lag und sie mit traurigen Augen musterte.

Als Winnetou sie streichelte, erhob sie sich auf ihren schwachen, kurzen Beinen und leckte Winnetous Hand. Der Kopf der kleinen Ziege war groß, das Fell langhaarig und struppig, der Körper plump, die Beine dünn. Sie sah aus, als sei sie falsch zusammengesetzt worden, und ihr Alter war unbestimmbar.

»Was ist mit ihr los?« fragte Winnetou den Besitzer, »und wie alt ist sie?«

»Sie ist schon ein Jahr alt«, sagte er, »aber sie ist zurückgeblieben. Ich habe an ihr eine neue Fütterungsmethode versucht, die ist ihr nicht bekommen.«

Er verlangte nur acht Dollar für die Ziege, und wir hatten die zweite unbeabsichtigte Ziege im Wagen.

Wenn unser Junghühnertransport als ekelhaft zu bezeichnen war, so war der Ziegentransport in eine Welle unerträglicher Zärtlichkeiten gehüllt.

Ich chauffierte, und Winnetou hatte mir die vier Ziegen vom Halse zu halten.

Die kleinen Saanen hatten ihre Vorderbeine auf Winnetous Schultern gelegt und aßen von ihren Haaren; Heidi leckte mir Hals und Ohren, als wären sie von Salzstein, und das Benehmen der Ziegen veranlaßte Winnetou und mich, in ein törichtes, gequältes Kitzelgelächter auszubrechen.

Die Toggenburg raste zwischen den Ziegen umher, wie gefangen in einem zu engen Transportkäfig, und blieb nur manchmal stehen, um riesige Lachen auf Sägespäne und Zeitungspapier strömen zu lassen und die andern Ziegen damit zu gleichem Tun anzuregen.

Als wir auf der Farm ankamen, sah der Wagen aus, als hätten wir einen ganzen Zwinger noch nicht zimmerreiner Hunde transportiert und zugleich mit ihnen ein Rudel Wild, das seine Losung hinterlassen hatte.

Die Verwüstung im Wagen war so groß, daß wir beschlossen, noch am selben Tag die bestellten zwei Schweine abzuholen, um Schmutz und Gestank auf einen Tag zu vereinen und nicht auf Raten zu verteilen.

Es bedurfte vieler Tage des Putzens, Schwemmens und Waschens des Wagens, und man mußte ihn im stärksten Sonnenlicht trocknen, bis er seinen gewohnten Geruch wiedergewonnen hatte.

Zuck verbarg sein Erstaunen über die Ankunft der doppelten Anzahl von Ziegen — wir hatten uns zu der Zeit bereits abgewöhnt, über irgend etwas erstaunt, bestürzt oder verwundert zu sein.

Die Toggenburgerin erinnerte Zuck an einen alten, struppigen Hund, den wir einmal besessen hatten, und er bezeichnete sie darum mit »Mucki«, dem Namen des häßlichen, krummbeinigen Hundes.

Mucki wurde mit Heidi in einer Abteilung des Stalles zusammengetan, die Geschwister, die wir Flicki und Flocki nannten, kamen in die andere Abteilung.

Die eine Außenwand ihrer geräumigen Ställe bestand aus beweglichen Latten, die man in der Weise verschieben konnte, daß jede Ziege ihren Kopf durch die ihr zukommende Latte durchsteckte, um zu ihrer Futterschüssel zu kommen. Die Futterschüsseln steckten in einer Holzbank vor den Latten in Öffnungen und sahen aus wie Töpfchen in Kinderstühlen. Die beweglichen Latten schloß man wie Kummete um die Hälse der Ziegen, so daß sie gezwungen wurden, in Ruhe und ohne Unfug ihr Futter zu verzehren.

Als wir sommers einmal unsre Ziegen in einer großen Scheune unterbrachten, wo es diese wohlbedachte Fütterungsvorrichtung nicht gab, artete das Fressen für sie in eine Orgie von Unfug aus; sie warfen die vollen Futternäpfe in die Luft und fingen sie mit den Nasen auf, sie stülpten sich Wassereimer über den Kopf wie Helme, sie kämpften um eine einzige Schüssel und vergaßen die drei anderen Näpfe, die für sie bestimmt waren. Kurzum, der Mutwille einer Ziege kennt keine Grenzen, und ihr Spieltrieb ist unberechenbar.

Zuerst war nur Heidi zu melken, im Laufe der Zeit aber, als sie alle erwachsene Milchziegen geworden waren, fing Zuck an, sie zu dressieren.

Es war ein hübsches und possierliches Spiel, wenn sie, von Zuck beim Namen gerufen, eine nach der anderen eifrig und graziös auf das Melkgestell sprangen, um sich melken zu lassen. Das Gestell bestand aus einem ein Meter breiten Brett, das tagsüber wie eine Gefangenenpritsche mit Haken an der Wand befestigt war. Um die Zeit des Melkens ließ man das Brett herunter, bis es auf 60 cm hohe Klappbeine zu stehen kam.

Zum Melken setzte man sich auf einen seitlichen Vorsprung des Brettes, der als eine Art Schemel für den Melker gedacht war.

Diese »erhöhte« Vorrichtung, dieses Podium, ist deshalb so nützlich und angenehm, weil man andernfalls beim Melken auf dem Boden sitzen oder knien müßte, da ja Ziegen bekanntlich etwa halb so hoch sind wie Kühe.

Zum Melken muß man geboren sein, oder man hat es im Gefühl. Zuck und Winnetou wurden vorzügliche Melker, ich aber schien zum Melken nicht geboren und hatte nur ein Gefühl, daß mir Hände, Arme, Rücken dabei wehtaten und ich vor Anstrengung stöhnte, dreimal so lang brauchte, als es üblich war, und bei alledem wurde ich den Verdacht nie los, daß mich die Ziegen spöttisch ansahen.

Die Ziegen wurden der Gegenstand unsrer innigen Liebe, die Ursache unsrer heftigsten Wutausbrüche, sie waren Lust und Plage, Freude und Pest, sie unterwarfen unsre Gefühle den raschesten Schwankungen zwischen dem Bedürfnis, sie erschlagen zu wollen, und dem, sie zärtlichst zu umarmen.

Das ungebärdigste Tier war Mucki.

Auf normale Kost gesetzt und mit feinsten Zugaben gefüttert, von Winnetou geschoren und ihres struppigen Felles beraubt, wurde sie groß, stark und langbeinig.

Sie sah aus wie ein Reh im Walde, und wir schlossen sie ein, wenn die Jagdzeit kam und böse Jäger durch die Wälder streiften. Ziegen sind wohl diejenigen Tiere — außer vielleicht den ballspielenden Seelöwen und Robben —, bei denen der Spieltrieb am ausgeprägtesten ist.

Von Ziegen zu behaupten, sie fräßen alles, Konservenbüchsen inbegriffen, ist ebenso falsch, als wolle man von einem wohlgenährten Hund behaupten, er würde sich sein Futter am liebsten aus dem Abfallkasten holen.

Für den Hund ist ein faulender Knochen eine Delikatesse, die auf demselben Geschmacksgebiet liegen muß wie Harzer Käse, Camembert oder Wildbraten mit haut-goût.

Ziegen sind an sich die heikelsten Tiere, sie fressen keinerlei Heu, auf dem sie gestanden oder gelegen haben, und kein Futter, das ihnen nicht sehr säuberlich serviert wird.

Ihre unstillbare Lust jedoch nach Rosen, Schuhen, grünen Äpfeln, Liegestühlen, Wäschestücken und Zigarettenstummeln stammt wohl aus denselben Bezirken, die wohlernährte kleine Kinder dazu veranlaßt, Schuhpasta wie Butter zu verzehren, Streichhölzer wie pommes-frites zu kauen und an Wachskerzen wie an Zuckerstangen zu lutschen.

Unsre vier Ziegen hatten 78 Hektar Land zur Verfügung, Wiesen, Wälder, Bäche, Almen, Felsen, und morgens zogen sie auch munter unternehmungslustig ab, aber schon nach einer knappen Stunde waren sie zurück, versuchten in den Gemüse- und Blumengarten einzubrechen, holten Wäschestücke von der Leine, fraßen das Hühnerfutter auf, liefen in das Wohnzimmer und versuchten, sich's in den Fauteuils am Feuerplatz bequem zu machen, kurz, sie waren überall, wo sie nicht hingehörten, und machten immer wieder alle unsre Schutzmaßnahmen gegen sie zuschanden. Wir bauten Zäune gegen sie um jeden Garten, um Bäume, um die Hühnerställe, bald hatten wir uns verschanzt wie in einem Palisaden-Fort gegen Indianerüberfälle, aber sie fanden doch einen Durchschlupf.

Es blieb nichts übrig, als mit ihnen auf die Weide zu gehen, dort fraßen sie höchstens ein paar Blätter aus den Büchern, die man sich mitgenommen hatte, oder man mußte sie anpflocken. Trotzdem wir extra lange Ketten anschafften und die Pflöcke mehrmals am Tage wechselten, so daß sie immer neues, frisches Gras zu fressen hatten, jammerten und meckerten sie in einer Weise, die einem das Herz brach. Man ließ sie wieder los und Schaden stiften.

Am selben Tag, als die Ziegen angekommen waren, brachten wir zwei Schweine heim.

Sie waren kleine, rosige Tiere, säuberlich und fröhlich. Es waren wohl die allernützlichsten Tiere unter unsern nützlichen, aber es machte keinen Spaß, dreimal täglich etwas Lebendiges zu füttern und dies nur zu dem Zweck, um es nach bemessener Zeit als Schinken hängen zu haben, ins Faß einzupökeln und im Tiefkühler aufzubewahren.

Zu unsern geplanten Käufen kam unerwartet ein Geschenk dazu.

Der Besitzer unsres großen Dorfladens (des »general-store«) fuhr eines frühen Morgens mit seinem Lastwagen zu unserm Teich und hielt dort an.

Er überreichte uns vier Enten, zwei wunderschöne, wildentengleiche braunweiße Enten und zwei dicke weiße mit gelben Schnäbeln vom Stamme der Pekings.

Die eine der weißen Enten, ein Enterich, verschied bald nach seiner Ankunft an Herzverfettung.

Die vier Enten hatten bisher am Dorfsee gelebt und die Sommergäste durch morgendliches unmäßiges Quaken aus dem ersten besten Schlaf geweckt, und nun hatte der Storebesitzer nach einem guten Platz für die Enten gesucht, an dem sie niemanden mehr wecken oder stören konnten – außer uns.

Er setzte die Enten auf den Teich, und sie schwammen dahin, als wäre es ihr altbekannter See, sie quakten zustimmend und nahmen von dem Teich Besitz.

Nun hatten wir eine Annonce in einer Farmerzeitung aufgegeben und darin unsern Wunsch nach Gänsen geäußert. An einem Sonntag nachmittag ratterte ein Ford von hohem Alter den Hügel hinauf.

Auf dem Vordersitz saß ein altes Ehepaar, auf den Hintersitzen schlängelten sich zwei Gänsehälse. Die Körper waren in braune Futtersäcke gebunden, die man unter dem Gerümpel von Werkzeugen, Säcken und Benzinkannen nicht unterscheiden konnte.

Als die alten Leute die Gänse aus dem Wagen heraushoben und auspackten, zischte uns der Gänserich furchterregend an und schlug mit seinen mächtigen Federn wie ein erzürnter Schwan.

Die zu ihm gehörige weiße Gans war groß, fett, dick und phlegmatisch. Der Ausdruck ihrer Augen und die Haltung ihres Kopfes hatten etwas so durchaus Menschliches an Dummheit, daß sie einen unweigerlich an einen bestimmten Typus von Hausfrauen und Tanten erinnerte, und die Bezeichnung »dumme Gans« hier ad oculum demonstriert wurde.

Wir erhielten noch eine Draufgabe auf das Gänsepaar: die Farmersfrau enthüllte aus einem Extrasack eine kleine, zierliche weiße Ente mit gelbem Schnabel, die, kaum aus dem Sack gekrochen, halb tot vor Schreck auf dem Rasen liegen blieb.

Im selben Augenblick stürzte sich der weiße Gänserich auf die kleine Ente, als wolle er sie zerhacken. Als er aber bei ihr angekommen war, blieb er stehen und tupfte sie ganz sanft mit seinem Schnabel an.

Die kleine Ente öffnete die Augen, erhob sich, schüttelte ihr Gefieder und lief dann hinter dem großen Gänserich her, als hätte sie niemals Angst gehabt. Der große Gänserich und die kleine Ente zogen ab, dem Teich zu, während die weiße Gans mit blauen glasigen Augen dastand und ihnen nachsah.

»Man kann sie nicht trennen«, sagte die alte Farmersfrau und deutete auf das abziehende Paar, »den Gänserich und die Ente. Er hat sie aufgezogen. Ich rechne auch nichts für die Ente«, fügte sie hinzu.

Die Farmer stiegen in ihren Ford und fuhren den Berg hinunter. Sie wußten wohl nicht, vor welche psychologischen Aufgaben sie uns gestellt, und welch unlösbare Probleme sie uns zurückgelassen hatten.

Den Beschluß des Nützlichen bildeten drei Gänse und ein Enterich. Die Gänse waren Prachtgänse von der grauen Rasse der Toulouse, sie kosteten fünf Dollar pro Stück und waren uns per Fracht von Cape Cod zugeschickt worden.

Der Enterich war ein blaugrün-schwarzweißer Vogel von märchenhafter Schönheit, den wir für die geschenkten See-Enten erstanden hatten, und wir versprachen uns aus der Paarung mit ihnen Paradiesvögel an Enten.

Nun war es also so weit: die Ställe fertig, das Futter stand bereit, die Tiere waren um uns versammelt, und wir wollten sie plan-, sach- und fachgemäß nach allen Regeln der Kunst behandeln.

Das Sach- und Fachgemäße war leicht erlernbar, aber die Imponderabilien und Zufälle waren unfaßbar und unzählig.

Wir hatten das Farmexperiment mit der Illusion begonnen, daß es die Grundlage für unsere Selbstversorgung bilden sollte, um Zuck die Möglichkeit für seine Arbeit zu geben.

Er hatte die Wahl gehabt, als Sklave auf den Galeeren Hollywoods zu rudern und den Sträflingslohn für Zwangsarbeit einzustreichen, oder aber als sein eigener Herr seine eigene Arbeit tun zu können. Aber in Amerika ist immer alles anders und unvorhergesehen.

Mir ist es bis heute noch ein Rätsel, wann er die Zeit gefunden hat, ein Stück zu schreiben, Romane und Novellen zu entwerfen und manchmal sogar Gedichte zu dichten, denn saß er einmal in seinem Zimmer, so konnte man sicher sein, daß die Schweinestalltür aus den Angeln fiel, ein Enterich mit einem Gänserich in einen lebensgefährlichen Kampf verwickelt war, das Feuer im Kamin zu schwelen begann und Rauchschwaden in sein Zimmer trieb, oder das Wasser eines Wolkenbruchs durchs Dach in die Küche strömte.

Er pflegte bei diesen Gelegenheiten der Störung eine Enzyklopädie von deutschen und amerikanischen Flüchen anzuwenden, die selbst unsre hinterwäldlerischen Holzfäller, die manchmal ums Haus arbeiteten, zu anerkennendem Grinsen zwangen.

Aber immer sprang er auf und tat seine Arbeit, denn seine andere und eigentliche Arbeit war zu jener Periode seines Lebens etwas Abstraktes und Unbestimmbares geworden, er hatte Ansprache und Resonanz verloren, und er konnte bestenfalls Selbstgespräche führen mit seiner Schublade, in die Stapel von Entwürfen und Aufzeichnungen verschwanden.

Da saßen wir nun in unsrer Arche Noah, von Stürmen und Unwettern geschüttelt, von Plagen heimgesucht, von einer Kette kleiner Katastrophen verfolgt, und lernten dabei, wie man großen Katastrophen begegnet, Plagen abhilft und sich bei Sturm und Unwetter verhält.

VERWIRRUNGEN AUF DEM GEFLÜGELHOF

Bald ließen wir zwischen die beiden Hühnerhäuser einen Stall bauen, der die beiden Häuser verband und zur Unterbringung der Gänse und Enten dienen sollte.

Die weißen Muscovy-Enten vermehrten sich in unerwartetem Maße: Gussy, die asoziale, kam im zweiten Sommer heim mit dreizehn Jungen, Emma hatte zwölf. Töchter von Gussy und Emma brüteten je zehn Junge, kurzum, es wimmelte von Entenjungen.

Die Entenfamilien waren in einzelnen kleinen Häusern untergebracht, aber für Herbst und Winter mußte für die übrigbleibenden Enten, die nicht verkauft und nicht geschlachtet wurden, Quartier geschafft werden.

Die Gänse hatten nur acht Junge zustande gebracht, wovon wir eines behielten und daher sechs Gänse überwintern mußten.

Nun hätte man freilich in dem neuen Stall eine Abteilung für Enten und eine für Gänse einbauen müssen, aber das konnte man unseren Tieren nicht zumuten.

Tagsüber ging es noch, da standen ihnen Weiden, Gewässer und Wälder auf weite Ausdehnungen zur Verfügung, doch auch dort fanden sie sich bereits in bestimmten Gruppen zusammen, abends aber formierten sie sich zu geschlossenen Einheiten unter sich und gegen die andern.

Wollte man diese Gruppeneinheiten ändern oder stören, konnte man mit Mord und Totschlag rechnen.

Da waren die sechs Stammhühner mit dem Huhn Elise, die die »graue Familie« bildeten. Sie waren nicht gerade herrschsüchtig, aber dominierend. Sie hatten in gemessener und ruhiger Weise die Führung übernommen, sie duldeten nur gemessene und ruhige Andersfarbige unter sich und warfen aufgeregte, nervöse, kreischende Hühner ohne weiteres aus ihrem Haus hinaus.

An dieser Stelle ist übrigens zu bemerken, daß nervöse, verängstigte Hühner schlechte Eierleger sind und daß man an Kamm, Augen, Beinen und Benehmen die guten Eierleger erkennen kann.

Wir suchten also die Ruhigsten und Besten unter den Roten aus, gegen die die graue Familie keine Einwände erheben konnte, und taten sie zu ihnen ins graue Haus, das damit von zehn roten und sieben grauen Hennen besetzt war.

Im roten Haus hatten wir achtzehn rote Leghennen, und wir dachten, für zwei Hühnerhäuser wären zwei Hähne das Richtige. Es war aber falsch, denn der eine Hahn wurde vom andern Hahn rasch und sicher zu Tode gebracht.

Es waren zwei rote Hähne, die wir aus der Gruppe der Junghähne ausgesucht und aufgezogen hatten, wahrscheinlich waren es sogar Brüder. In der ersten Runde ihres Kampfes waren beide gleich stark. In der zweiten Runde hackte der eine dem andern ein Auge aus und machte ihn dadurch zum Schwächeren. In der dritten Runde verrenkte der Stärkere dem Schwächeren das Hüftgelenk, in der vierten biß er ihm den Kamm zu Brei, in der letzten Runde hackte er ihm das zweite Auge aus und schlug ihn damit zur völligen Blindheit. Diese Hahnenkämpfe erstreckten sich über eine Woche; wir fuhren dazwischen, so oft wir konnten, am Ende aber mußten wir den besiegten Hahn töten.

Der Sieger ging nach seinem endgültigen Sieg blutbefleckt und von Stolz besessen umher, näherte sich manchmal zerstreut der einen oder anderen Henne, vergaß dann seinen Sieg und ging auf die Würmersuche.

Jener Hahn gehörte übrigens zu den Hähnen, die nicht nur für die Fortpflanzung sorgen, sondern auch der Jagd obliegen nach Insekten, Larven und Würmern. Er pflegte die Hennen mit einem Laut herbeizurufen, der nicht unähnlich dem einer Gluckhenne war, wenn sie ihre Kücken herbeilockt, und verteilte die Jagdbeute unter seinem Harem, ohne sich selbst einen ordentlichen Anteil zu sichern. Manchmal war er dabei so eifrig, daß er sichtlich abmagerte und wir ihn morgens und abends mit Extrarationen füttern mußten, damit er bei Kräften blieb.

Dieser Hahn wäre nun alleiniger und unbestrittener Herrscher geblieben, wenn es nicht den Kampfhahn Napoleon gegeben hätte.

Wir besaßen nämlich eine Familie von Zwerghühnern, die wir der Schönheit und Anmut wegen gekauft hatten.

Sie waren von der Rasse der silbernen »Sabright Bantams«, gehörten zum »ornamentalen« Geflügel, denn ihr schwarzgesäumtes, silbernes Gefieder, ihr dunkler Schnabel und ihre schieferblauen Beine machten sie zu einer wahrhaften Zierde des Hühnerhofes.

Sie haben nicht die Schwerfälligkeit von Haushühnern, können hoch fliegen und wählen sich den höchsten Balken im Stall zum Schlafen.

Ihre kleinen Eier schmecken, hartgekocht, fast wie Kiebitzeier, und als sich die Familie stark vermehrte, mußten wir manchmal Bantams schlachten und essen und konnten dabei feststellen, daß das Fleisch wie ein Mittelding zwischen Tauben und Rebhühnern schmeckte.

Wir hatten zuerst nur ein Paar erstanden, und da mich das Gefieder der Zwerghenne an den Krönungsmantel der Josephine Beauharnais erinnerte, nannten wir sie Josephinchen und den dazugehörigen Hahn Napoleon.

Nun gehört es zu den Eigenschaften dieses wilden Geflügels, daß manche der Hähne richtige Kampfhähne sind.

So geschah es nicht selten, daß unser Napoleon, klein und von Fliegengewicht, kaum anderthalb Pfund schwer, vom Stalldach herunterschoß, sich auf den Kopf des großen Hofhahnes stürzte und so behende war beim Angriff, daß der Riese ausreißen mußte vor dem Zwerghahn.

Wenn Napoleon jedoch, seine Kleinheit vergessend, vom Boden aus den Angriff wagte, wurde der Kampf für ihn gefährlich, und er hatte nur unserem rechtzeitigen Dazwischenfahren seine Rettung vorm Tod zu verdanken.

Manchmal griff auch Napoleon uns an.

Es begann damit, daß er seinen rechten Flügel wie den Mantel eines Toreadors auf den Boden schleifte, sich uns in schnellen Kreisen näherte und plötzlich, den letzten Kreis auflösend, zustieß und mit seinem scharfen, spitzen Schnabel in unsre Knöchel hackte.

Ich wagte mich zu Zeiten seines Jähzornes nicht ohne Besen in seine Nähe.

Napoleon und Josephinchen erzeugten im ersten Jahre ihres Lebens bei uns ein kleines Hühnchen, das wir Lisettchen nannten.

Sie lebte ständig mit den Eltern und wurde ein eigenartiges Tier. Wenn ich abends nochmals durch die Ställe ging, um nach dem Rechten zu sehen, flatterte Lisettchen von ihrem Schlafbalken herunter, pflegte sich auf meine Schulter oder auf den Deckel eines Futtereimers zu setzen und auf die Näscherei zu warten, die ich für sie bereit hatte.

Hatte sie ihr Stück altes Weißbrot, zwei oder drei Fasern rohes Fleisch oder etwas grobgemahlenen Mais bekommen, flog sie mit noch vollem Schnabel zu dem ob der Störung erzürnten Elternpaar zurück, die ihr die Naschreste aus dem Schnabel wegnahmen und ein wenig nach ihr hackten.

Unter dem Schlafbalken der Bantams lag die Stallabteilung der weißen Muscovy-Enten, jener scheuen und stummen Tiere, die nicht quaken und nicht schnattern können und nur manchmal Laute von sich geben, die denen der Taubstummen nicht unähnlich sind.

Unter den Muscovys gab es nur drei mit Namen, das waren außer Gussy und Emma noch Emmas Bruder, der Enterich Emil, der sich zu ganshafter Größe entwickelt hatte. Emil war streitsüchtig, stark und kampflustig und griff die Gänseriche gerne an.

Zu seinem Glück kümmerten sich unsre Wolfshunde eifrigst um den Geflügelhof, vertrieben nicht nur Füchse, Skunks, Marder und Wiesel, sie stürzten sich auch mutig auf kämpfende Tiere und trennten die Streitenden, nicht ohne ihnen dabei ein paar Schwanzfedern auszureißen.

Dieses Eingreifen in Kampfhandlungen war ihnen um so höher anzurechnen, als sie zu Recht eine tierische Angst vor dem weißen Gänserich hatten, der sie des öfteren anflog, verfolgte und sich aufs heftigste in ihre Schwänze verbiß.

Dieser weiße Gänserich war wohl der schwierigste Fall, den wir auf dem Hofe hatten.

Er war groß, stark, verschlagen, maßlos jähzornig und sah einen tückisch mit seinen hellblauen Augen an.

Wir nannten ihn Hermann und die weiße Gans, die mit ihm gekommen war, Thusnelda. Beide waren von der Emden-Rasse, während die andern Gänse alle der grauweißen Toulouse-Rasse angehörten.

Die kleine weiße Ente, die Hermann mitgebracht hatte, nannten wir Herminchen.

Herminchen schloß sich den drei geschenkten See-Enten an, wovon die dicke, große eine Peking war, wie Herminchen, und die beiden andern zierliche, braunweiße Enten vom Stamme der indischen Laufenten.

Die indischen Laufenten nannten wir Solvejg und Eleonore, für die Dicke konnten wir keinen Namen finden und wollten wohl auch nicht, weil sie ein zarter Braten zu werden versprach.

Wir benannten unsere Tiere nicht nach Laune und Willkür, vielmehr zwangen uns die Tiere dazu, sei es durch Aussehen, Benehmen, oder ein Schicksal, ihnen einen Namen zu geben.

Wer aber einen Namen trug, konnte nicht mehr verkauft, geschlachtet oder gegessen werden und hatte die Chance, eines natürlichen Todes zu sterben.

Die Benannten schienen dieses Privileg mit der Zeit zu begreifen, man konnte an ihnen wachsendes Vertrauen beobachten, das einerseits zu einer ungewöhnlichen Zahmheit und Zuneigung führen mochte, oder auch zu einem soliden, zutraulichen Haß, wie er uns von der Ente Gussy oder dem Gänserich Hermann entgegengebracht wurde.

Die namenlosen Tiere hingegen gaben ihr fahriges, verängstigtes Benehmen niemals ganz auf, da sie wohl eine Ahnung hatten, daß ihr Leben früher oder später unter dem Messer enden werde.

Die dicke Gelbschnäbelige entging diesem Ende, indem sie noch rechtzeitig einen Namen bekam, wenn auch nicht durch uns.

Das ging so zu: Eines Sonntags kamen fremde Farmersleute an unserm Teich vorbei.

Sie hielten ihr Auto an, die Frau stieg aus und blieb am Ufer stehen.

Ich war in der Nähe des Teichs, beobachtete die unbekannten Leute und wußte nicht, was sie hier wollten. Nun ging die Frau ganz nah ans Wasser, legte die Hände trichterförmig um den Mund und rief mit hoher Stimme: »Ssus-hie, Ssus-hie.« Da löste sich aus dem Schwarm der schwimmenden Gänse und Enten unsere Dicke und steuerte mit einer schaufelnden Bewegung des Kopfes dem Ufer zu. Sie watschelte auf die Frau zu und blieb vor ihr stehen. Die Frau hatte mich inzwischen gesehen und winkte mich heran. »Das ist Susie«, sagte die Frau zu mir,

»sehen Sie, sie kennt mich noch.« Sie deutete auf die Ente, die quakend und schnatternd um sie herumwatschelte.

»Das war meine Susie«, fuhr die Frau fort, »ich habe sie aufgezogen. Sie war das eigensinnigste Tier auf der ganzen Farm, darum ist sie mein Liebling geworden. Ist sie nicht störrisch?« fragte sie mich strahlend. Ich nickte heftig und mit Überzeugung.

»Später haben wir keine Enten mehr gehalten, da mußte ich sie weggeben an den See«, sagte sie, »und ich wollte schon lang einmal nachsehen, seit sie nicht mehr am See ist. Und heute habe ich gesagt: Bill, wir wollen einmal nachsehen, ob Susie einen guten Platz hat.« Ich forderte ,Bill' auf, aus dem Wagen zu steigen und sich mit seiner Frau den Stall anzusehen, in dem ihre Susie untergebracht war.

»Ein guter Stall, ein großer Teich«, sagte die Farmerin lobend und dann verabschiedeten sie sich.

Als sie weg waren, erschienen Zuck und Winnetou und fragten, was das für Fremde gewesen wären.

»Susies Eltern«, erklärte ich und deutete auf die dicke Ente mit der Geste des Vorstellens: »und das hier ist Susie.«

Susie hatte es offensichtlich gern, beim Namen genannt zu werden, wurde dadurch aber keineswegs anschlußbedürftiger oder weniger eigensinnig.

Susie, Eleonore, Solvejg und Hermine lebten Tag und Nacht zusammen und mit ihnen lebte Hermann, der Gänserich.

Hermine hatte ihn in diesen Entenkreis mitgebracht, und wie das Weitere geschah, weiß eigentlich niemand zu erklären.

Die vier Enten wollten sich nicht mehr von Hermann trennen, sie watschelten vor ihm oder hinter ihm her, oder sie standen bewundernd um ihn herum.

Hermann seinerseits war von einer so offensichtlichen und tiefen Leidenschaft für die vier erfaßt worden, daß er die Gänseherde und die weiße Gans Thusnelda verließ und in Hörigkeit und Verfallenheit mit den vier Enten lebte.

Wir verhinderten ihn allerdings daran, auch nachts mit ihnen zu leben, und es bedurfte wahrer Zirkuskunststücke, um ihn abends von seinen Enten zu trennen.

Allabendlich zwischen fünf Uhr und sieben Uhr, je nach der Jahreszeit, hörten wir ein aufgeregtes Quaken und Schnattern aus der Richtung des Stalles, vermischt mit dem Trompeten des Gänserichs. Im selben Augenblick mußten zwei von uns alle

Arbeit stehen lassen und zum Stall laufen, denn wenn wir diesen Alarm des Heimwollens versäumten, machten die vier Enten mit ihrem Hermann unverzüglich kehrt und verschwanden, um die Nacht im Freien zu verbringen und uns in Angst und Unruhe zu versetzen, sie könnten doch einmal vom Fuchs gestohlen werden.

Vorm Stall also standen die vier Enten mit Hermann und forderten kreischend Einlaß.

Nun geschah folgende Arbeitsteilung: Einer von uns mußte die Tür öffnen, die Enten rasch in den Stall treiben und die Türe vor Hermanns Schnabel wieder zuschlagen.

Hermann mußte mit einem Besen so lange in Schach gehalten werden, bis die Enten in ihrer Abteilung eingeschlossen waren.

Dann wurde zum zweiten Male die Türe geöffnet und Hermann wie ein erzürnter Tiger aus der Manege in seinen Käfig getrieben. Da der Gang an der Abteilung der Enten vorüberführte, gebärdete sich Hermann an dieser Stelle wie ein Rasender, und es war ein hartes Stück Arbeit, ihn in seinen Gänsestall zu zwingen. Ohne den Besen hätte man des wilden und gefährlich starken Hermann nicht Herr werden können, wie denn der Besen überhaupt eine beträchtliche Rolle spielte beim Heimtreiben der Tiere, als Trennungsmittel bei Kämpfen oder als Selbstverteidigungswaffe.

Alles fürchtete den Besen, das Geflügel, die Hunde, die Katzen, ausgenommen die Ziegen, die sich sogar dazu verstiegen, die Besen anzuknabbern.

Nicht etwa, daß wir mit dem Besen zuschlugen oder die Tiere auch nur damit berührten.

Man brauchte den Besen nur vor sich hinzuhalten, wie etwa eine Hexe, die ihren Besen besteigen will, um auf den Blocksberg zu reiten, und schon stoben die Tiere auseinander und ergriffen die Flucht in der gewünschten Richtung.

Selbst Katzen begannen die Haare zu sträuben, den Buckel zu wölben und zu fauchen, wenn das borstige Antlitz des Besens sich ihnen näherte, und es schien eine magische Furcht zu sein vor dem Attribut der Hexen, die die Tiere in die Flucht trieb.

Es war nicht nur wichtig, die Tiere nachts in dem geschützten Stall zu bergen, der wesentliche Teil unsrer Aufgabe bestand darin, sie in der rechten, naturgegebenen Ordnung unterzubringen und zu versuchen, ihre unnatürlichen Neigungen in natürliche Bahnen zu lenken. Das heißt, wir trachteten danach, die Ganter zu den Gänsen und die Erpel zu den Enten zu tun und den Strich, den sie uns tagsüber durch die Rechnung machten, nachtsüber auszulöschen und eine neue Rechnung aufzustellen. Zu diesem Zweck wurde der wunderschöne, farbenprächtige kanadische Enterich Goesta den vier Enten zugesellt. Nun muß man nicht denken, es sei ein leichtes Stück gewesen, Goesta in den Stall der vier Enten zu bringen. Goesta hatte sich vom ersten Tag an nur für die weißen Muscovys interessiert und war darob einige Male mit dem Muscovy-Enterich Emil in heftigen Streit geraten. Bei den vier Enten hinwiederum fand der herrliche Goesta gar keinen Anklang, allabendlich begrüßten sie ihn mit abfälligem, kreischendem Geschnatter, das dem Keifen alter Jungfern glich.

Goesta pflegte zunächst die vier sichtlich angewidert zu betrachten, dann vertrieb er sie von der Futterschüssel, um das Futter für sich allein zu haben. Gesättigt schwang er sich auf seinen Schlafbalken und kümmerte sich nicht um die erbosten Enten, die nur dann den Schnabel hielten, wenn sie den grellen, sehnsüchtigen Schrei Hermanns aus der Gänseabteilung herüber hörten.

Im Gänsestall war ein grauer Gänserich, der sich merkwürdigerweise mit Hermann vertrug, wahrscheinlich weil er gemerkt hatte, daß Hermann sich für die Gänse nicht interessierte. Dann waren da noch drei graue Gänse und die verlassene Thusnelda.

Thusnelda war Hermann bis zum äußersten treu, und als sie einmal von einem jungen grauen Gänserich in unmißverständlicher Weise attackiert wurde, hieb sie dem unglücklichen Liebhaber ein Auge aus.

Diese seelischen Komplikationen und Verwirrungen, diese Kreuz- und Querbeziehungen der Tiere wirkten auf manchen unbeteiligten Zuschauer höchst verblüffend und amüsant, ja wir selbst hatten im ersten Jahr noch keine Ahnung von dem Ausmaß der Konsequenzen.

Bald lernten wir jedoch die traurigen Folgen kennen und konnten nur durch harte Arbeit, Mühe und Plage retten, was zu retten war.

Das Schicksal hatte uns obendrein in der Weise mitgespielt, daß Thusnelda die beste und zuverlässigste Brutgans war und Solvejg, sowie auch Eleonora sich als die aufmerksamsten Mütter entpuppten.

Wenn ihre Zeit kam, bauten sie sich Nester, legten ihre Eier hinein und begannen nach angemessener Zeit, hingebungsvoll zu brüten.

Als dies zum erstenmal geschah, konnten wir uns einfach nicht vorstellen, daß die jungfräulichen Enten und die verschmähte Thusnelda auf lauter unbefruchteten Eiern saßen, aus denen kein einziges Junges hervorkriechen würde.

Durch Eleonora erfuhren wir, was das bedeutete.

Eleonora hatte sich auf zehn Eier gesetzt und brütete. Sie brütete mit wahrhaft fanatischer Hingabe, und wir hatten Mühe, sie allabendlich aufzustöbern, um sie zu einer kleinen Atempause zu bringen, in der sie in Ruhe ihr Futter fressen, sich in der Wasserschüssel waschen und nachher etwas bewegen sollte.

Gewöhnlich verschlang sie rasch ein wenig von dem extra für sie zubereiteten Futter, lief dann zur Schüssel, benetzte ihre Bauchfedern, nahm nach ein paar hastigen Schlucken den Schnabel voll Wasser, lief zum Nest, bespritzte einzeln und sorgfältig die Eier, nachdem sie sie mit dem Schnabel zart gewendet hatte.

Dies Bespritzen der Schalen dient zur Erweichung und erleichtert den Kücken das Durchbrechen der Schale bei ihrer Geburt.

Eleonora war eine Entenmutter, die für alles vorsorgte, von der Behandlung der Eischale bis zur gleichmäßigen Verteilung der Brutwärme. Zu diesem Zweck hatte sie ihr Nest mit ihren feinsten Brustfedern ausgepolstert.

Da saß sie nun achtundzwanzig Tage lang und wartete auf das Pochen und Klopfen in ihren Eiern.

Wir warteten mit ihr, aber es rührte und regte sich nichts und alles blieb totenstill in ihrem Nest.

Eleonora begann sichtlich abzumagern und zu verfallen. Wir ließen sie noch fünf Tage sitzen, als wir aber an ihrem dreiunddreißigsten Bruttag in den Stall kamen, schlug uns ein entsetzlicher Gestank entgegen.

Wir fanden Eleonora, ein Bild völliger Verstörtheit, ihre Eier aus dem Nest rollend und ihr Nest zertretend. Die halboffenen Eier wiesen keine Spur eines jungen Tieres oder auch nur eines Embryos auf, sie waren gefüllt mit einer grünlichen, jaucheartigen Flüssigkeit, deren pestilenzartiger Geruch den fauler Eier bei weitem übertraf.

Wir hoben Eleonora aus dem Nest, hielten sie fest, obwohl sie wie rasend um sich schlug, um wieder in ihr beschmutztes Nest zu kommen, und wuschen ihr Brust- und Bauchfedern, die verklebt waren von der grünen Verwesung, die aus den zerbrochenen Eiern kam. Wir trugen sie zum Teich, damit sie dort ihr Reinigungsbad vollenden könne.

Sie versuchte einige Male des Tags und Abends auf ihr Nest zurückzukehren, aber wir hatten das Nest entfernt, verbrannt, alles gesäubert und die Tür fest verschlossen.

Wir ließen sie trotz der Gefahr von Raubtieren drei Nächte lang auf dem Teich, um ihr das leere Nest und die Gesellschaft mit den andern zu ersparen.

Wir hörten sie nachts einige Male vor der Stalltür jämmerlich quaken, Einlaß begehren und die andern im Stall antworten.

Dann ging sie wieder zurück, schwamm in großen Kreisen um die abgestorbenen Bäume, die aus dem Teich ragten, und indem sie ins kühle Wasser tauchte, ihre Federn wusch und mit neuen Kräften mit den Flügeln zu schlagen begann, schien sie sich immer weiter zu entfernen von der Verzweiflung und dem dumpfen Wahnsinn, der sie befallen hatte.

Nach diesem Unglück hatten wir gelernt, was zu tun sei, und wir begannen die Natur zu korrigieren.

Wir schafften uns zunächst einen Durchleuchtungsapparat an.

Und als die Brutzeit wieder kam, sammelten wir die Eier aller Enten und Gänse und ließen sie eine Woche lang im Keller liegen.

Inzwischen schrieb ich an verschiedene Farmen, die in unserm Landwirtschaftsblatt das Angebot gemacht hatten auf »Bruteier von Toulouse, Emden, chinesischen und afrikanischen Gänsen und Muscovy, Rouen und indischen Laufenten«.

Gewöhnlich kam die Antwort: »Liebe Freunde, leider bin ich außerstande, Bruteier zu senden, da alle meine Gänse und Enten bereits sitzen, aber ich kann Euch welche schicken, wenn sie ausgekrochen sind . . .«

Manchmal gabs noch Eier.

Die bei uns gelegten und vorhandenen Eier holten wir nach acht Tagen aus dem Keller, verdunkelten die Küche und prüften eins nach dem andern über dem Durchleuchtungsapparat.

Das war ein viereckiger Blechkasten, in dem sich eine elektrische Birne befand. In der oberen Platte des Kastens war eine mit Gummi gefütterte Öffnung ausgeschnitten, auf die legte man das Ei, schaltete die Birne ein und konnte nun in jeden Winkel des beleuchteten Eies hineinsehen und nach dem dunklen Punkt Ausschau halten, der anzeigte, daß das Ei befruchtet war.

Die unbefruchteten Eier wurden als Kocheier verwendet, die Bruteier trugen wir hinüber in die Ställe.

Die sicheren Eier legten wir in die Nester von Thusnelda, Eleonora und Solvejg und vertauschten sie heimlich mit deren selbstgelegten leeren, tauben Eiern.

Die Hühner waren kein Problem.

Für sie hatten wir kleine Bruthäuser, für jede Hühnermutter eines, die fertig von Sears und Roebuck geliefert wurden und wie Hütten für Kleinhunde aussahen.

Die brütenden Hühner brauchten gewöhnlich nur einen Tag, um sich an ihre neuen Quartiere zu gewöhnen, und machten wenig Mühe.

Die Gänse hatten zwei große Bruthäuser in der Nähe des Teiches und benützten sie auch gewöhnlich zu dem Zweck. Die Enten hingegen konnten sich nicht entscheiden, ob sie Haustiere oder wilde Vögel sein wollten, und nisteten unter Steinmauern, in Kellern alter Stallgebäude, in Regenfässern, in Erdhöhlen, und man hatte unendliche Mühe, sie aufzustöbern und sie vorsichtig mit ihrem Nest in ein sicheres Entenbruthaus zu übersiedeln.

Bei Gussy gelang diese Übersiedlung nie, weil wir sie gar nicht finden konnten, manche andere der Muscovy-Enten mußten wir, nachdem wir sie gefunden hatten, auf ihren selbstgewählten Plätzen lassen, weil es zu spät war zur Übersiedlung, und sahen dann zitternd und bangend wochenlang dem Auskriechen der Jungen entgegen, die wir sofort gegen Fuchs und Wiesel sichern mußten.

Einmal gelang es einer Muscovy-Entenmutter, uns ihre neugeborenen Jungen zu unterschlagen. Sie führte sie unmittelbar nach der Geburt aus der Erdhöhle heraus auf den Teich, wobei sechs von elf Neugeborenen elendiglich umkamen und wir mit Mühe und Not die fünf andern noch rechtzeitig aus dem Teich holen konnten.

Die Schwierigkeit mit den Haustieren besteht darin, daß sie, wenn sie sich auch noch so wild gebärden, doch einen großen Teil ihres Instinkts verloren haben, der ihnen zweifellos innewohnte, als sie noch ungezähmte, wilde Tiere gewesen waren. Sie hatten sich zähmen lassen, hatten Behausung und Verpflegung, eine scheinbare und temporäre Sicherheit für ihre Freiheit eingetauscht und überließen es nun ihren Hütern, über ihr Leben, ihre Gesundheit, ihr Tun und Treiben zu wachen.

Man mußte Tag und Nacht auf der Hut sein, daß sie nicht zu viel, Unbekömmliches oder gar Vergiftetes fraßen, daß sie ihre Jungen nicht zu früh ins Wasser trieben, man mußte ihren mannigfachen Krankheiten begegnen, deren sie selbst nicht Herr werden konnten. Kurzum, die Wachsamkeit über die Tiere und ihre Pflege bestand hauptsächlich darin, daß man sie vor ihren eigenen Fehlern schützen und ihren gefährlichen Neigungen rechtzeitig einen Riegel vorschieben mußte.

So war unter unsern Abwegigen auch einmal Thusnelda auf die Idee gekommen, sich Ende April, als es noch sehr kalt war und viel Schnee lag, ihr Nest unter die kleine Scheune zu bauen, die auf sechs Beinen stand und zum Trocknen von Mais verwendet wurde.

Das Geflügel, das sommers und winters tagsüber aus den Ställen gelassen wurde, hatte sich oft auch unter dieser Scheune zu schaffen gemacht, so daß es uns nicht weiter aufgefallen war und wir zu spät das fix und fertige Nest Thusneldas entdeckten.

Da sie ein besonders schwieriger »Fall« war, durften wir sie nicht mehr versetzen, sondern mußten einen ganzen Verschlag um sie herumbauen, um sie vor Kälte und Schnee zu schützen, und einen Wachdienst einrichten, um Füchse, Skunks und Wiesel von ihr abzuhalten.

Wir ließen die Hunde abends um die Scheune laufen und alles abstöbern nach kleinen Raubtieren, so daß Luft und Boden um die Gans Thusnelda gesättigt war vom Wolfsgeruch der Hunde. Von dieser abschreckenden Ausdünstung versprachen wir uns einigen Schutz für Thusnelda.

Mein Schlafzimmerfenster lag gerade gegenüber der Scheune, und ich lief in jenem Brütemonat ungezählte Male in tiefer Nacht hinunter zur Scheune, weil ich ein Geräusch zu hören vermeint hatte.

Dann leuchtete ich mit der Blendlaterne jeden Winkel ab, zuletzt das Nest selbst, auf dem Thusnelda auf ihren Eiern, die aus Harwich, Massachusetts, stammten, saß und mich mit ihren dummen blauen Augen böse anstarrte, als ob sie nicht *meine*, sondern ich *ihre* Nachtruhe gestört hätte.

Als ihre Jungen ausschlüpften, vier gelbgrüne, starke, bezaubernde kleine Gänse, erschien plötzlich und unvermutet Hermann auf dem Plan, stürzte sich auf die Jungen, und bevor ich noch einen Stallbesen erwischen konnte, war er dicht beim Nest.

Ich war sicher, daß es jetzt zu einem Kampf mit Thusnelda kommen würde, bei dem alle Neugeborenen zerstampft und zerhackt einem frühen Tod entgegengingen, und ich stand da mit jener ohnmächtigen Verzweiflung, mit der man die Schloßen vom Himmel fallen sieht, die einem die Ernte verhageln.

Da geschah etwas Unerwartetes.

Thusnelda wehrte sich nicht, versuchte ihre Jungen weder zu verteidigen, noch unter die Flügel zu nehmen. Die vier kleinen Flaumbällchen auf ihren zu hohen Beinen zirpten den großen Vogel an, und Hermann legte den Kopf zur Seite und sah sie mit jenem himmelblauen Blick an, mit dem er Herminchen zu betrachten pflegte. Das Ganze war ein Mißverständnis.

Zuerst meinerseits, da ich glaubte, Hermann würde mit den Jungen nach Art der Gänseriche, Enteriche und auch Hähne verfahren, die mitunter deutliche Mordabsichten auf junge Tiere hegen, auch wenn es ihre eigenen Söhne und Töchter sind.

Andrerseits lag das Mißverständnis auch bei Hermann, der, unberechenbar wie er nun einmal war, von einem Extrem ins andere fiel und ohne Übergang vom zärtlichsten Familiensinn gepackt wurde, ohne auch nur im geringsten der Vater dieser aus Massachusetts stammenden jungen Gänse zu sein.

Von Stund an verließ er die vier Enten und zog vor seiner vermeintlichen Nachkommenschaft her, von unberechtigtem Vaterstolz geschwellt, bereit, sie gegen jeden Angriff zu verteidigen.

Thusnelda watschelte hinterdrein, und der geschlossene Aufmarsch der sechs Gänse erweckte die Vorstellung, eine Spießbürgerfamilie mit mäßigem Einkommen vor sich zu sehen, die sich auf einem Sonntagsausflug befand und wo der Vater sich entschlossen hatte, sichs mal was kosten zu lassen.

Während Hermann nun sozusagen im Gänseschritt von Unnatur zu Unnatur marschierte, hatten seine Enten inzwischen auf fremden, untergeschobenen Eiern gesessen und waren vielbeschäftigte, gute Mütter geworden.

Als die jungen Enten ausgefedert waren und ihrer nicht mehr bedurften, schlossen sich die gewesenen Mütter zusammen und wurden gemeinsam genau wieder so zimperlich, absonderlich und schrullig wie vorher, so daß niemand diesen jüngferlichen Wesen auch nur einen Tag des Brütens zugetraut hätte.

Im frühen Herbst waren auch die jungen Gänse zu großen, starken Geschöpfen erwachsen, die nicht mehr der Wachsamkeit und Führung eines Vaters bedurften.

Da verließ Hermann sie und Thusnelda von einem Tag auf den andern und kehrte zu seinen Enten zurück.

Diese Vorgänge spielten sich alljährlich in gleicher Weise ab.

Es schien, als würden sich die vier Enten und der Gänserich alljährlich aus ihrem abwegigen Gemeinschaftsleben ein paar Wochen ausschneiden, um sich einen Ausflug ins Natürliche zu gönnen.

In dieser Urlaubszeit stellten sie ihre hervorragenden Fähigkeiten als Mütter und Vater so sehr ins helle Licht, daß wir sie schon dieser ihrer Leistungen halber nicht abschaffen konnten. Sie waren nicht gewillt, auch nur die geringste Änderung in ihrer Lebensweise, ihrem Charakter oder in ihren verwirrenden Trieben zu vollziehen, und sobald sie im Herbst wieder zusammenzogen, entfiel ihnen jede Erinnerung daran, daß sie im Frühling und Sommer nützliche Farmtiere gewesen waren, und sie frönten wieder ihren unfruchtbaren Neigungen.

Trotzdem erwuchs mit der Zeit eine friedliche Zusammenarbeit zwischen uns und ihnen mit günstigen Resultaten, und wenn der Frühling kam, hatten wir ihnen alljährlich verziehen, was für Mühen und Plagen sie uns durch ihr absurdes Treiben angetan hatten.

So zogen sie und wir gewissermaßen eine Grenzlinie, hinter der sie das Natürliche und wir das Unnatürliche in Vergessenheit geraten ließen, sie im Herbst und wir im Frühjahr.

DIE RATTEN

Das war im dritten Sommer.

Da sah ich sie zum erstenmal.

Es war an einem Abend, und ich war in den Stall gegangen, um noch vor Dunkelheit Futter zu mischen.

In diesem Stall standen dem Eingang gegenüber in langer Reihe die Metalleimer, in denen das Futter aufbewahrt wurde.

Da war das Legmehl, das Körnerfutter und Kraftfutter für die Hühner. Da waren die Eimer für Enten- und Gänsefutter, das von uns selbst gemischt wurde.

Zuck hatte mir die schweren Säcke in den Stall getragen und vor die leeren Eimer gestellt.

Ich begann nun, die Schnüre der Säcke zu öffnen und mit einem

Maßgefäß Hafermehl, Kleie, Kraftfutter und Maisschrot in vorgeschriebener Verteilung in die Eimer zu füllen.

Im Stall war es abendlich still, Enten und Gänse zirpten im Schlaf. Lisettchen saß oben auf ihrem Balken, ich rief ihren Namen, aber an diesem Abend blinzelte sie mich nur an und kam nicht herabgeflogen.

Das Futter rieselte in die Eimer, und es roch nach Feldern vor der Ernte.

Plötzlich mußte ich in der Arbeit innehalten, weil mich ein heftiger, reißender Schreck befallen hatte, wie ihn die Angst vorm Ungewohnten und Unbekannten hervorbringt. Ich fühlte mit einem Schlag, daß ich nicht allein war mit meinen Tieren, daß ich aus irgendeiner Ecke heraus scharf beobachtet wurde. Ich stand bewegungslos da und wartete ab.

Da hörte ich ein Geräusch, ein körperloses, geisterhaftes Trippeln über den Holzboden, und dann sah ich sie auf der Treppe stehen, eine große graubraune Ratte.

Ich rührte mich noch immer nicht und stand Auge in Auge mit der Ratte, die mich mit ruhiger Gefährlichkeit betrachtete.

Da tat ich etwas ganz Sinnloses. Anstatt mit einem Metalldeckel, einer Schaufel oder einem Messer nach ihr zu werfen, klatschte ich in die Hände wie ein Zauberkünstler, wenn er etwas herbei- oder wegzaubern will, und fort war die Ratte, heil und unbeschädigt entkommen.

Ich lief ins Haus hinüber, wo Zuck und die Kinder um den Eßtisch saßen und mit dem Nachtmahl auf mich warteten.

»Warum kommst du so spät zurück?« fragten sie mich.

»Es ist etwas Schreckliches geschehen«, sagte ich, »die Ratten sind da.«

Das Abendessen fand gegen Mitternacht statt.

Wir holten die Hunde aus dem Zwinger, nahmen sie mit zum Stall; sie heulten und winselten und fanden endlich die Eingänge zu den Bergwerkstollen, die sich die Ratten unter den Hühnerställen und dem Stall gegraben hatten.

Dann gingen wir in Stall und Häuser und schalteten die Beleuchtung ein, wodurch das Geflügel erwachte und in helles Morgenkrähen, Gackern, Quaken und Schnattern ausbrach.

Wir knieten uns zwischen das aufgescheuchte Geflügel, das von den Schlafstangen heruntergesprungen war und Futter verlangte, und krochen mit Taschenlampen in jede Ecke, um nach Rattenlöchern zu suchen.

Im roten Hühnerhaus fanden wir eines unter den Nestern und vernagelten es mit starkem, feinmaschigem Drahtgitter. Im Stall selbst konnten wir wenig tun. Die Ratten hatten dort unter den Verbindungsstiegen und Schwellen, die zu den Hühnerhäusern führten, ganze Bretter gelöst und angenagt.

Wir vernagelten die Bretter, verstopften und vergitterten die Löcher, aber es gab da zu viele Durchbruchstellen, um ihnen den Eingang in den mittleren Stall zu verwehren. Ausgewachsene Enten und Gänse waren nicht in Gefahr, sie griffen auch die Hühner nicht an, aber alles kleinere und junge Geflügel mußte man vor ihnen schützen.

So stieg ich auf die Leiter und holte Lisettchen, Josephinchen und Napoleon von ihrem Schlafbalken und trug sie ins sichere graue Hühnerhaus.

Der Schaden, den die Ratten im ersten Sommer ihres Auftauchens auf unsrer Farm anrichteten, war schrecklich. Ihr erster Angriff erfolgte in Form eines Blitzkrieges, und sie erbeuteten 32 kleine Enten, 8 Kücken und 3 neugeborene Gänse.

Es handelte sich bei unsern Feinden nicht um einfache Hausratten, sondern um eine Armee von Norwegischen Wanderratten, die in organisierten Formationen durchs Land ziehen, und wenn ihnen ein Hof gefällt, so machen sie dort halt, belagern und beziehen ihn.

Sie bauen heimlich und rasch ihre Unterstände unter den Ställen und Häusern, die sie zu plündern beabsichtigen, und kaum fertig mit ihren Wohngängen, beginnen sie, nachts Durchgänge in die Ställe zu nagen, um zum Futter, zu den Eiern, zu den Jungtieren zu gelangen.

Manches wird an Ort und Stelle gefressen, das meiste aber weggeschafft und durch die Rattenlöcher in ihre Gänge gebracht. Die Art, wie sie ihre Raubzüge ausführen, den Abtransport des Geraubten bewerkstelligen, ihr Verschwinden und Wiederauftauchen an unvorhergesehenen Stellen ließen uns keinen Zweifel darüber, daß wir es mit einer unheimlich gut funktionierenden Organisation eines Rattenstaates zu tun hatten.

Wir wurden von ihnen in den Belagerungszustand gesetzt, und unsre Tätigkeit war in den ersten Tagen dem hastigen Aufwerfen von Schützengräben zu vergleichen.

Da man rasch handeln mußte und in Eile keine Zementböden legen kann, so bauten wir um die Mütter und um die gefährdeten Jungtiere Käfige, durch deren Gitterwerk nicht die kleinste und jüngste Ratte mehr durchschlüpfen konnte. Die Bruthäuser, die in den Wiesen gestanden hatten, waren nicht mehr sicher vor den Ratten, und wir mußten Käfige um Käfige bauen, so daß unsre Ställe und Scheunen, in lauter Zellen abgeteilt, bald wie das Gefängnis Sing-Sing aussahen.

In dieser Rattenschlacht wurden Lisettchen, die zum erstenmal Mutter geworden war, ihre vier winzigen Bantamkücken geraubt. Warum die Ratten die kleine Bantamhenne selbst verschont hatten, ist wohl nur damit zu erklären, daß Lisettchen in ein so tobendes Geschrei ausgebrochen war und so rasend mit den Flügeln geschlagen hatte, daß sogar die Ratten davon eingeschüchtert wurden. Wir hatten Lisettchen in eine besonders stark vergitterte Zelle gesetzt, aber die Ratten hatten sich durch den doppelten Holzfußboden durchgebissen.

Während nun Zuck und Winnetou das Rattenloch verstopften und über den ganzen Fußboden der Zelle Drahtgitter spannten, versuchte ich, Lisettchen zu beruhigen, die so grausam jammerte, daß man es kaum mit anhören konnte. In meiner Verzweiflung über ihren Schmerz kam ich auf die absurde Idee, einen gefährlichen Versuch zu wagen. Es waren da noch zwei Bantammütter mit je fünf Jungen. Ich griff unter ihre Flügel, nahm jeder Mutter zwei ihrer Jungen fort und setzte die vier Bantamkücken in Lisettchens Nest.

Ich glaube nicht, daß man Lisettchen unter normalen Umständen in der Weise hätte betrügen können, aber der Schock hatte ihr Unterscheidungsvermögen getrübt.

Als ich sie auf das Nest setzte, sah sie nur einen Augenblick die vier Jungen an, die zwei Wochen älter als ihre eigenen geraubten waren, dann nahm sie, noch immer schwer atmend, als sei sie aus einem schrecklichen Traum erwacht, die vier fremden Kücken unter ihre Flügel.

In unserm Farmblatt stand folgende Notiz:

»Die Ratten kosten den Farmern von Amerika jährlich dreiundsechzig Millionen Dollar. Die Bevölkerungszahl der Ratten ist ungefähr der Einwohnerzahl der Vereinigten Staaten gleichzusetzen. Die Hälfte der Rattenbevölkerung lebt auf Farmen. Die Verpflegung einer Ratte beläuft sich auf zwei Dollar im Jahr. Fahren Sie ins nächste USDA-Bureau und konsultieren Sie dort den Berater in Landwirtschaftsfragen, auf welche Weise Sie dieser Pest Herr werden können.«

Wir schätzten die Einwohnerzahl auf unsrer Farm auf fünfzig bis sechzig Ratten, und die ihnen zustehende Verpflegung im Wert von zwei Dollar fürs Jahr hatten sie in den ersten drei Wochen nach ihrer Ankunft bei uns aufgefressen.

Daher beschlossen wir, zum Vernichtungskrieg überzugehen. Bevor ich aber zur Schilderung der Phasen dieses Krieges übergehe, muß ich zunächst die Tatsache feststellen, daß wir uns vor Ratten nicht fürchteten.

Als ich damals die erste im Stall gesichtet hatte, war es nicht ihr Anblick gewesen, der mich mit lähmendem Entsetzen erfüllte, sondern einzig das Bewußtsein der Tatsache, daß sie zweifellos nur ein Vorposten eines Rattenheeres war, das im Hintergrund lauerte. Ich hatte lediglich den Schrecken empfunden des Turmwächters, der den ersten Feind am Horizont auftauchen sieht.

Ich konnte mich vor den Ratten deshalb nicht fürchten und ekeln, weil sie durch ihre bewußte Intelligenz und berechnende Gefährlichkeit einen ebenbürtigen Feind darstellen und weder die unbekannte, undefinierbare Greulichkeit von Spinnen, Skorpionen und Schlangen, noch die Dumpfheit der Kartoffelkäfer und Engerlinge besitzen, Ungeziefer, das nicht weiß, warum es Schaden stiftet. Ich mußte lange genug mit den Ratten leben, um nicht Gelegenheit zu haben, ihnen öfters Auge in Auge gegenüberzustehen.

In diesen Rattenaugen fand ich einen Grad von Bewußtsein, ein Wissen um ihre Unternehmungen und Taten, die sie aus dem Stand des Ungeziefers in den eines richtigen Feindes versetzten.

In einem Blatt stand einmal ein Artikel, in dem vermeldet wurde, daß ein Wissenschaftler nun endlich die Gebeine des Orang-Utans gefunden hätte, von dem wir alle abstammen sollen, und der daran die verblüffende Theorie knüpfte, daß nach dem Menschengeschlecht die Ratten oder die Ameisen die Herrschaft über den Erdball übernehmen würden. Wenn ich dieser schwarzen Utopie einen Augenblick in Gedanken nachhänge, so würde ich mich für die Ratten entscheiden.

Die erste Phase unsres Kampfes begannen wir mit einem offenen Angriff, der mißlang. Daran waren aber weder die Ratten noch wir schuld, und auch nicht die Methode, die wir anwandten, sondern ein Hilfsbube, der dreizehnjährig war und wenig half.

Die Methode war einfach.

Man fährt mit seinem Auto vor den Stall, treibt alle Tiere heraus, schließt Fenster und Türen, verstopft die Ritzen sorgfältig, als wolle man Selbstmord mittels Gas begehen.

Dann befestigt man den Gartenschlauch an den Auspuff des Autos, leitet ihn durch eine dem Schlauchumfang entsprechende Öffnung in den Stall und vor ein Rattenloch, läßt den Motor an und leitet die giftigen, todbringenden Auspuffgase in Rattengänge und Stall.

Ich war von dieser modernen chemischen Methode begeistert, und alles war bis ins kleinste Detail vorbereitet.

Im letzten Augenblick aber, bevor ich den Motor anließ, machte der vorsorglich mißtrauische Zuck noch einen letzten Rundgang durch den Stall, stieg dabei auf eine Leiter und fand unsern Hilfsbuben mit meiner Lieblingskatze im Arm und einem Zigarettenstummel im Mund tief schlafend, vergraben im Heu.

Worauf wir uns von der lebensgefährlichen Vergasungsmethode abwandten und zum einfachen Rattengift griffen. Rattenfallen aufzustellen war gefährlich wegen der Jungtiere, arsenhaltige Gifte bedrohlich für alle, es war aber da eine Paste erfunden worden, die nur den Ratten schädlich sein sollte.

Die Methode, wie und wann diese Paste anzuwenden war, erforderte eine psychologische Vorbereitung, und nun setzte die zweite Phase ein, die wir den »phony war« nannten.

Zehn Tage lang legten wir sauberen Speck und Käserinden in die Ställe und Hühnerhäuser, um die Ratten sicher zu machen.

Merkwürdigerweise hielten sich die Ratten nicht im Ziegen- und Schweinestall auf, auch in unserm Hauskeller erschienen sie fast nie, dafür aber saßen sie um so fester in ihren Verschanzungen überall dort, wo das Geflügel sich aufhielt.

Ich hatte eine Art Abkommen mit den Ratten getroffen. Wenn ich den mittleren Stall betrat, wo die Futtereimer standen, klatschte ich in die Hände, und auf dieses Signal verschwanden die Ratten in ihre Schlupflöcher. Einmal sprang dabei eine Ratte in Übereile vom Heuboden auf meine Schulter, diese als Zwischensprungbrett zum Fußboden benützend.

Nein, das war kein angenehmes Gefühl!

An jenen zehn Abenden, als ich Speck und Käse verteilte, kamen sie wieder aus ihren Ecken und Winkeln heraus, lugten hinter den Futtereimern hervor, und ich tat so, als handle es sich hier um Leckerbissen für das Geflügel, das ja bekanntlich auch Grammeln, Fleisch und Fett mit Vergnügen frißt.

Die Hühnerhäuser, die auf Steinfüßen standen, waren vor den Ratten relativ sicher, nur bestand auch dort die Möglichkeit, daß sie die Klapptüren, die für die Hühner zum Aus- und Eingehen tagsüber gedacht waren, benützten und sich abends im Haus versteckten.

So fand auch Zuck eines Abends auf seinem Kontrollgang eine solche versteckte Ratte im grauen Hühnerhaus.

Er hatte eine Schaufel in der Hand und drängte damit die Ratte in eine Ecke.

Es war eine ausgewachsene große Ratte, die, als er zum Schlag ausholte, blitzartig zum Angriff überging und ihn ansprang.

Nun hatte er am selben Tag den Schweinestall gemistet und trug glücklicherweise noch die hohen Schaftstiefel, die ihn vor dem gefährlichen scharfen Biß der Ratte schützten. Es gelang ihm, die Ratte zu erschlagen, aber es war uns allen noch den ganzen Abend etwas übel zumute, und wir konnten gar nicht aufhören mit dem Erzählen grausiger Geschichten, die wir gehört und gelesen hatten, und in denen immer wieder von der fast unbesiegbaren Schlauheit und Teufelei der Ratten und von ihrer Angriffslust auf ihre Angreifer die Rede war.

Wir sprachen von abgebissenen Fingern und schwärenden Beinwunden, die Rattenbekämpfer davongetragen hatten, und sahen manchmal verstohlen und schaudernd nach den Schaftstiefeln, die in der Ecke der Küche standen und in Kniehöhe die Spuren der Rattenzähne zeigten.

Am folgenden Tag ging die Schlacht los.

Zuck und ich schlossen uns in der Werkstatt ein, sorgten dafür, daß kein Tier hereinkommen konnte, und machten uns ans Vergiften.

Wir zogen uns Gummihandschuhe an, die wir zuvor am Fell unsrer Ziegen gerieben hatten, damit kein Menschenfleischgeruch verraten konnte, daß unsre Finger dabei im Spiel gewesen waren. Wir hatten braune Tiegel mit der grünen Paste stehen und rieben die Paste sorgfältig in die Speckstücke und die Käserinden.

Die grüne Paste enthielt ein Gift, das die Wirkung hatte, die Ratten durstig zu machen, sie zum Wasser zu treiben und sie nach Genuß des Wassers im Freien, fern von ihren Schlupfwinkeln, zu töten.

Das heißt, es war ein Vernichtungsgift, das auch zugleich die Verwesung der getöteten Ratten in ihren Löchern verhinderte und somit der Luftverpestung und der Bildung von unheilvollen Keimen Einhalt gebot.

Am Abend des elften Tages trugen wir die vergifteten Speck- und Käsestücke hinüber in den Stall.

Ich klatschte wie immer in die Hände, worauf das Huschen und Trippeln auf Krallen einsetzte, wie in einem Gespensterhaus, das von Menschen verlassen und von Ratten bezogen worden war.

Nun prüfte Zuck, ob auch alle Tiere in ihren Sing-Sing-Zellen eingeschlossen waren.

Dann zogen wir uns die Gummihandschuhe über und verteilten die Giftbrocken.

Wir sprachen dabei laut und unverbindlich über gleichgültige Dinge, um darzutun, daß wir trotz der Handschuhe alltägliche, gewohnte Handgriffe vornahmen. Dabei konnte ich das Gefühl nicht loswerden, daß eine der ältesten Ratten, die mir bekannt vorkam, und die ich für ein Mitglied des Obersten Rates der Ratten hielt, aufmerksam und tückisch unser Tun betrachtete.

Als der nächste Morgen kam, waren wir ganz früh im Stall.

Wir hatten beschlossen, den ganzen Tag über kein einziges Tier aus den Ställen, keinen Hund aus dem Zwinger, keine Katze aus dem Haus zu lassen, damit sie sich nicht von den toten Ratten den Tod holten.

Als wir zu den Wassergefäßen des Geflügels kamen, die auf den Wiesen gefüllt mit Wasser standen, fanden wir um und in den Gefäßen an die zwanzig tote Ratten.

Als wir uns von dem häßlichen Anblick erholt hatten und die Leichen entfernen wollten, fiel uns etwas Entsetzliches auf.

Wir gingen zum Stall, öffneten ganz leise die Tür und blieben bewegungslos stehen.

Da waren im Stall an die zwanzig, dreißig große, ausgewachsene Wanderratten, die uns aus allen Winkeln anstarrten. Drei von ihnen gaben sich noch einmal die Mühe, hinter den Futtereimern zu verschwinden.

Draußen aber lagen die Leichen von kleinen, halbwüchsigen Ratten, und es war keine einzige große alte Ratte unter ihnen.

Da begriffen wir, daß die erfahrenen Alten ihre Kinderratten vorgeschickt hatten, um zu erproben, ob der Tod im Speck und in den Käserinden lauerte.

Sie hatten die ahnungslosen Unerfahrenen geopfert und damit eine Auslese der gefährlichsten Erfahrenen erhalten, und wir begriffen, daß man dagegen andere Waffen anwenden mußte als die, die uns zur Verfügung standen.

Aber wir bauten weiter Zäune, Gitter und Zellen, daß uns die Finger und Hände bluteten vom Drahtziehen, Hämmern und Nageln.

An unsre Tiere konnten sie immer weniger heran, dafür aber nagten sie jeden ankommenden Futtersack an, und wir mußten immer mehr Metalleimer anschaffen, um das Futter vor ihrer Gefräßigkeit zu schützen.

Zwei Jahre nach ihrem Einzug verschwanden sie plötzlich. Sei es, daß sie uns doch einige Male hereingefallen waren und selbst einige der Alten den vergifteten Maiskörnern erlagen, sei es, daß wir zu viele Zäune errichtet hatten, durch deren Maschen kein Aal schlüpfen konnte, sei es, daß sie einfach von Wanderlust ergriffen wurden und eine andere, bessere Farm heimsuchen wollten.

Im Herbst zogen sie ab.

Ihre Auswanderung geschah so heimlich und unsichtbar wie ihr Einzug. Die Löcher und Gänge sahen aus wie ein verlassenes Bergwerk, die Nagespuren ihrer Zähne im Holz besserten wir aus, der süßlich-stechende Geruch, den sie verbreitet hatten, verschwand nach der großen Herbstreinigung.

Die Ställe und Hühnerhäuser gehörten wieder den Haustieren und uns, und nachts war es still im Stall wie in der Stunde, in der es ein Uhr vom Kirchturm geschlagen hat, und der Spuk verflogen und zerronnen ist.

BULLETIN 1652

Eines Morgens, als ich in den Stall ging zu den Junghühnern, fand ich Blutspuren.

Das war vier Wochen nach Eröffnung der Farm, die Ställe funkelten vor Neuheit, das Geflügel hatte sich gut eingewöhnt.

Ich dachte zuerst an Kampf, aber dann merkte ich, daß die meisten Hühner verändert aussahen, so etwa wie eine Schulklasse, die etwas ausgefressen hat und nun die Köpfe hängen läßt.

Ich ließ die Hühner wie immer heraus, aber sie drängten sich nicht am Ausgang, wie sie es sonst zu tun pflegten, einige blieben im Stall zurück und kauerten sich in eine Ecke zusammen, als ob sie frieren würden, obwohl es ein warmer Morgen war.

Gegen Mittag kam ein Farmer vorbei, der uns eine bestimmte Sorte Saatkartoffeln von seiner Farm brachte. Ich nahm ihn mit zu den Hühnern.

»Wissen Sie vielleicht, was mit den Hühnern los ist?« fragte ich ihn.

Er sah die Hühner an, ging in die Ställe und betrachtete sich die Blutflecken auf den Schlafstangen.

»Das ist schlimm«, sagte er, »wieviel Hühner haben Sie?«

»Fünfzig Junghühner«, antwortete ich, »und sieben Hennen.«

»Die Hennen werden's nicht kriegen«, sagte er, »aber von den jungen Hühnern werden Sie wohl fünfundzwanzig bis dreißig verlieren, vielleicht auch mehr; damit müssen Sie schon rechnen.«

»Was kann man denn da tun?« fragte ich entsetzt.

»Nicht viel«, antwortete er und zuckte die Achseln, »aber Sie können ja im Landwirtschaftsbüro nachfragen.«

Um drei Uhr Nachmittag waren zwei Hühner tot, um vier Uhr war ich im Landwirtschaftsbüro der nächsten Stadt. Dort erklärten sie mir, nach meiner Beschreibung müsse es sich um Kokzidiose, die Rote Ruhr, handeln, eine parasitäre Massenerkrankung, die einen hohen Prozentsatz an Verlusten fordert. Vorbeugungsmaßnahmen seien bekannt, aber noch keine sicheren Behandlungsmethoden dagegen gefunden worden. Ich solle es jedoch in einem der großen Futtermittelgeschäfte der nächsten Stadt versuchen, dort hätten sie Medikamente. Dann drückten sie mir Farmers' Bulletin Nr. 1652 in die Hand, das von Geflügelkrankheiten handelte, und ich fuhr 22 km weiter zur nächsten Stadt und kam gerade vor Ladenschluß an. Als ich »Kokzidiose« sagte und einen Sack »Flush« und einen mit »Pellets« verlangte — diese Ausdrücke hatte man mir eben zuvor auf dem Büro beigebracht —, übergaben sie mir drei Medikamente mit einer illustrierten Zeitschrift des Laboratoriums, das diese Arzneien herstellte, und darin fand ich Hühner abgebildet, die genau die gebeugte, kopfhängerische Haltung zeigten, in der ich unsre Hühner am Morgen im Stall vorgefunden hatte.

Sie luden mir die zwei Säcke auf, und am Rückweg hielt ich noch vor einer Sägemühle, um einige Säcke frische Sägespäne mitzunehmen.

Um sieben Uhr abends war ich wieder zu Hause.

Ich hatte rund 100 km zurückgelegt, Heilmittel, Desinfektionsmittel und eine leise Hoffnung mitgebracht auf Rettung vor zu großen Verlusten.

Wir machten uns sofort an die Arbeit. Wir hefteten die Zeitschrift mit der bildreichen Beschreibung der Kokzidiose an die Wand und taten dann genau dieselben Handgriffe, die darauf abgebildet waren. Wir lösten Tabletten in Gallonen von Trinkwasser auf, wir mischten zweierlei Medikamente ins Futtermehl und in das Körnerfutter. Als wir fertig waren, brachten wir die arzneiversetzten Futtermittel und das Trinkwasser hinüber in die Ställe, drehten das Licht an und weckten die schlafenden Tiere. Einige davon kauerten auf dem Boden, weil sie vor Schwäche die Sitzstangen nicht mehr erreichen konnten, die fütterten wir mit der Hand, um sicher zu sein, daß sie die Arznei auch richtig einnahmen. Die andern sprangen von ihren Schlafstangen und machten sich übers Futter her, denn es gibt keine Tages- oder Nachtstunde, in der Hühner nicht fressen können.

Diese nächtliche Fütterung war ganz unvorschriftsmäßig, aber wir wollten keine Nacht mehr verstreichen lassen, ohne etwas gegen diese Krankheit zu tun.

Am nächsten Morgen in aller Frühe bauten wir einen Zaun, der einerseits die kranken Hühner von den gesunden trennen sollte und andrerseits einen neuen Weideplatz für die Kranken einschloß, da der alte verpestet war durch den Mist der kranken Hühner, der die Kokzidien in Form von Oozysten enthält und weiter überträgt.

Als die Zäune gebaut waren, trieben wir die Hühner ins Freie, schlossen die Häuser und begannen nun eine gründliche Reinigung der Häuser durchzuführen.

Zuck schleppte Eimer mit kochendem Wasser herbei und fuhr die infizierten Sägespäne ab zu einem Platz, wo er sie verbrannte. Wir wuschen alle Futtergefäße mit Desinfektionsmittel enthaltendem Wasser ab, rieben Sitzstangen, Mistladen, Wände und Fußböden mit einer Kreosotlösung ein, und als die Mittagszeit kam, war alles blitzblank gesäubert. Wir rochen von Kopf bis Füßen wie Spitaldiener einer Cholerabaracke, und uns wurde schlecht bei dem Gedanken an Essen.

Fünf Tage lang wurden täglich die Ställe gesäubert, die Sägespäne gewechselt, die Hühner mit Medikamenten gefüttert, mit
»Flush« innerlich gereinigt und durchgespült, mit »Pellets«
wieder gestärkt.

Jeden Morgen betraten wir mit Herzklopfen den Stall und er-
warteten, tote Hühner zu finden, aber es starb kein einziges
Huhn mehr.

Nach diesem Triumph wollte ich es nicht mehr darauf ankommen lassen, erst nach Ausbruch einer Krankheit die Heilmittel
herbeizuschaffen, sondern ich legte prophylaktisch eine Apo-
theke an, die von den Medizinen über die Desinfektionsmittel
zu den Eutersalben und Lauspulvern alles enthielt, was sich an
Vorräten anlegen ließ.

Zu diesem Zweck hatte ich die Farmer-Bulletins, landwirtschaftlichen Zeitschriften und Merkblätter von Laboratorien studiert,
und nach dieser Lektüre war mir zumute wie einem Medizin-
studenten, der in die klinischen Semester kommt, oder wie einer
Schwangeren vorm ersten Kind, die die einschlägige populäre
Literatur über den Geburtsvorgang gelesen hat und nun ganz
sicher ist, daß die Geburt unnormal verlaufen muß und das
Kind verkrüppelt zur Welt kommen wird.

Ich war also auf alle Krankheiten gefaßt, aber zu unserm
Staunen blieben wir von der Hühnercholera, Pest, Tuberkulose,
Diphtherie, Leukämie, Gicht, den Pocken und der Rachitis verschont. Immerhin blieb da noch eine ganze Auswahl von Krankheiten übrig, und bald richtete ich mir auch noch ein Spital mit
verschiedenen Abteilungen ein, um die Kranken rechtzeitig iso-
lieren und ungestört behandeln zu können.

Wir verloren ganz selten Tiere, aber wenn eines verstarb, ohne
daß wir die Ursache erkennen konnten, verpackten wir es vorschriftsmäßig und schickten die Leiche an unser zuständiges tierärztliches Institut ein.

Nach kurzer Zeit erfolgte die Antwort, die entweder beruhi-
gend lautete oder beunruhigend war und uns sofort zu Maß-
regeln greifen ließ.

So hieß es zum Beispiel in einem Brief: »Die Untersuchung der
roten Henne, die Sie uns zusandten, ergab einen Tumor der
inneren Organe, der durch verschiedene Ursachen bedingt sein
kann und keine ernsthaften Folgen für die andern Hühner nach
sich ziehen wird. Wenn die Verluste jedoch andauern, schlage
ich vor, daß Sie uns zwei oder drei Probeexemplare einschicken,

und hoffe, daß wir dann eine abschließende Diagnose über den Zustand Ihres Geflügels abgeben können. Hochachtungsvoll X, der tierärztliche Pathologe.«

Zwei Jahre lang hatten wir keine Probeexemplare zu versenden.

Michaela, die graue Stammhenne, bekam winters gefrorene Zehen, weil sie zu viel im Schnee gesessen hatte, und ich nahm sie trotz Zucks Protest in einem Käfig in die Küche und heilte sie dort ganz rasch.

Dann bekam Maria, auch eine der grauen Stammhennen, sommers geschwollene grindige Beine, und wir stellten mit Hilfe des Bulletins 1652 fest, daß es sich um Milben handelte, und das bedeutete wiederum eine Desinfektion der Ställe und ein Bestreichen der Sitzstangen mit Tabaklösung, da sich die Milben, auch Hühnerläuse genannt, dort am liebsten festsetzen, um dann nachts das Blut aus den Hühnern saugen zu können.

Maria, die sonst so Verständige und Kluge, ließ sich nur unter größtem Mißfallen ihre schuppigen Beine in Rohpetroleum tauchen und strampelte dabei so sehr, daß unsre Haare, Wangen und Nasen mit Rohpetroleum getränkt wurden und wir wie Angestellte einer Tankstelle rochen. Maria, die kaum mehr gehen konnte, erholte sich nach diesem Petroleumverfahren sehr rasch. Wir strichen ihr die Beine mit Perubalsam ein und ernährten sie mit bestem Grünfutter und Extrabrocken, und sie verzieh uns die häßliche Petroleumbehandlung bald.

Dann aber kam ein Ernstfall.

Eine Tochter Gussys krümmte eines Tages ihren Entenplatschfuß nach hinten und bald darauf auch den zweiten, so daß sie hilflos dalag, ohne sich bewegen zu können, und nach kurzer Zeit elend zugrunde ging.

Wir schickten sie als Probeexemplar nach Montpelier an das tierärztliche Institut und erhielten die Antwort: »Die Organe der zugesandten Ente zeigen keine Veränderung. Es würde uns interessieren, die Ursache herauszufinden; könnten Sie uns daher so bald als möglich eine oder zwei Ihrer lahmen Enten zusenden?«

Nein, das konnten und wollten wir nicht, denn die nächsten zwei lahmen Enten waren Susie und der Riesenenterich Emil. Als wir die beiden großen, schweren Geschöpfe zum erstenmal heimkommen sahen, humpelnd und ein Bein nachschleifend, wurde uns angst und bang, und wir sahen das qualvolle Ende vor uns, das die namenlose Probeexemplar-Ente erlitten hatte.

Ich las also sämtliche Fußerkrankungen und Lähmungserscheinungen im Bulletin 1652 durch, und die Symptome schienen nicht ganz, aber am ehesten auf die »Gekrümmte Zehen«-Lähmung zu stimmen, eine Krankheit, die aus Vitaminmangel entstehen soll.

Susies und Emils Füße hatten nicht nur verkrümmte Zehen, Emils rechter und Susies linker Fuß sahen aus, als ob sie gebrochen wären, alle Sehnen zerrissen, und sie traten auf die Oberfläche des nachschleifenden Fußes auf und verletzten ihre Haut, daß sie von Wunden und Schrunden zerrissen war.

Winnetou, die zu dieser Zeit mit dem Gedanken spielte, Tierarzt zu werden, schiente die Füße, um sie in eine normale Lage zu bringen, dann setzten wir die beiden von einander getrennt auf Heulager und begannen mit einer Diät, die eine Mastkur mit Vitaminen darstellte.

In ihr Futtermehl, das wir aus Weizenkleie, Gerstenschrot, Fleischmehl, Holzkohle und Salz zusammenstellten, taten wir eine bestimmte Dosis von Vitamin B Komplex und Leberextrakt und mischten das Ganze mit Ziegenmilch zu einem Brei, manchmal mengte ich sogar reine Hefe unter das Futter und ließ sie daran naschen. Wir servierten ihnen täglich zweimal ganze Schüsseln voll appetitlichster Rohkostgemüse wie Klee, Sojabohnenblätter, Erbsenblätter und dergleichen, wir tauchten die beiden Enten allmorgendlich in Waschgefäße und trockneten sie an der Sonne, und wir zwangen sie, auf einem Bein humpelnd täglich etwas Bewegung zu machen.

Susie ließ sich die Behandlung mürrisch gefallen, Emil aber, der Albatros, war kaum zu halten und schlug mit den Flügeln wie ein Geier.

Die Verletzungen, die wir bei den Tierbehandlungen davontrugen, waren mannigfach, ich kann sie hier gar nicht alle aufzählen. Es sei nur so viel bemerkt, daß in unsrer Tierapotheke ständig große Flaschen mit Jod und Verbandszeug für die Behandlung *unsrer* Wunden standen.

Da auf der Farm und im Leben immer alles zusammenkommt, so geschah es, daß zur selben Zeit, als Winnetou und ich intensiv mit der Erhaltung von Susie und Emil beschäftigt waren, Flicki zwei muntere Zicklein gebar, während Flocki gefährliche Schwierigkeiten hatte, und Zuck ihr mit den Händen drei Junge aus dem Leib holen mußte. Inzwischen hatte sich Heidi zwar keine Jungen, aber eine Euterentzündung zugelegt, das Melken wurde problematisch, und wir hatten alle Hände voll zu tun mit unserm Spital.

Endlich kam der große und gefürchtete Tag, an dem wir Emil und Susie die Fußverbände abnehmen sollten.

Die beiden waren durch die Behandlung und außerordentliche Verköstigung sanft wie junge Lämmer geworden, der gewaltige Emil schlug nicht mehr mit den Schwingen, sondern lag einem in den Armen und schaute träumerisch drein.

Ich kann den Augenblick nicht beschreiben, weder die Angst, die wir hatten, als wir die Bandagen lösten, noch die Freude, die wir empfanden, als die beiden Enten ihren Verbänden entsteigend auf geraden, ungekrümmten Füßen zum Teich watschelten und dem Leben wiedergegeben waren.

Sie spielten übrigens noch lange die Rekonvaleszenten, erschienen alltäglich bei der Küche, verlangten ihre Extrarationen und bekamen sie auch.

Susie wurde mild und gütig gegen uns und quakte wie eine Walt-Disney-Ente, die ihr Wohlgefallen ausdrücken will.

Emil wurde ruhig und weise nach seiner Krankheit und pflegte abends gemeinsam mit Goesta, dem kanadischen Enterich, auf einem Felsen über dem Teich zu sitzen und schien vergessen zu haben, daß er diesen Rivalen jemals gehaßt hatte. Und es lag eine elegische und sanfte Abendstimmung über den beiden versöhnten Erpeln.

Bei den bisher besprochenen Krankheiten handelte es sich um ordentliche, richtige Erkrankungen, die registriert werden konnten, wobei man nach Symptomen diagnostizierte, die Ursache festzustellen versuchte und Behandlung und Verhütung folgen ließ.

Zu wenig Beachtung wird meiner Meinung nach der persönlichen Behandlung der Tiere geschenkt, obwohl auch da schon ein gewisses Interesse für Tierpsychologie einsetzt. Ich bin der Überzeugung, daß die enormen Verluste, die die Farmer alljährlich durch Erkrankung der Tiere erleiden, wesentlich herabgesetzt werden könnten, wenn man den erkrankten Tieren nebst Sulfa und Penicillin auch noch etwas mehr persönliches Interesse entgegenbringen würde, um ihre Abwehrkräfte anzuregen und ihnen die dumpfe Lust am Sterben zu nehmen.

Eines Tages tauchte etwas ganz Neues auf, worauf wir nicht gefaßt und nicht eingerichtet waren, nämlich der Wahnsinn.

Wieder fanden wir Blutspuren in den Ställen, diesmal aber

waren auch Wände, Boden, Futtergefäße mit Blut bespritzt, und wir mußten feststellen, daß sich die Hühner nicht mehr in üblicher Weise rauften, sondern begonnen hatten, sich bösartig zu hacken und gefährlich zu verwunden.

Sie hackten einander nach den Zehen, auf die Köpfe, in die Hinterteile, sie gaben sogar auf ihren Schlafstangen keine Ruhe mehr, alles rötete sich von ihrem Blut, und wir beobachteten, daß sie einen unangenehmen und irren Ausdruck in den Augen hatten.

Die Beschreibung dieser Krankheit fanden wir unter dem Namen »Kannibalismus«, und die Behandlung, die dafür anempfohlen wurde, nämlich Beschneiden des Schnabels, erschien uns grausam und von einer so sinnlosen Äußerlichkeit wie das Anlegen von Zwangsjacken bei Irrsinnigen.

Als Ursache für Kannibalismus wurde Überfüllung der Ställe, juckendes Ungeziefer, Untätigkeit angegeben; alles das traf auf unsere Hühnerhäuser und -haltung nicht zu.

Das Bemerkenswerteste aber war, daß diese Krankheit unter der Rubrik der Mangelerkrankungen verzeichnet war, wie etwa Rachitis, Polyneuritis und die zuvor beschriebene »Gekrümmte Zehen«-Lähmung, und auf den Mangel an Vitaminen zurückgeführt wurde.

Es wurde ein Zusatz von Salz empfohlen.

Da wir nun so gute Erfahrungen mit unsrer Vitaminkur bei den Enten gemacht hatten, so legten wir uns eine kombinierte Behandlung zurecht.

Um ganz sicher zu sein, daß es sich keinesfalls um Ungeziefer handeln konnte, badeten wir unsre sämtlichen Kannibalen in warmem Wasser, das mit Schwefelblüte und Seife versetzt war, eine Lösung, die keine Milbe am Leben ließ. Die getrockneten Vögel staubten wir mit Lauspulver ein und desinfizierten die ganzen Ställe.

Dann gaben wir ihnen auf Anraten eines Farmers zwei Kohlköpfe — Vitamin A —, die sie zunächst im Stall umherrollten, als würden sie mit Totenköpfen Kegel spielen. Später hackten sie in den Kohl und fraßen etwas davon; als sie aber genug damit gespielt hatten, begannen sie wieder, einander zu hacken.

In ihr Legefutter und Kraftfutter hatten wir Reiskleie, Weizenkeime und Hefe in Körnerform gemischt und ihre Maiskörnerration als zu »hitzig«, wie es in der mittelalterlichen Medizinsprache heißt, herabgesetzt. Inzwischen bereiteten wir Hafersprossen vor, indem wir Hafer keimen ließen und ihnen den gekeimten Hafer und die Hafersprossen in breiten Waschschüsseln vorsetzten.

Zwei Tage nach dieser Kur waren sie wieder zahm, verträglich, vernünftig und bereit dazu, friedlich zusammenzuleben, anstatt sich zu verletzen oder totzuhacken. Es war alles wieder in Ordnung, nur ich hatte einen gewissen Schock davongetragen und konnte nicht ohne weiteres über die unheimliche Schlußfolgerung hinwegkommen, die man aus der Tatsache ziehen mußte, daß es möglich gewesen war, Angriffslust, Blutdurst und Wahnsinn mit Vitaminen zu bekämpfen.

Und wenn man gar ins Spintisieren geriet, eine Tätigkeit oder ein Zustand, der einen im Farmerleben manchmal befallen kann, so konnte man auch den Faden noch weiter spinnen und auf den merkwürdigen Zusammenhang verfallen zwischen der praktischen Anwendung von Hefe, Hafersprossen und Weizenkeimen und den Begriffen, die sie enthielten, nämlich das Gären, Sprossen und Keimen, Vorgänge, die im krankhaft gefährlichen Sinne angewendet werden können, aber auch einfach als Bezeichnungen für Wachstum gelten.

Nach diesen Berichten von der erfolgreichen Behandlung von Tieren, ihrer richtigen und zweckmäßigen Fütterung und Behausung scheint es mir an der Zeit zu sein, das USDA auf den Plan treten zu lassen, um nicht den falschen Anschein zu erwecken, wir hätten uns durch besondere Tüchtigkeit, Begabung und Intuition so rasch ins Farmleben eingearbeitet.

Wir hatten nichts weiter getan, als rechtzeitig und von Anbeginn uns daran gehalten, daß man von der Wiege bis zum Grabe in Stall, Wiesen, Feldern, Wäldern, Haus, Hof, Küche und Werkstatt mit dem USDA leben kann, und daß es klug und weise ist, sich diesen unsichtbaren Lehrmeister ins Haus zu setzen und in sein Leben einzubeziehen.

In einem Buch über die USDA fand ich folgende Beschreibung seiner Funktionen: »... das Landwirtschaftsministerium beeinflußt das Leben und die Lebenshaltung des amerikanischen Farmers und seiner Familie. Es gibt kaum irgendeine Phase im Farmleben, die nicht mit einer der fünfzig verschiedenen Abteilungen des USDA zu tun hat ... Die Funktionen dieser Abteilungen umfassen so ziemlich alles, was der Farmer getan hat, was er tut, was er plant, und was er tun möchte.

Da gibt es eine Vermittlungsstelle für Darlehen auf niederem Zinsfuß für seine Farm oder kommende Ernte. Sie geben ihm Bargeld, damit er seine Felder terrassenförmig anlegen kann, um das Abschwemmen des Bodens zu verhindern, oder um einen Teich in seinem Weideland anzulegen oder um Dungmittel anzuwenden und Hülsenfrüchte zu pflanzen und den Boden zur höheren Produktion zu steigern. Die Bureaus sagen dem Farmer, wie er Spinat für den Hausgebrauch und als Feldpflanze für den Gemüsemarkt zieht, und dann sagen sie ihm, was für Preise er für seine Erdnüsse erzielen kann, und wer sie ihm abkauft. Sie regulieren Zeit und Ort des Absatzmarktes für seine Produkte. Der Molkereibesitzer wird in bar subventioniert, wenn die Verbraucher die Milch zu teuer finden, sie schicken ihm landwirtschaftliche Arbeiter, wenn er Hilfe braucht, oder sie installieren Elektrizität auf seiner Farm, damit er sich eine Melkmaschine anschaffen kann.

Das USDA beschäftigt Tausende von Spezialisten, die nach neuen Getreidesorten, besseren Erntemethoden und nach Mitteln zur Bekämpfung von Insekten, Pflanzenschädlingen und Vieherkrankungen suchen. Sie versuchen, den Gefahren von Dürre, Flut und Frost zu begegnen, um die Produktion zu vergrößern. Wenn die Vorsichtsmaßnahmen mißlingen und die Ernte verloren ist, erhalten die Farmer, die die Ernteversicherung bei der Regierung eingegangen sind, so und so viele Scheffel (bushel) Getreide oder das Äquivalent dafür von den Vorratshäusern der Regierung ...

Die Bureaus des USDA helfen dem Farmer, für seine Ernteprodukte, Vieh und Geflügel die Preise anzusetzen und auf den Markt zu bringen. Wenn keine Käufer da sind, so sind bestimmte Bureaus bevollmächtigt, dem Farmer eine Anleihe zu geben, daß er die Produkte zurückbehalten kann, bis sich Käufer finden oder die Preise steigen. Diese Bureaus haben sogar das Recht, die Warenprodukte als solche zu kaufen und sie später mit enormen finanziellen Verlusten wieder zu verkaufen.

Ein anderes Bureau studiert die Fragen der Nahrungsmittel und der Ernährung und erteilt Ratschläge sowohl auf diesem Gebiet, wie es Auskunft darüber gibt, wie man am besten komfortable und hübsche Stühle herstellen kann[1].«

[1] Ferdie Deering: USDA Manager of American Agriculture, University of Oklahoma Press 1945.

Von den Funktionen und dem Ausmaß des USDA wußten wir zunächst wenig, und unsre Beziehungen dazu konnte man als rein praktische bezeichnen. Es versorgte uns mit Bulletins, es untersuchte unsre Bodenproben und Tiere und gab Auskunft auf Anfragen.

Es war also klar, daß sie viele Auskunftsstellen haben mußten, daß sie Laboratorien besäßen und einen gewissen Stab von Wissenschaftlern und Landwirtschaftsexperten beschäftigten, die die Resultate der Forschungen in Bulletins gemeinverständlich niederschrieben und verbreiteten.

Das Studium der Entwicklung der Landwirtschaft in Amerika, einer Entwicklung, die sozusagen unter unsern Augen täglich und stündlich weitergeht, ist zweifellos eine der interessantesten und wesentlichsten Beschäftigungen zum Verständnis der vergangenen, gegenwärtigen und zukünftigen Geschichte Amerikas. Ich kann nur wenig darüber berichten, da mir hier in Europa weder das Material über die Geschichte des USDA zur Verfügung steht, noch ich auf dem laufenden darüber bin, was sich inzwischen wieder alles verändert haben mag. Das Schwierigste aber ist, daß wir all die Ausdrücke und Bezeichnungen der Landwirtschaft, und was damit zusammenhängt, auf englisch erlernt haben und ich versuchen muß, sie mühselig ins Deutsche zurückzuübersetzen, wobei ich noch eine Anzahl von Bezeichnungen finde, die unübersetzbar sind, weil sie nur auf amerikanische Verhältnisse zutreffen.

Da aber das USDA eine der bedeutsamsten und wichtigsten Einrichtungen Amerikas ist, so kann ich nicht umhin, von diesem gewaltigen Hilfsapparat zu berichten und von dieser eigenartigen Institution zu erzählen, mit der wir jahrelang unser tägliches Leben verbracht haben.

DAS LEBEN MIT USDA

So hatte es angefangen:
Als wir damals von unserm Representative, dem Vertreter in Washington, die ersten Bulletins zugesandt bekamen und dadurch mit der Einrichtung der Merkblätter vertraut wurden, machten wir uns zuerst daran, unsern Grund und Boden anzusehen.

Es waren ungefähr achtundsiebzig Hektar Land, die wir gepachtet hatten, davon zwei Drittel Wald, ein Drittel Weiden, und wir beschlossen, zunächst nicht mehr als einen halben Hektar Land zu bebauen, da es im Krieg noch problematischer war, Arbeitshilfe zu bekommen, als im Frieden.

Der Boden war, außer dem Stück vorm Haus, das von gepflegtem Rasen bedeckt war, ungepflegt, verwildert, dicht mit Unkraut bewachsen, aber nicht ausgesaugt, ausgebeutet und zerstört, wie man auf große Strecken den Boden in Amerika vorfinden kann.

Ich schrieb eine Karte an das USDA-Bureau, das für Bodenkultur zuständig ist, und bekam bald eine zylinderförmige Schachtel zugesandt, in der ich Erdproben einschicken sollte.

Als dies geschehen war, bekam ich nach einiger Zeit einen Befund über die Beschaffenheit des Bodens, den wir zu bebauen vorhatten, zugleich wurde uns angeraten, welche Art von Düngemitteln zu verwenden wären, an welchen Stellen eine Saat mit Leguminosen zu empfehlen sei, und wo man Hirsegras ansäen sollte, um das vorhandene Unkraut zu ersticken.

Durch den Krieg war die Versorgung mit Kunstdünger erschwert worden, aber das war uns eben recht, denn wir sind der Meinung, daß die Verwendung von gut verrottetem Stalldünger für kleinere Farmen eine größere Rolle spielen sollte als der zu üppige Verbrauch von teurem Kunstdünger.

Diese Korrespondenz über Bodenverhältnisse fand im ersten Herbst unsres Einzugs auf der Farm statt.

Im folgenden Winter hatten wir, wie ich schon in den verschiedenen Kapiteln berichtet habe, die nötigen Informationen aus den Bulletins gezogen und uns einen systematischen Aufbau zurechtgelegt.

Wir waren uns einig geworden, was für Tiere wir uns anzuschaffen gedachten, wo wir sie zu kaufen hatten, welcher Rasse sie sein sollten, wie ihre Behausung aussehen müßte, und dann gingen wir an das Studium der Fütterung heran.

Das ist wahrhaftig ein Studium und wir stellten mit Staunen fest, welche Mannigfaltigkeit der Ernährung das Geflügel zum Wachsen und Eierlegen braucht, die Ziegen zum Milchgeben, die Schweine zur Mast.

Da gab es Mehl und Körnerfutter für die Kücken, Junghühner, Leghennen, Gänse, Enten, Ziegen, Schweine. Das Futter enthielt: Mais, Weizen, Gerste, Hafer, Sojabohnen, Alfalfa, Kno-

chenschrot, Fleisch- und Fischmehl, Magermilch, Sonnenblumen-
kerne, Leinöl, Lebertran usw. und wurde in Mischungen verab-
reicht, die der Tierart, dem Alter und dem Zweck entsprachen.
Diese sorgfältig zusammengesetzten Mischungen konnte man
in den Lagerhäusern der großen Futtermittelfabriken fertig
kaufen unter den Bezeichnungen: Kückenration, Kraftmehl für
wachsende Hühner, Legmehl, Mastmehl, Kratzfutter, Milch-
futter, »Manna« für Kälber, Schaf- und Ziegenfutter, Schweine-
futter. Dann gab es noch gemahlene Austernschalen (Muschel-
kalk), den die Leghennen zur Erzeugung einer festen Eischale
fraßen, und Kies, vom feinsten bis zum gröbsten, je nach Alters-
stufe, den alles Geflügel zur guten Verdauung benötigte.
Wir bauten überdies Alfalfa, Sojabohnen, Ladino und Rotklee,
Futterrüben und Erbsen, Pastinaken, Mangold und Mais für
die Tiere an, für uns selbst hatten wir feineren Mais, Kartoffeln
und einen Gemüsegarten angepflanzt und hielten für die Hühner noch Grasweiden, auf denen sie wie in einem Park pro-
menierten, um sich dann aufs ordinärste auf die großen Misthaufen zu stürzen, die weit entfernt und in reichlichem Maße
hochgetürmt im Schatten einer Scheune lagen.
Nachträglich frage ich mich, warum machten wirs uns nicht be-
quemer, warum warfen wir den Hühnern nicht einfach ein
paar Körner, Abfälle und Kartoffeln hin, ließen sie auf dem
Mist herumspazieren und im Ziegenstall schlafen? Warum ernährten, behausten und behandelten wir sie nicht, wie es auf
einer Unzahl Bauernhöfe in Europa und noch auf vielen Kleinfarmen in Amerika geschieht?
Die Frage ist nicht ganz einfach zu beantworten.
Es kam wohl daher, daß für uns das Farmen von keiner Gewohnheit und Tradition belastet war, unsre Lehrmeister waren
nicht unsre Väter und Urväter oder bäuerliche Nachbarn gewesen, sondern eben jenes USDA, das fortlaufend die Ergebnisse seiner wissenschaftlichen Forschungen in praktische Hand-
habungen übersetzt und gemeinverständlich vermittelt. Das
heißt, indem wir das Althergebrachte nicht kannten, hatten wir
den Mut und die Lust, ins gänzlich Neue und Unbekannte zu
springen, und wurden von der Freude befallen am Versuchen,
Erproben und am Resultat.
Durch die genaue Einhaltung der vorgeschriebenen Fütterungsmethode konnte man zum Beispiel erreichen, daß die Mauser
bei den Hühnern sehr spät eintrat und kurz anhielt, so daß die

schlechte Legzeit oft nur auf zwei Monate beschränkt blieb und erst im Dezember begann, zugleich hatten wir das Kraftfutter der weiblichen Junghühner rechtzeitig auf Legmehl umgestellt, so daß sie bereits mit fünf oder sechs Monaten zu legen begannen und dies im Herbst, wo die Eierpreise steigen und man einen angenehmen Verdienst aus dem Erlös der herbstlichen und winterlichen Eierproduktion ziehen konnte.

Das USDA hat auf Grund seiner Statistiken und durch Versuche auf seinen Musterfarmen herausgefunden, daß ein Bauernhuhn durchschnittlich 80—86 Eier jährlich legt und daß ein Huhn, dessen Rasse auf Produktion, Widerstandsfähigkeit gegen Krankheit und Klima gezüchtet wurde, das fachmännisch behaust und ernährt wird, es auf einen Mindestertrag von 160 Eiern im Jahr bringt, aber auch bis zu 200 und 250 produzieren kann.

Es ging aber nicht allein um die erhöhte Produktion, sondern um die Tatsache, daß man in Amerika, speziell auf dem Lande, ganz auf sich selbst gestellt ist und mit landwirtschaftlicher und hauswirtschaftlicher Hilfe, die rar und teuer ist, nicht rechnen kann und darf. Um diese vielverzweigte, ungeheure Arbeit bewältigen zu können, mußte man eine Methode anwenden, die für diesen uns neuen Lebensstandard zugeschnitten war, und diese Zuschneidearbeit wird für Amerika zum großen Teil von dem USDA geleistet, zusammennähen muß man sichs dann allerdings noch immer selber.

Daß sich das USDA mit neuen Farmmaschinen, mit Züchtungen von neuen Mais- und Weizensorten beschäftigt, gegen Tier- und Pflanzenerkrankungen kämpft, die Wirkung des Lichts auf Pflanzen erforscht, Hormonpräparate gegen Unfruchtbarkeit und für die Erhöhung der Milchproduktion bei Tieren anwendet, künstliche Befruchtung empfiehlt, chemische Präparate, Bakterien und Insekten zur Vernichtung von Insektenschädlingen anwendet, daß es sich mit der Bodenverbesserung in jeder Weise befaßt und auf all diesen Gebieten eine gewaltige Forschungsarbeit geleistet hat und konstant leistet, schien mir nicht so erstaunlich zu sein wie die Tatsache, daß es sich mit den kleinsten Details der Landwirtschaft, mit scheinbar unwesentlichen Dingen der Hauswirtschaft und den primitiven Vorgängen des täglichen Farmlebens abgibt.

Was ist das für eine Institution, die sich einerseits mit den Fragen der Baumwoll-, Tabak-, Mais-, Weizen-, Vieh-, Holzproduktion und allen jenen gigantischen Faktoren der Landwirtschaft beschäftigt, die für die Weltproduktion eine entscheidende Rolle spielen, und zu gleicher Zeit die Schritte der Hausfrau in ihrer Küche zählt, um zu erforschen, durch welche technischen Einrichtungen man ihr zwei Drittel dieser Schritte ersparen kann?

Was ist das für eine Einrichtung, die den Farmern beschreibt, wie sie Stühle polstern sollen, welche Tapeten und Bilder auswählen, wie sie Hüte modernisieren und auf die beste Weise ihre Zähne putzen können, welche Art von bunten Hausschürzen fröhlich stimmen, wie man antike, frühamerikanische Möbel erkennen kann, was man für Weihnachtsgeschenke machen könnte, welche Krawatten kaufen, und wie man durch eine gerade Haltung ein hübsches, angenehmes Äußeres erwerben kann?

Auf Grund dieser Kleinigkeiten schien es mir wissenswert zu sein, zu erfahren, wie dieses merkwürdige Departement für Landwirtschaft entstanden ist, wie weitläufig seine Funktionen sind und wie hoch die Kosten, um diesen Apparat in Gang zu halten.

In Amerika wird man rasch an Statistiken und astronomische Zahlen gewöhnt.

Die Entfernungen, Ausdehnungen, die Überblickbarkeit riesiger Flächen sind so groß und überdimensional, daß man anfangs in die Versuchung kommt, die Zeit in Lichtjahren berechnen zu wollen, und allmählich den Hang der Amerikaner zur Zahlengröße und dem Weitenwahn verstehen lernt und dabei nicht vergessen darf, daß viele von ihnen aus dem engen Europa gekommen sind.

Als ich aber zum erstenmal die Zahlen über das Ausmaß des USDA fand, verschlug es mir für einen Augenblick den Atem.

Da las ich, daß das USDA 80 000 Festangestellte beschäftigt und alljährlich mehr als eine Milliarde Dollar ausgibt und dies für sechs Millionen Farmbetriebe.

Ich fand eine Landkarte, auf der die 50 Hauptexperimentierstationen eingezeichnet waren, und unzählige kleine Punkte zeigten kleinere Laboratorien und Versuchsanstalten an. Dazu gibt es die vielen Bureaus in den 3074 Landkreisen der Staaten, die die Forschungsergebnisse in Form von Informationen weiterleiten und mit denen der einzelne Farmer in direkter Verbindung steht.

Die Funktionen des USDA umfassen drei Hauptgruppen: Administration, Forschung und Information, die sich mit all den Zweigen der Landwirtschaft befassen vom Straßenbau, Farmkrediten, Marktpreisen, über Insektenkunde zur Haushaltsökonomie, die ich in verschiedenen Kapiteln bereits erwähnt habe.

Das USDA ist als selbständiges Landwirtschaftsministerium erst im Jahre 1889 dem Kabinett eingegliedert worden, das aus dem Ministerium des Äußern und Innern, den Kriegs-, Marine-, Finanz-, Post- und Justizministerien bereits bestand und durch das Handels- und Arbeitsministerium im Jahr 1913 erweitert wurde.

Die Vorgeschichte des USDA liegt im Patentbüro.

Dieses Patentbüro bekam von aller Herren Ländern Probesamen zugeschickt.

»Nun gab es da einen Patentkommissar namens Mr. Henry L. Ellsworth, der ein Farmer aus Connecticut war und in seiner Eigenschaft als Kommissar des Patentamtes und zugleich als Bevollmächtigter für die Interessen der Indianer Inspektionsreisen durchs ganze Land machte. Mr. Ellsworth, so wird berichtet, war tief beeindruckt sowohl von den landwirtschaftlichen Möglichkeiten der westlichen Prärien als auch von der Unwissenheit und bitterer Not der dortigen Ansiedler. Er war überzeugt, daß ihnen geholfen werden konnte durch Anwendung besserer Werkzeuge und Pflanzensamen, die dem Klima und dem Boden angepaßt waren. Diese Notwendigkeit sah er als so dringend an, daß er, ohne den Kongreß zu fragen, auf eigene Faust Samen und Pflanzen an die Farmer im ganzen Land und speziell im Westen verteilen ließ[1].«

Unter jenem energischen Mr. Ellsworth wurde das Patentamt am 4. Juli 1836 ein eigenes Büro, und schon drei Jahre später wurden diesem neuen Büro 1000 Dollar zugebilligt für landwirtschaftlich-wissenschaftliche Zwecke.

Das Jahr 1862 brachte unter Präsident Lincoln drei entscheidend wichtige Gesetze für die Landwirtschaft. Am 15. Mai 1862 wurde ein »Commissioner« für Landwirtschaft ernannt, der aber noch nicht Kabinettsmitglied wurde. Damit aber war ein eigenes Büro für Landwirtschaft geschaffen worden, und schon damals wurden die Aufgaben für dieses Büro festgelegt. Es

[1] History of Agricultural Education of Less Than College Grade in the US. Compiled by Rufus W. Stimson and Frank W. Lathrop.

sollte dazu dienen, wertvolle und nützliche landwirtschaftliche Informationen zu sammeln, nützliche Pflanzen, Samen und Tiere einzuführen, Fragen der Farmer zu beantworten und nach ihren Anfragen die Themen für Publikationen zu wählen, durch Experimente Werkzeuge, Bodenbeschaffenheit, Samen, Dünger, Tiere zu untersuchen, Boden, Getreide, Früchte, Gemüse, Dünger einer chemischen Analyse zu unterziehen und die Resultate zu veröffentlichen, sich mit Botanik und Insektenkunde zu beschäftigen und Bibliotheken und Museen einzurichten.

Fünf Tage nach Etablierung des landwirtschaftlichen Büros kam am 20. Mai das Homestead-Gesetz heraus. Dies bedeutete, daß jeder Mann und jede Frau über 21 Jahre 160 acres Land, das sind ungefähr 60 Hektar, aus der public domain, dem öffentlichen Staatsgrundeigentum, anfordern konnten, um sich dann nach fünf Jahren der Bearbeitung und Verbesserung des Grundstücks als Eigentümer des Besitzes eintragen zu lassen. Dieses Gesetz galt für Amerikaner oder für Ausländer, die amerikanische Staatsbürger werden wollten. Von dieser Schenkung waren Personen ausgenommen, die gegen die Vereinigten Staaten gekämpft hatten.

Am 3. Juli 1862 kam der Grund-und-Boden-Schenkungsakt (land-grant College Act) heraus, der den staatlichen Universitäten viereinhalb Millionen Hektar Land zur Verfügung stellte, aus dessen Erlös die einzelnen Staaten ihre landwirtschaftlichen Hochschulen zu subventionieren hatten.

Mit diesen drei Gesetzen wurde die Landwirtschaft auf die Basis der bewußten Unterstützung und Information gestellt.

Im landwirtschaftlichen Büro kam nun eine Einrichtung nach der andern zustande, wie Lebensmittelüberwachungsstelle, tierärztliches Institut, das Büro für Versuchsstationen, das Wetterbüro usw.

Nachdem es Ministerium geworden war, kamen die Büros für Bodenkultur, Forstwirtschaft, Chemie, Insektenkunde, Straßenbau usw. dazu.

Die Geschichte der Landwirtschaft und der Entstehung des USDA ist ein merkwürdiges und interessantes Konglomerat von Geschichte, Wissenschaft und Politik, zugleich aber auch ein Dokument von der Ausdauer, der Leidensfähigkeit, dem Übermut, den Sünden, den Tugenden, der Gleichgültigkeit und dem unbrechbaren Mut des Menschengeschlechts.

Die Bedeutung und das heutige Maß des USDA kann man nur verstehen, wenn man einige wenige Grundzüge der landwirtschaftlichen Geschichte Amerikas kennt.

So schrieb ein Universitätsprofessor aus Tennessee folgende knappe Schilderung über die frühen Farmer in Amerika: »Die ersten Farmer in Amerika hatten mit unzähligen und großen Hindernissen zu kämpfen: mit der Wildnis der Natur, den Angriffen der Indianer und der wilden Tiere auf ihre Herden, mit der Schwierigkeit, Werkzeuge und Samen zu erhalten, mit einem Klima und Boden vertraut werden zu müssen, die vollkommen verschieden waren von allem, was sie von zu Haus aus gewöhnt waren. Die ersten Ansiedler mußten sich auf die primitivsten Methoden beschränken. Sie fällten und verbrannten die kleineren Bäume und das Unterholz, dann pflügten sie den Boden oberflächlich mit einem selbstgemachten Pflug und bearbeiteten Mais und Tabak mit einer hölzernen Harke. Der Ansiedler nahm die Ernte, die ihm die Natur schenkte, ohne Überlegung hin und verbrauchte sie verschwenderisch. Er bebaute den Boden, bis er ausgesaugt und unbrauchbar wurde, dann zog er mit seiner Familie weiter und rodete ein neues Stück Land. Solang es unermeßlich Land gab, wurde auf die Erhaltung und Fruchtbarkeit des Bodens nicht geachtet. Amerika war ein so weites und fruchtbares Land, daß die Menschen mehr als ein Jahrhundert dazu brauchten, bevor sie herausfanden, daß es eine Grenze gibt auch für den produktivsten Boden[1].«

Zu dieser Zeit, als ihnen eine Ahnung von dieser Grenze zu dämmern begann, scheinen sie auf den Einfall gekommen zu sein, das Samenkorn des USDA in den dürren, unfruchtbar werdenden Boden zu legen, und es ist kein Wunder, daß in unsrer Zeit der Kernpunkt aller landwirtschaftlichen Probleme für das USDA darin liegt, wie man den auf enorme Flächen durch Mutwillen, Spekulation und Unwissenheit zerstörten Boden Amerikas wieder ertragfähig machen kann.

Man muß sich das nur einmal richtig vorstellen: da kamen jahrhundertelang unzählige Europäer von ihren armseligen Äckerchen und verschuldeten Bauernhöfen in dieses ungeheure Land, und es spielte sich eine Geschichte ab, wie sie in Sagen und Urmärchen vorkommt.

Sie mußten sich durch undurchdringliche Wälder und schauerliche Gefahren durchkämpfen, Hitze, Stürme und Kälte er-

[1] A. C. True: A History of Agricultural Education in The United States 1925.

tragen, in Erdhöhlen oder primitiven Blockhütten hausen und durch alle Stationen und Mutproben durchgehen, und wenn sie dabei nicht verreckten, so konnte es ihnen gelingen, den großen Schatz zu erwerben.

Diese Stationen aber und Mutproben hatten diese europäischen Kleinhäusler von Grund auf verändert und in ihnen einen unstillbaren Drang zum Weiterwandern erzeugt, und indem sie von Station zu Station weitereilten, wurden die Proben, die sie dabei zu bestehen hatten, zu Abenteuern. Sie gewöhnten sich an das nomadische, unstete Leben; sie glaubten unbegrenzte Profite herausholen zu können, ohne dafür etwas zurückzugeben; sie trieben ohne Überlegung Raubbau, weil sie vergessen hatten, daß es noch irgend etwas gab, das erhalten und gepflegt werden müßte, wie es der Boden verlangt, wenn er Ernten tragen soll.

Das USDA hat in den letzten Jahren ungefähr 22 Millionen Hektar Land wieder ertragfähig gemacht. Das ist nur ein Zehntel der Bodenfläche, die durch falsche Behandlung der Erosion verfallen ist und unfruchtbaren, unbebaubaren Boden darstellt.

Im Jahrbuch des USDA 1943–1947 schreiben sie: »Erziehung und Forschung gehören zusammen. Viel wichtiger als die Erziehung zur Technik ist die Erziehung zur Anwendung wissenschaftlicher Methoden. Die kulturellen Werte, die dabei gewonnen werden, sind vielleicht entscheidender als die rein praktischen, so bedeutend die auch sein mögen. Die Methoden der Wissenschaft sind die der Demokratie. Jeder einzelne sollte lernen, wie er die Wissenschaft für sich verwendet, und sich nicht auf einen Experten verlassen. Nirgends ist dies wichtiger wie auf der Farm. Es wäre ein trauriger Tag für die Demokratie, wenn sich die Farmer an die Experten wenden würden, damit diese die Entscheidungen für sie treffen. Von den Wissenschaftlern sollen sie lernen, und es is. Sache der Wissenschaftler, ihnen die Ergebnisse ihrer Forschungen so zu übermitteln, daß sie sie verstehen, benützen und mit ihnen zusammenarbeiten können. Aber es ist nicht die Sache der Wissenschaftler, das Farmen für die Farmer zu übernehmen. Die Spanne zwischen der Entwicklung neuerworbenen Wissens und der Technik durch Forschung und die Anwendung durch den Farmer ist zu groß. Das trifft vor allem darauf zu, wo eine beträchtliche und grundlegende Änderung des landwirtschaftlichen Systems erforderlich ist, um zur Verwirklichung des nutzbringenden Resultats zu kommen.

Der Gebrauch von Hybriden-Mais hat sich rasch verbreitet, weil dazu keine Umstellung erforderlich war und man nur neues Saatkorn verwenden mußte. Aber die Bodenkultur für neue Weiden und Dungsaaten für Baumwolle erfordern eine völlige Umstellung des Bebauungssystems. Und diese Umstellung geht viel zu langsam vor sich ... Jeder Schritt vorwärts ist wichtig für alle andern. Es sollte niemandem gestattet werden, zurückzubleiben und die Zeit des Friedens zu vergeuden ...[1]«

An einer andern Stelle des Jahrbuchs heißt es: »Wir wissen, daß die Wissenschaft die Welt rasch erneuern wird, entweder auf einem normalen, nicht zu langsamen Weg oder durch eine Serie von Katastrophen. Diese Tatsache des erneuernden Wechsels gibt uns noch eine Chance, die Probleme friedlich zu lösen, die zum Krieg führen könnten. Da die Farmwissenschaft jedes einzelne Leben betrifft, so müssen wir uns mit der Tatsache vertraut machen, daß eine neue und anständige Welt von einer starken und wachsamen Wissenschaft des Farmers abhängig ist. Viele von uns sind sich noch nicht klar darüber, daß die Wissenschaft die Fülle physisch ermöglichen kann. Dies zu wissen ist wichtig, weil wir endlich einsehen müssen, daß keine Gruppe in Sicherheit leben kann, wenn andere ohne Vertrauen und Hoffnung leben müssen ...[1]«

Das heißt also, das USDA will unabhängige Farmer erziehen, die die Ergebnisse ihrer Forschungsexperimente handhaben können. Das heißt, das USDA will in seiner Grundkonzeption ein Umschlagplatz der Wissenschaft über die gemeinverständliche Belehrung zum direkten alltäglichen Leben sein, ein Kräftesammelpunkt und zugleich ein Verteiler der gesammelten Kräfte.

Das heißt, indem sich das USDA mit den kleinsten und geringsten Tätigkeiten des täglichen Lebens beschäftigt, will es die Erziehung vornehmen zur Wissenschaft für eine neue Welt. Das heißt, das USDA ist ein Versuch zu handeln, bevor es zu spät ist, die Manifestierung eines Willens, die Fehler der Vergangenheit gutzumachen, der Ausdruck einer Angst zur rechten Zeit, der Furcht vor dem gegenwärtigen Zustand und der Entschlossenheit zu einer besseren Zukunft.

Das heißt, das USDA *könnte* ein genialer Einfall sein, zur Bewahrung des Friedens, zur Verhütung des Hungers und zur Erhaltung des Lebens.

[1] USDA, Yearbook of agriculture 1943—1947.

Eines Abends saßen wir bei Tisch mit den Kindern, die eine kurze Urlaubswoche bei uns verbrachten, und wir alle waren in jene angenehme Stimmung geraten, die das Leben leicht und unbeschwerlich erscheinen läßt und Lachen auslöst über geringfügige und unerhebliche Dinge.

Diese Fröhlichkeit an jenem Abend war einerseits durch die praktische Tatsache entstanden, daß Zuck einen Artikel an eine Zeitschrift verkauft hatte und wieder etwas Geld ins Haus kam, andrerseits und überdies hatte Michi, deren Spezialitäten Mehlspeiskochen, Nähen und Stricken waren, sich zur Herstellung von echten Faschingskrapfen entschlossen, ein gewagtes Unternehmen, da es Februar war und die Außentemperatur wieder einmal auf 35 Grad unter Null stand.

Sie hatte uns zunächst alle aus der Küche ausgesperrt, damit keine Zugluft die aufgehenden Krapfen stören konnte, und uns erst wieder in die Küche hineingelassen, als die Krapfen im heißen Schmalz schwammen und der Tisch aufs prächtigste gedeckt war. In der Küche dampfte es vor Hitze, die Eisblumen an den Küchenfenstern verdeckten die Kältelandschaft, die sich drohend ums Haus gelagert hatte. Die Hälfte der Krapfen lag zart, hellbräunlich, mit je einem gelben Streifen, der sich wie eine Äquatorlinie um die Mitte zog, auf dem Fließpapier, bereit, auf die gewärmten Schüsseln übertragen zu werden, während die übrigen Krapfen noch im Schmalz brutzelten.

Wir setzten uns zu Tisch, lobten Michi, priesen ihre Krapfen und verfielen in jenes wunschlose Behagen, das durch Wärme, wohlgeratene Speisen und ein Zusammengehörigkeitsgefühl innerhalb der Familie und unter Freunden plötzlich oder langsam entstehen kann.

Die Kinder baten Zuck, er möge ein ganz großes Feuer im Kamin des Wohnzimmers in Gang bringen und einen »hot buttered rum« brauen, ein angenehmes Punschgetränk für Polarregionen, das aus Rum und süßem Apfelmost bestehend in Tassen serviert wird, wobei man in jede Tasse ein kleines Stück Butter tut, die auf der Oberfläche des heißen Getränkes schmilzt und den Rumgeschmack seltsamerweise erhöht, statt ihn zu stören.

Zuck mußte zuerst in die Scheune gehen, um die riesigen Klötze zu holen, mit denen er den großen Ofen des Wohnzimmers zu füllen hatte. Dann brachte er noch ein paar Birkenscheiter herein, um sie auf das Feuer des offenen Kamins zu legen.

Als er mit der zweiten Ladung Holz durch die Küche ging, sagte Michi plötzlich, und ein sehr dunkler Schatten legte sich über ihr Gesicht: »Wird es jemals noch in unserm Leben eine Zeit geben, wo man nicht gleich nach Tisch aufspringen muß und Berge von Geschirr auftürmen, abwaschen und trocknen, wo du kein Holz mehr schleppen, Kohlen rütteln und nachlegen mußt, wo ihr nicht mehr die Küche gepflastert habt mit all diesen fürchterlichen Listen, nach denen ihr einteilt, plant und arbeitet, ohne Aussicht, die Arbeit je bewältigen zu können, ohne Hoffnung, je damit zu Ende zu kommen?«

Zuck blieb einen Augenblick in der Küche stehen; mit den Achseln konnte er nicht zucken, weil das Holz zu schwer war, das er auf den Armen trug, aber das Achselzucken lag in seinem Tonfall, als er sagte: »Ich weiß nicht, ob sich das je ändern wird, aber vielleicht ist es ganz gut so . . .«

»Es ist nicht gut so«, sagte ich, »besonders nicht für einen, der was Wichtigeres im Kopf hat, der eine andere Arbeit zu leisten hätte als zu heizen, melken und Schweinestall misten.«

»Bitterkeit führt zu nichts«, rief Winnetou, die dieses bittere Sprichwort in der Schule gelernt hatte, »ich werde jetzt die Katzen füttern, ihr wascht ab, ich helfe euch abtrocknen, du machst den Rum, und wenn wir fertig sind, haben wir wieder Platz für ein paar Krapfen.«

Eine halbe Stunde später saßen wir im Wohnzimmer, die Kinder lagen am Ofen und reckten die Füße zum offenen Kaminfeuer.

Es stand noch ein Berg von Faschingskrapfen auf dem Tisch, es roch nach Holzfeuer und Rumpunsch, nach Silvester und Fasching, und zugleich empfand man ein Zuhausesein und eine Geborgenheit, wie man sie nirgends haben kann, wo Nachbarhäuser nah sind und Menschen leicht zu erreichen. Man sprach vor sich hin, leicht ermüdet, nachsichtig gegen das Schicksal und bereit dazu, den Humor, den man zeitweise verloren hatte, wieder in seine Rechte einzusetzen.

Aber immer wieder kamen wir auf das Thema »Arbeitshilfe« zurück und beleuchteten es von allen Seiten.

Die Kinder erinnerten sich an die guten Zeiten, in denen unser Dienstpersonal aus vier Leuten bestand und die Kinder sich zu unserm Verdruß und unter Beihilfe der Kinderfrau angewöhnt hatten, das Stubenmädchen herbeizuläuten, auch wenn sie nur ein Glas Wasser trinken wollten.

Wir sprachen von den Schicksalen unsrer Dienstleute, woran man lebhaft Anteil genommen und oft geradezu damit verbunden war; wir holten die Briefe hervor, die sie uns unter größter Gefahr nach Hitlers Machtergreifung geschrieben hatten, und die Dokumente von »edler Einfalt und stiller Größe« darstellten.

Wir sprachen von den Begriffen des Dienens und der damit verbundenen Herrschaft, von dem Beruf des Dienstboten oder der Kellnerin, von dem Zustand des Sich-Bedienen-Lassens und von der Arbeit an sich.

Wir fanden viele Beispiele aus unserm vergangenen europäischen und unserm gegenwärtigen amerikanischen Leben, aber wir fanden keinen zufriedenstellenden Ausweg für die Zukunft und sahen nur den Gaurisankar an Arbeit vor uns, den man niemals ganz bewältigen konnte.

Im Laufe des Abends sagte ich zu Michi: »Da fällt mir übrigens noch eine komische Geschichte ein, sie ist recht dumm, aber sehr wahr. In New York treffen sich zwei Emigrantinnen aus Österreich auf der Straße. ,Ist das nicht herrlich', sagte die eine, ,was es in Amerika alles gibt. Davon hätte unsereiner sich nichts träumen lassen: überall der elektrische Eiskasten, die Waschmaschine, das Auto für jedermann, der elektrische Gemüseschneider, Früchtepresser, Schlagobersschläger, die Tellerwaschmaschine, der singende Teekessel, der automatische Büchsenöffner!' ,Ja, das ist alles ganz schön', unterbrach sie die andere und stößt einen tiefen Seufzer aus, ,aber die Marie war mir lieber.'«

Hier in Europa muß ich oft an jenen Faschingskrapfenabend mit seinen Gesprächen zurückdenken.

Ich war erstaunt und tief beeindruckt über die Fülle von Maries, Annas, Rosas, Mizzis, Kathis, Friedas und Ellas, die es noch gab, die Zimmer aufräumten, Betten machten, Tische deckten, kochten, das Essen auftrugen, abwuschen und immer noch dazu da waren, die lästige, schmutzige, unaufhörliche, unendliche Arbeit für andere zu tun.

Natürlich haben wohlhabende Amerikaner Dienstpersonal, aber schon allein die Tatsache, daß nur ein ganz geringer Prozentsatz von New Yorker Häusern Wohnungen vermietet, die mit Dienstbotenzimmern versehen sind, spricht dafür, wie gering die Anzahl von festangestellten Dienstboten sein muß.

Der normale Zustand für einen Städter ist eine Zugehfrau, eine Schwarze oder eine Weiße, die je nach seinem Einkommen täglich oder zwei- bis dreimal oder nur einmal die Woche auf ein paar Stunden kommt.

Die Stundenlöhne sind hoch, es ist selten eine persönliche Verbindung vorhanden, ja in Kriegszeiten wurde die Verbindung so lose, daß man nie wußte, ob die Hilfe, die am Montag noch freundlich aufräumte, nicht bereits am Donnerstag wort- und grußlos wegbleiben würde. Andererseits hatte man auch gar keine Verpflichtungen gegen sie und konnte sie täglich und stündlich ohne Grund kündigen.

Anfangs fand ich es erschreckend, wenn ein Mädchen plötzlich ohne entscheidenden Grund nach etwa fünf Jahren Dienst eines Abends ihre Sachen packte und auf ewig wegging. Oder wenn eine Familie in einen andern Staat zog und ihrem Mädchen, das ihnen jahrelang treulich gedient hatte, plötzlich erklärte, sie sei nun nicht mehr vonnöten. Langsam erst begriff ich, daß es sich hier nicht um Bindungen handelte, wie sie im guten und im schlechten Sinn in Europa existierten, sondern um eine Arbeit, einen »job« wie jeder andere, der auf eine möglichst sachliche, gefühlsunbelastete Basis gestellt wurde.

In Vermont lag die Sache noch viel schwieriger und im Krieg am allerschwierigsten.

Zum Dienen sind die Vermonter gar nicht geboren, sie können sich allenfalls entschließen, einem zu helfen, und man darf diese Hilfe keineswegs als etwas Selbstverständliches oder Bezahlbares hinnehmen. Die Löhne, die sie für ihre Arbeit verlangen, sind relativ niedrig, weil das ihr Freiheitsgefühl erhöht.

Ein Freund von uns suchte einmal verzweifelt nach einem Burschen, der ihm das Gras mähen sollte.

Nach langer Suche meldete sich einer bei ihm, und er fragte ihn, wieviel er für die Stunde verlange.

»50 Cents die Stunde«, antwortete der Bursche, »aber wenn Sie versuchen, mir was dreinzureden, 60.«

Im ersten Jahr hatten wir Glück.

Da kam noch dreimal die Woche auf je vier Stunden eine Vermonterin aus dem Dorf zu uns. Sie war einst Lehrerin gewesen, nun war sie Witwe, hatte zwei Kinder und konnte nur mehr Aushilfsarbeit tun.

Sie war hübsch, still, angenehm, man saß gerne mit ihr zu Tisch, und man mutete ihr keine schmutzige und unangenehme

Arbeit zu. Sie war außerdem Berichterstatterin der Wochenzeitung, und zu ihrer Zeit konnte man im Wochenblatt viel über unsre Familie lesen, so zum Beispiel, wann die Kinder auf Ferien zu Hause waren, wen wir, und wer uns besucht hatte.

Nach einem Jahr zog sie zur Stadt, und dann mußten wir zwei Jahre lang ohne jede Hilfe im Haus auskommen, und das war recht beschwerlich, da das Haus aus zehn Räumen bestand, wovon das Wohnzimmer ein Saal war und die Küche die Größe eines Tanzbodens hatte.

Erst im Herbst 1944 gelang es, uns die Hilfe einer Farmerstochter zu sichern, die zweimal die Woche zu uns kam und uns durch Heirat im Frühling 1946 wieder entrissen wurde.

Den andern Farmern ging es nicht besser als uns, sie hatten eine unvorstellbare Arbeit zu bewältigen ohne entsprechende Hilfe. Da gab es eine Farm mit 1500 Hühnern, 8 Kühen, 12 Stück Jungvieh, 4 Schweinen, 30 Hektar bebautem Land und 500 Zucker-Ahornbäumen, von denen der Sirup eingebracht und verkocht werden mußte. All diese Arbeiten hatte der Farmer mit Hilfe eines alten Mannes zu bewältigen, höchstens im Sommer bekam er ein oder zwei Hilfsbuben für die Bestellung der Felder. Ein anderer Farmer mußte monatelang mit der Hilfe eines jungen Burschen auskommen, um täglich zweimal seine 60 Kühe zu melken, ein anderer Farmer wieder besorgte seine 16 Kühe und alle Stallarbeit ganz allein und war daneben noch Holzfäller.

Durch diese paar Beispiele kann man sich einen Begriff machen, wie unerläßlich die landwirtschaftlichen Maschinen fürs Feld, die elektrische Melkmaschine im Stall und die hunderterlei kleinen Hilfsmaschinen im Haus für die überlasteten Farmer und ihre Frauen sind, um auch nur einigermaßen die enorme Arbeit leisten zu können.

Unter diesen Umständen war es auch unmöglich, freundliche Farmer um Hilfe zu bitten, da sie mit ihrer eigenen Arbeit kaum zurechtkommen konnten.

Ein Kapitel für sich waren die Hilfsbuben, Buben, die zwischen zwölf und siebzehn Jahren in bunter Reihe durch unser Haus zogen, viele merkwürdige und erstaunliche Eigenschaften an sich hatten und wenig vorhanden waren. Sie mußten morgens um sieben Uhr das Haus verlassen, kamen abends je nach eigenem Ermessen heim, fragten dann täglich frisch und unverdrossen, was sie eigentlich tun sollten, obwohl ihre Arbeit bis ins kleinste Detail festgelegt war.

Ihre Ernährung war kein Problem, sie aßen — wenn sie vom Lande waren — gewöhnlich nur Kartoffeln, Bohnen, Frankfurter, Fleischwurst und sonst gar nichts, die fehlenden Vitamine ersetzten sie durch Zigarettenrauchen.

Zwei von ihnen, die trotz frischer Landluft aussahen, als wenn sie die Schwindsucht in der Brust, Skorbut im Mund und die Auszehrung im Leibe hätten, wurden trotz ihres erbarmungswürdigen Aussehens von der Armee eingezogen, beim Militär gezwungen, Steaks, Gemüse und Obst zu essen, und erstarkten unter dieser Behandlung widerwillig zu blühenden Riesen. Als der eine von ihnen ein halbes Jahr nach dem Krieg aus Japan zurückkam und mich auf der Straße grüßte, erkannte ich ihn nicht wieder.

Da wir uns an die Absonderlichkeiten unsrer Tiere gewöhnt hatten, fügten wir uns auch den Eigenschaften unsrer Hilfsbuben, obwohl ich den Samstag fürchtete, wo sie schulfrei hatten und man sie einen ganzen Tag lang um sich ertragen mußte. Da nun die neue Erziehungsmethode für Kinder und Jugendliche bis aufs Land vorgedrungen ist und die armen Kinder nach freiem Ermessen tun und lassen dürfen, was sie wollen, ohne von hilfreichen Erwachsenen vor dem Unrechten gewarnt und zum Rechten angeleitet zu werden, sind sie hilflos einer Pseudo-Freiheit preisgegeben, in der sie sich nicht zurechtfinden können.

Die Kinder treiben nun in ruderlosen und steuerlosen Booten auf wilden, unbekannten Gewässern oder sitzen auf Sandbänken fest, und als natürliche Folge richtet sich ihre Wut und Verzweiflung gegen die Erwachsenen, die ihnen das scheinbar große und verlockende Geschenk des Bootes gemacht haben, jedoch vergaßen, es mit Ruder und Steuer zu versehen.

Den Kindern wurde aber vor allem eingeprägt, daß sie Kinder seien und daher den Freibrief der Narrenfreiheit ständig bei sich trügen.

Als ich einmal nach Hause kam, fand ich, daß unser dreizehnjähriger Hilfsbube sich in unsrer Abwesenheit damit vergnügt hatte, ein Feuer *auf* der Herdplatte des Küchenherdes zu entzünden und es so reichlich mit Spänen zu nähren, daß die ganze Küche in Rauch gehüllt war und da und dort am Fußboden glühende Holzstückchen verstreut lagen. Als ich das Feuer auf

dem Ofen rasch mit Wasser löschte und die brennenden Holz-
stücke auf dem Boden zertrat, schaute er mit verschränkten
Armen meinem hastigen Tun zu.

Ich wurde böse und hielt ihm vor, daß er mit seiner Spielerei
leicht das ganze Haus hätte in Brand stecken können, worauf er
mich nur sichtlich erstaunt ansah und beleidigt sagte: »Was
wollen Sie eigentlich von mir; ich bin doch nur ein Kind!«

Diese Feststellung entbehrte nicht einer gewissen Komik, aber
von da an war es mir unheimlich, was er kraft seines Kindseins
und seiner Kindschaft noch alles anzurichten imstande wäre,
und ich wollte nichts weiter von ihm, als daß er so rasch wie
möglich unser Haus verlassen möge.

Unsere Hilfsbuben blieben nie lange, manche kamen nur über
die Weihnachts- und Sommerferien zu uns, und trotz ihrer
mannigfachen Untugenden war es immer ein harter Schlag,
wenn sie dahinzogen und wir wieder alle Arbeit allein machen
mußten.

Die Dauer ihres Bleibens hing übrigens auch mit der Bestellung
bei Sears und Roebuck zusammen, und je nachdem sie sich
eine Hose oder ein Gewehr bestellt hatten, konnte ich mir nach
dem Katalog ausrechnen, wie lange sie daran abzuzahlen hätten, dann dividierte ich den Lohn, den sie bei uns bekamen,
durch die Summe der bei Sears und Roebuck bestellten Ware
und konnte daraus klar ersehen, wieviele Wochen sie noch bei
uns bleiben würden. Wenn ich nachrechne, waren es alles in
allem nur zehn Hilfsbuben gewesen, die auf kurze oder län-
gere Zeit bei uns eingekehrt waren. Aber mir scheint es ein gan-
zer Reigen zu sein, so vielfältig und so verschiedener Art waren
sie gewesen, und es erforderte viel Seelenkraft, mit ihnen umzugehen.

Wenige von ihnen stammten aus Vermont, einige kamen aus
der Stadt, und drei davon waren Emigranten.

Mit einem hatte ich einen besonders schweren Stand, er war ein
munterer und aufgeweckter Jüngling aus Österreich, der in
Windeseile alle Abfälle aus den Kehrichteimern Amerikas ge-
sammelt, verschluckt und schlecht verdaut hatte.

Ich fand ihn eines Morgens in unserm Wohnzimmer, den Hut
auf dem Kopf, die Füße auf dem Tisch, Zucks Whiskyflasche
neben sich auf dem Boden, in der Hand Spielkarten. Das Radio
hatte er auf brüllendste Lautstärke gedreht, dazu spielte er mit
sich selbst Poker und spuckte von Zeit zu Zeit in den Kamin.

Ich stellte mich unmutig vor ihm auf und sah ihn nachdenklich an: »Sind Sie ganz sicher«, fragte ich ihn vorsichtig, »daß man Ihnen dadurch, daß Sie die Füße auf den Tisch legen, spucken, fluchen, trinken und in einem ordinären Slang amerikanisch reden, den waschechten, eingeborenen Amerikaner glaubt? Ich warne Sie, die Amerikaner haben eine gute Nase für echte Typen. Vielleicht sollten Sie sich einen andern amerikanischen Typus zurechtlegen, der Ihnen besser liegen würde und überzeugender wirkt.«

In diesem Hilfsbubenreigen gab es eine feste Erscheinung, die zeitweise verschwand, aber immer wiederkehrte. Wir hatten ihn als Dreizehnjährigen bei unsern Sommeraufenthalten kennengelernt, und als Fünfzehnjähriger war er mit uns auf die Farm gezogen und wurde daher unser Anfangsbube genannt.

Er stammte aus einer kinderreichen Familie, sein Vater war Holzfäller und Gelegenheitsarbeiter, und unser Anfangsbube stand zu Zeiten seines Eintritts in unser Haus nicht weniger am Anfang aller Dinge in der Wissenschaft des Farmens als wir.

Er war sehr hübsch, hatte feine Manieren, fluchte, trank und rauchte nicht, hängte keine Bilder von halbnackten Filmstars in den Hühnerställen an die Wand, lag nicht, anstatt zu arbeiten, in der Pose der Madame Récamier auf unsern Sofas umher, küßte unsre Schweine nicht auf die Rüssel, quälte keine Tiere, pflegte nicht leere Mostkrüge als Toilette zu benützen, versuchte Brandstiftung zu vermeiden und aß fast alle Speisen, die man ihm vorsetzte. Er war kein Musterknabe, er hatte manche Fehler, die aber durch Gutartigkeit und kindliche Einfalt gemildert wurden.

Vor allem aber wollte er kein Kind sein, vielmehr war er von dem ernsthaften Verlangen beseelt, erwachsen zu werden, und bestellte sich daher Anzüge bei Sears und Roebuck, die in Schnitt und Farbe ebenso gut von erwachsenen Männern hätten getragen werden können.

Die hellen, feinen Herrenhemden, die er sonntags trug, standen allerdings in einem gewissen Farbenkontrast zu Hals und Ohren, daher veranlaßte ich ihn, wenn irgend möglich, Samstag abend zu baden, eine Zumutung, die er als niedrigste und schmutzigste Arbeit empfand. An solchen Samstagen ging er mürrisch und traurig umher, und als ihn Zuck einmal nach der Ursache seines Kummers fragte, sagte er bekümmert und angewidert: »Sie will schon wieder, daß ich bade.«

Zu seinem 16. Geburtstag schenkte ich ihm Badesalz und ver-
süßte ihm das Baden dadurch so sehr, daß er stundenlang im
Wasser verweilte und ich an die Tür klopfen mußte mit der
Mahnung: »Waschen nicht vergessen!«

Das Streben nach dem Höheren ging bei ihm alle Wege, und
das Beschwerliche war sein rasender Bildungsdrang und die
hohe Meinung, die er sich von uns gebildet hatte und uns
zwang, sie zu verwirklichen.

Zuck entzog sich seinen Fragen, indem er abends in sein Zimmer verschwand, wo er manchmal Versuche anstellte, zu schreiben.

Ich aber mußte in der Küche bleiben und ihm Rede und Antwort stehen, ohne mit der Wimper zu zucken und immer
bemüht, ihm seine Illusion über mein Wissen nicht zu zerstören.

Gewöhnlich waren es nur Lexikonfragen, aber manchmal handelte es sich um Probleme, die tieferer Schürfung bedurften.

Da kam er einmal in einem wilden Schneesturm heim, warf
Rucksack, Kappe und Mantel auf den Küchenboden und rief
mir, die ich eben intensiv mit Kochen beschäftigt war, zu: »Wer
hatte recht, Elisabeth oder Maria Stuart?«

Erfahren wie ich inzwischen geworden war, forschte ich zunächst nach dem Ursprung dieser Frage und erfuhr, daß er so-
eben Stiffn Swig fertig gelesen hatte.

Als ich dann langsam und durch Buchstabieren herausbekam,
daß Stiffn Swig Stefan Zweig war, und es sich um dessen Maria
Stuart handelte, fand ich eine Basis, auf der wir uns ausein-
andersetzen konnten, und als Zuck nach einer geraumen Weile
in der Küche erschien, waren zwar die Ziegen nicht gemolken,
die Schweine und das Geflügel nicht gefüttert, aber es hatte
eine gewisse Klärung stattgefunden über die Bedeutung der
Königin Elisabeth.

Hierauf beschäftigte er sich einige Zeit mit englischer und fran-
zösischer Geschichte, und als wir an einem schönen Herbsttag
im Freien saßen und eingesammelte Kartoffeln zur Winterlage-
rung sortierten, sagte er plötzlich nachdenklich: »Ich glaube, ich
werde mir nach dem Krieg ein Zimmer im Schloß Versailles
mieten.«

»Ich glaube nicht, daß die Zimmer vermieten«, sagte ich, »aber
vielleicht kannst du Fremdenführer dort werden. Dazu mußt
du noch einen Extrakurs in Französisch nehmen und dich über

die französischen Könige informieren, auch den Napoleon darfst du nicht vergessen.«

In der nächsten Zeit hatte ich dann die Pompadour, die Marie Antoinette, die Beauharnais und den Fouché im Haus, aber es machte nicht viel aus, da es gerade in die Zeit fiel, wo man die Maiskolben an dem Haus und den Scheunen entlang zum Trocknen aufhing und sich diese Gespräche von der Leiter herunter leicht bewältigen ließen.

Schwieriger war es, Gegenwartsfragen zu beantworten, die ein gewaltiges Feld von Themen umschlossen, und von denen die einfachsten etwa die waren: »Wie verhalten Sie sich, wenn die Japaner kommen? Warum wird Hitler vom Volk nicht abgesetzt und ein anderer gewählt? Sind Sie mit den Habsburgern verwandt und warum nicht? Ist es wahr, daß die Farmer in Europa mit ihren Tieren in einem Zimmer hausen?«

Eine der allerheikelsten Fragen aber fand in der Zeit des Ahornsirupkochens statt.

Es war März, Zuck hatte mit unserm Buben gemeinsam Eimer voll Ahornsaft in die Küche getragen, der seit dem Morgen aus den Bäumen durch die Spunde, die man in sie geschlagen hatte, in die aufgehängten Kübel geflossen war. Ich hatte flache Backschalen auf dem Herd stehen und beobachtete die wäßrige Flüssigkeit, die sich zu Sirup verdicken sollte. Ich saß auf einem Stuhl neben dem Küchenherd und tauchte von Zeit zu Zeit ein Sirupthermometer in die Flüssigkeit, um den Moment nicht zu versäumen, wo sich der Sirup, zu lange kochend, jählings in Karamel verwandeln kann.

Der Bube setzte sich neben mich, berichtete mir von der beendeten Stallarbeit und den Tieren, dann saßen wir eine Weile schweigend da und sahen auf den Sirup.

Plötzlich sagte er versonnen: »Würden Sie aufstehen, wenn Mrs. Roosevelt in die Küche hereinkäme?«

»Ja«, sagte ich, und meine Gedanken waren dem brodelnden Sirup zugewendet, »natürlich würde ich aufstehen.«

»Würden Sie aufstehen, weil sie die Frau des Präsidenten ist?«

»Ja«, sagte ich abwesend und steckte das Thermometer in den Sirup.

»Das sollen Sie nicht«, sagte er kopfschüttelnd. »Sie sind genau so gut wie Mrs. Roosevelt . . .«

In dem Augenblick waren drei Schalen Sirup fertig und mußten sofort vom Ofen entfernt werden, und dies verschaffte mir eine

Pause, in der ich mir überlegte, wie ich mich vor dem peinlichen Vorwurf, eine servile Europäerin zu sein, retten konnte.

Als ich die nächsten Schalen mit kaltem Baumsaft aufstellte, sagte ich leichthin zu ihm: »Aber Mrs. Roosevelt wäre doch mein Gast, und vor Gästen muß man aufstehen.« Das befriedigte ihn.

Durch seine Beschäftigung mit geschichtlichen Fragen und Gegenwartsproblemen war er in Mathematik zurückgeblieben und eröffnete uns eines schönen Tages, daß er nun monatelang wegbleiben müsse, um nicht in der Schule durchzufallen. Aus ähnlichen Gründen war er schon vorher oft wochenlang verschollen.

Vor seinem Abgang arrangierte er noch den Steinkeller unseres Hauses um und verwandelte ihn in eine prächtige Trinkstube für Gäste, die sich an heißen Sommertagen in unsern kühlen Keller flüchten wollten.

Er fand in einer Scheune einen mächtigen Holztisch und zwei Bänke, er stellte Steinkrüge auf Fässer und tat Kerzen in die Krughälse, er steckte die trübselige elektrische Birne in eine Stallaterne, und zuletzt hing er das Gewehr aus dem Bürgerkrieg gleich einem Damoklesschwert über den Tisch, aber ich wollte diesem romantischen Einfall nicht widersprechen.

Dann zog er also in die Mathematik, und wir sahen ihn ein halbes Jahr lang nicht wieder. Eines Tages traf ich ihn auf der Straße vor einem Geschäft.

Er half mir, die Pakete, die ich in der Hand hatte, in den Wagen verladen. Dann stieg er zu mir in den Wagen und sagte: »Ich kann noch auf vier Monate zu Ihnen kommen, dann bin ich achtzehn und muß einrücken.«

In diesen letzten Monaten wurde nicht mehr viel gefragt und geredet, weil er Tag und Nacht Grammophon spielte und sein gesamtes restliches Geld vor dem Einrücken in Beethoven-, Mozart-, Brahms- und Tschaikowsky-Platten angelegt hatte.

»Für Anzüge und Hemden hat es keinen Sinn mehr Geld auszugeben«, erklärte er mir, »wo ich doch in die Uniform muß. Aber das ist was für die Zukunft, und die Platten sind da, wenn ich wieder nach Hause komme.«

Und mit diesen Worten legte er zum 150. Male die »Kleine Nachtmusik« auf und streckte sich wohlig in Zucks Ohrensessel, der im Wohnzimmer in der Nähe des Radiogrammophons stand.

»Eine schöne Musik!« sagte er. »Mir gefällt das. Sie kennen das wohl schon alles von drüben?«

Als er einrücken mußte, war gottlob der Krieg zu Ende. Nach geraumer Zeit bekam ich von ihm einen Brief aus Alaska.

»Der Winter ist hier milder als in Vermont«, schrieb er. »Ich sitze mit sieben andern Burschen auf einer kleinen Insel, es ist sehr langweilig. Ich habe aber acht Shakespearestücke mit und lerne Rollen auswendig. Vielleicht werde ich Schauspieler, oder meinen Sie, ich soll lieber Architekt werden? Wir kochen alle schlecht und haben viel Fleisch und Hühner. Bitte schicken Sie doch gleich das Rezept von Paprikahendel.«

Das war unser Anfangsbube.

Er war nicht die Regel, so wenig wie manche unsrer Hilfsbuben etwa die Norm für das darstellen, was es an Hilfsbuben gab.

Die Tüchtigen und Zuverlässigen aber, die das Zeug zu künftigen ausgezeichneten Farmern in sich hatten, waren zumeist auf landwirtschaftlichen Hochschulen oder auf großen Farmen beschäftigt und für uns nicht erreichbar. So hatten wir die ganzen Jahre hindurch mit sehr geringer Hilfe die Arbeit allein zu machen, die in unendliche kleine Arbeiten zerfiel, die alle auf den »fürchterlichen Listen« in der Küche verzeichnet standen.

Als wir zum erstenmal Henndorf wiedergesehen und dort zwei Tage lang in unserm Haus gewohnt hatten, schrieb ich an Michi: »Es ist alles verändert und ganz anders, als wir's uns vorgestellt haben.

Aber die Ederin ist da und räumt im Haus, und die Anna ist zu Besuch gekommen und hat gekocht, und noch ein Mädchen ist da, die angestellt ist bei unsrer Zwangsmieterin.

Das Haus selbst ist fast unverändert, wenn auch alles an Silber, Kleidern und Wäsche daraus gestohlen wurde. Die Bauernstube ist unverändert, wir essen von handgemaltem Porzellan, wir trinken aus den schönen Tiroler Gläsern, der Küchenofen wird von der Ederin geheizt, die Anna kocht, das fremde Mädchen serviert.

Es wird abgeräumt, wir hören das Klappern des Geschirrs in der Küche, das Holz knistert im Ofen. Wir sitzen da und rühren keine Hand. Wir führen Gespräche mit den Gästen, aber wir ertappen uns dabei, daß wir mit einem Ohr auf die Geräusche der Küche lauschen. Und plötzlich wird uns klar, daß wir nicht mehr die Unbefangenheit der Herrschaft haben, daß uns in jedem der unsichtbaren Geräusche die Kette der Arbeit einzeln aneinander gereiht sichtbarlich vor Augen tritt.

Am nächsten Tag ging ich mit der Ederin auf den Dachboden, sie schloß Kisten, Kasten und Koffer auf, ich fand Bücher, Bilder, Briefe und Euer Spielzeug.

Mir schien, als hätten wir vor hundert Jahren in jenem Haus gewohnt, mir schien, als würde ich in meinem eigenen Nachlaß kramen.

Henndorf ist unzerstört, und Salzburg hat gottlob wenig abgekriegt und sieht nicht aus wie die meisten deutschen Städte . . .

Aber denke Dir, auch in den zerstörten Städten gibt's noch eine ganze Anzahl von Maries, Rosas und Friedas. Aber da ist es oft unheimlich, zuzusehen, wie sie die aus tausend Flicken zusammengesetzten Leintücher spannen, mit kahlen Besen kehren, mit Lumpen Geschirr waschen, zerfetzte Reste von Unterhosen als Staublappen benützen, wie sie mürrisch die Mehlsuppe kochen und mit freundlicher Miene den Erbsenbrei servieren. Wenn Du sehen könntest, wie sie das angeschlagene Geschirr abservieren, als wäre es Meißner Porzellan, und eine undefinierbare Schuhpaste auftragen, als wär' es Crêpe Suzette, wenn Du sie beobachtest, wie sie zuhören und nicken, auf- und abtragen, hin und her wandern, wenn Du sie über die schlechten Zeiten klagen hörst, so unverändert, als lebten sie noch in den guten alten Zeiten, so glaubst Du Dich in eine Geisterwelt versetzt.

Und wenn Du die Herrschaft betrachtest, die Herrschaft, mit der Du am Tisch sitzest, und die oftmals in größerem Elend und bittrerer Armut lebt als ihre Dienstmagd, die vielleicht noch Bauernverwandtschaft irgendwo auf dem Lande hat, wenn Du die ansiehst, die nichts mehr von einer Herrschaft an sich haben, so spürst Du bei Lebzeiten den eisigen Wind, der von einem Totentanz herweht.

Ich bin glücklich über jede Marie, die es noch gibt, auch wenn sie nur ein Schemen ist, ich bin dankbar für jede Rosa, die mich noch bedient.

Aber ich weiß, das Zeitalter der Maries ist vorbei, vielleicht werden sie noch zu meinen Lebzeiten in die Fabriken oder in andere Berufe abwandern, wie in Amerika, und wenn sie in den Haushalten bleiben, werden sie keine Maries mehr sein.

Aber ich kann mich nicht davor fürchten, weil wir drüben in Amerika gelernt haben, uns dem Alltäglichen zuzuwenden, weil uns der Einfall geschenkt worden ist, daß einmal eine Zeit kommen würde, in der durch Phantasie und Technik der Weg unbeschwerlich, die Zeit kurz, und die Kraft gering sein könnte, die man auf das tägliche Leben verwenden muß.«

DER »STANDARD«

In diesem Buch ist nichts erfunden.

Ich habe daher viel von unsern Tieren, aber wenig von unsern Nachbarn, Freunden und andern Leuten erzählt. Dies hat sich nicht durch Zufall so ergeben, sondern es ist mit Absicht geschehen.

Ich muß dabei immer an eine Geschichte denken, die ich einmal vor langer Zeit in dem Buch »Drei Mann in einem Boot« von Jerome Jerome gelesen habe.

Als sich dort die drei Freunde auf ihrem Boot eines Morgens waschen, geschieht es einmal, daß dabei ein Hemd in den Fluß fällt. Alle drei brechen in ein ungeheures Gelächter aus, und ihre Heiterkeit kennt keine Grenzen. Plötzlich aber merkt einer der Drei, daß es *sein* Hemd ist, das dort im Fluß schwimmt, hört auf der Stelle zu lachen auf und wird zornig und böse... Genau das ist es...

In dem Buch ist nämlich nichts erfunden, und wehe mir, wenn jemand sein eigenes Hemd drin schwimmen findet... Da es mich aber gelüstet, dennoch von jenen etwas zu berichten, mit denen wir gelebt haben und auch wieder leben möchten, so suche ich nach einer Vermittlung und wende mich dazu wohl am besten an unser Wochenblatt, das eine beträchtliche Rolle in unserm Farmleben spielte.

Es ist eine Einrichtung, die zum Landleben gehört wie Sears und Roebuck und das USDA, man kann daraus ersehen, was in unsrer Gemeinde und in den Nachbargemeinden geschieht, wen die Leute besuchen, wen sie heiraten, wann sie krank sind und sterben oder wieder gesund werden, was sie kaufen und verkaufen, wie sie ihre Feste feiern, welche Störungen das Wetter verursacht hat, wie es in der Schule, im Wald, auf der Straße, im Gefängnis, in der Politik zugeht.

Es ist kein Familienblatt, es ist keine landwirtschaftliche Zeitschrift, sondern eine ganz eigenartige Erscheinung, eine Gemeindezeitung, in der die Mitglieder der Gemeinde die agierenden Personen sind und ein rein persönlicher Kontakt hergestellt wird.

In den Vereinigten Staaten gibt es 4127 Gemeindezeitungen dieser Art.

Unsre Wochenzeitung hat ihren Sitz in der Stadt Woodstock mit 1325 Einwohnern, 7 Kirchen, 50 Geschäftsbetrieben, 3 Ärzten, 2 Zahnärzten, 5 Rechtsanwälten und keinen Fabriken.

17 Gemeinden aus der Umgebung melden ihre Dorfneuigkeiten wöchentlich der Zeitung, 5 Gemeinden melden sie nur manchmal.

Die Zeitung hat 1750 Abonnenten, der jährliche Abonnementspreis beträgt 2 Dollar 50 Cents, und all diese präzisen Angaben schöpfte ich aus einem Brief des Herausgebers unsrer Gemeindezeitung. Ich hatte ihm aus der Schweiz geschrieben und ihn gebeten, mir einige Aufschlüsse über diese Zeitung zu geben, und dies tat er denn auch umgehend.

»Unser Wochenblatt«, schrieb er, »wurde 1853 als Temperenzlerzeitung gegründet und kämpfte gegen Herstellung, Verkauf und Verbrauch von alkoholischen Getränken. In jenen Zeiten entstanden viele Wochenzeitungen als Mittel zum Kampf oder Kreuzzug gegen etwas. Zeitungen erschienen in Amerika zuerst in den Städten. In den ländlichen Gemeinden erschienen Zeitungen zunächst einmal als Nebenprodukte der Buchdruckereien. Sie enthielten innen- und außenpolitische Nachrichten, denn die lokalpolitischen Ereignisse erfuhr die ländliche Bevölkerung dazumal durch den Klatsch im Laden, sonntags nach der Kirche und in den Arbeitszirkeln, zu denen sie sich zusammenfanden zu gemeinsamen Handarbeiten. Es kam aber oft vor, daß die Zeitungen aus den Städten zu spät oder gar nicht eintrafen, und so begann sich die Landbevölkerung immer mehr ihren lokalen Blättern zuzuwenden, die ihnen die gewünschten Informationen lieferten.

Daraus können Sie ersehen«, schreibt der Herausgeber weiter, »daß unsere Gemeindezeitungen sich im Laufe der Zeiten sehr verändert haben, ja, daß sie ein Produkt der Evolution darstellen, die hervorgerufen wurde durch die veränderten Bedürfnisse der lokalen Bevölkerung.« Er schließt seinen Brief mit der Mitteilung, daß sie einen sehr harten Winter hatten und noch haben, daß sie hoffen, ich würde meinen Schweizer Aufenthalt noch recht genießen und bald heimkehren.

Unsre Wochenzeitung heißt der »Vermont Standard«. »Standard« — den Namen haben viele Zeitungen in Amerika — ist ein Wort, das viele Deutungen einschließt wie Richtschnur, Beständigkeit, Maß, Muster, Wert, Haltung, Perfektion, Standarte.

Allwöchentlich steht unter dem Namen des Herausgebers die nämliche Erklärung:

»Der ‚Vermont Standard‘ bemüht sich, die Nachrichten der Woche unvoreingenommen, auf saubere, konservative Art zu bringen und dabei die Rechte der Leute zu respektieren, über die wir berichten. Auf diese Weise glauben wir das Vertrauen unsrer Leser zu erwerben.«

Das Blatt erscheint jeden Donnerstag, und die lokalen Nachrichten darin griffen oft unmittelbar in unser Leben ein.

Da hieß es zum Beispiel:

»Mr. und Mrs. Huron Huntoon sind aus Montpelier zurückgekehrt, wo sie der Hochzeit von Miss Ramona Nelson mit Wayne Peltier beigewohnt haben. Mrs. Huron Huntoon ist die Schwester der Braut, und der Bräutigam ist vor zwei Monaten aus Japan zurückgekehrt, wo er bei der Marine stationiert war. Sie werden sich in Montpelier niederlassen.«

Damit war meine Hoffnung, Ramona Nelson als Hilfe ins Haus zu bekommen, dahin, und ich mußte ihr mit ein paar säuerlichen Zeilen zu ihrer Verheiratung gratulieren.

Eine wahre Schreckensnachricht war die kurze Notiz:

»Bob Russel und Merlin Kennefik haben die Masern.«

Kaum hatte ich das gelesen, eilte ich zur Hausapotheke, um Fieberthermometer, Gurgelwasser und Aspirin für unsern Hilfsbuben vorzubereiten, und beobachtete ihn nach seiner Heimkunft den ganzen Abend, ob er einen roten Kopf bekäme und glänzende Augen, weil er der beste Freund von Merlin Kennefik war.

Zucks Stirn runzelte sich zu schweren Sorgenfalten, als er die Stelle fand:

»Otis Totmann hat sich seine große Zehe beim Holzhacken verletzt und mußte sich in Spitalbehandlung begeben.«

Was wird nun mit dem Holz geschehen, das noch im Wald liegt und vor dem Winter in die Scheune muß? Wie lange wird die Spitalbehandlung der großen Zehe dauern? Wird er das Holz noch rechtzeitig hereinbringen?

Das wird eine schöne Arbeit geben, Zuck wird beim Holzstapeln helfen, und es ist ein beunruhigender Anblick, den Männern dabei zuzusehen. Wenn die Brennholzlagen fünf Meter Höhe erreicht haben und die stapelnden Männer wie Seiltänzer auf den Holzstößen balancieren und man weiß, daß ein falschgelegtes Stück alles ins Wanken bringen kann. Und doch stapeln sie weiter, höher und immer höher – – nein, ich sah es nicht gern, wenn Zuck sich an dieser Arbeit beteiligte.

Als ich wieder einmal dem Stapeln ergeben und mit zusammengebissenen Zähnen zusah, hielt ein Holzfäller – nachdem er Zuck ein großes Birkenscheit hinaufgereicht hatte – in der Arbeit inne und sagte achselzuckend zu mir, ohne die Pfeife dabei aus dem Mund zu nehmen:

»Den einen trifft's, den andern trifft's nicht.«

Der harmlose Bericht:

»Abendessen im Gemeindehaus für die Mitglieder der Farmvereinigung ‚Grange‘ mit Austernsuppe, Frankfurter mit Salat, Kuchen mit Cacao werden serviert. Bitte pünktlich Freitag abend um acht Uhr erscheinen.«

bedeutet für mich, daß ich diesmal dran war und den Salat zu liefern hatte.

Da lese ich in derselben Nummer:

»Der Gesellschaftsabend, der am letzten Samstag in W. stattfinden sollte, mußte abgesagt werden, da die Röhren des Hauses, in dem man sich treffen sollte, eingefroren waren. Man hofft, der Schaden wird bis zum nächsten Samstag behoben sein.«

»Das sieht bös aus«, dachte ich. »Zuerst ist es kalt, daß die Röhren frieren, dann kommt unweigerlich der große Schneefall. Und dann kommt der Grangeabend, und ich sehe mich mit der Riesensalatschüssel in den Armen durch den Wald stapfen und muß aufpassen, daß mir nicht der schwere Schnee von den Bäumen in die Salatschüssel geweht wird. Und dann kann ich an der Straßenecke stehen und warten, bis die Postfrau kommt und mir die Salatschüssel abnimmt. Ich wäre gern in die Grange gegangen, es kann manchmal sehr lustig sein mit den Farmern, und ich möchte wieder einmal Leute sehen. Jetzt geht es schon die dritte Woche, daß wir von Schnee und Eis belagert sind und eingesperrt wie auf einer Almhütte.«

Und bei diesen trüben Gedanken verweilend findet man zu seiner Erleichterung die Gefühle formuliert, die man dem Winter entgegenbringt:

»Die Tage der Melancholie sind wieder da«, schreiben sie. »Wir werden immer melancholisch nach dem ersten richtigen Schneefall, und je mehr es schneit, desto mehr werden wir von einer sauertöpfischen Resignation befallen. In jedem Herbst, wenn ‚Thanksgiving‘ naht und der Boden noch braun und grün vor uns liegt, überkommt uns die wilde, sinnlose Hoffnung, das Klima könnte sich verändert haben, und es wird in diesem Jahr kein Schnee, gar kein Schnee fallen.

Und dann kommt der Schnee.

Und dann stürmen diese merkwürdigen Kreaturen, die Touristen und Skiläufer, in unsre Redaktion und rufen mit glänzenden Augen und rosigen Backen aus, wie herrlich der Schnee sei. Wir verstehen sie nicht, denn wir gehen nur aus, wenn wir unbedingt müssen. Um nasse Füße und Lungenentzündung zu vermeiden, sind wir gezwungen, uns 20–30 Pfund Extrakleidung an die Füße zu hängen, und stampfen mit dieser Belastung keuchend und schnaufend durch den Schnee, ohne auch nur einen Blick in die Gegend zu werfen. Wenn wir aber nicht zu Fuß gehen, haben wir die Schinderei mit dem Auto. Lassen wir die Ketten weg, kommt der Wagen nicht einmal aus der Garage heraus, haben wir die Ketten mühselig angebracht, sind die Hauptstraßen plötzlich schneefrei, und wir rattern dahin wie eine Mähmaschine ... Kurzum der Schnee ...«

Nach solch einem Ausbruch wird einem leichter, und man wendet sich gerne dem sanften Bericht eines Fräuleins aus der Gemeinde Prosper zu, die schreibt:

»Heute ist Sonntag, der 20. April, und es hat den ganzen Tag geschneit. Überdies ist das der dritte Schneesturm, den wir in den letzten fünf Tagen zu erdulden haben. Man könnte den Mut verlieren, und es tut uns leid um die Vögel, die hoffentlich niemand zu füttern vergißt.«

Die klugen Leute sind vor dem Winter geflüchtet,

»und unsre Leser, die sich in Floridas Sonnenschein räkeln oder in behaglichen Winterwohnungen in Boston oder in New York in angenehmen Temperaturen leben und sich freuen, daß sie der weniger angenehmen Jahreszeit in Vermont durchgebrannt sind, verlangen von uns, daß wir mehr Wetterberichte bringen. Ehrlich gestanden haben wir den Eindruck, daß diese Drückeberger unsere Wetternachrichten nur deshalb lesen wollen, damit sie uns schreiben können: He, he, möchtet ihr nicht lieber hier bei uns sein?«

Unter den »Winterflüchtlingen« war auch einmal unsre treff-
liche Mrs. Perkins, und da stand über sie:
»Mrs. Dwaine Perkins ist mit ihrer Freundin Miss Marjorie
Patenaude per Auto nach Texas gefahren, um dort ihren 80.
Geburtstag zu feiern.«
Durch eine andere Zeitungsnotiz aber, die dahin lautete:
»Mrs. Ralph Potter und Mrs. Glenn Benedict waren sonntags
zu Besuch bei Mrs. Elie Titcomb . . .«,
erfuhr ich, daß Mrs. Titcomb in ihr Haus zurückgekehrt sei,
rief sie an und hörte von ihr, daß Mrs. Perkins mit Texas gar
nicht einverstanden sei, weil die Truthähne sie enttäuscht hätten, die wären in Vermont viel schmackhafter.
Mrs. Perkins ist zweifellos gleich nach dem großen Fest der
Holzfäller weggefahren, das alljährlich im Spätherbst im Gemeindehaus stattfindet. Da kann es stürmen, gewittern und
regnen, dieses Fest haben wir nie versäumt.
Da stehen mächtige Baumstämme vor dem Gemeindehaus, die
metertief in die Erde getrieben sind, da stehen mächtige Holzfäller vor den Bäumen und warten auf das Zeichen, um mit
ihren Äxten die Bäume im Wettbewerb zu fällen. Und es geht
Schlag auf Schlag, und ein Baum nach dem andern fällt. Roger
hat gesiegt, seine neun Kinder, die auf dem großen Holzlast-
wagen sitzen, stimmen stolz in das Beifallsgemurmel ein, die
Frau nickt ihm zu und verschwindet dann ins Dunkel mit ihrem
zehnten Kind, um es zu stillen. Inzwischen geht der Wettbewerb weiter, die riesigen Stämme werden zersägt, und diesmal
siegt der junge Campbell.
Und dann kommen die Frauen dran. Da ist ein Stück Baum-
stamm, zu groß, um in den größten und weitesten offenen
Kamin gelegt zu werden, das muß mit einer Doppelsäge durch-
gesägt werden.
Und nun tritt unsre Mrs. Perkins auf den Plan, 79 Jahre alt,
und sägt mit Miss Patenaude, die nur 76 Jahre alt ist. Und
während sie sägen, präzis und kräftig, sieht man das Zeitalter
der Pioniere vor sich, und als sie gesiegt haben und den ersten
Preis bekommen, ahnt man, warum Frauen in Amerika nichts
Geringeres sind als Männer. Ach, die Feste in Amerika!
Wir hielten sie anfangs gar nicht für Feste, weil sie nicht das
uns bekannte Bäurisch-Dämonische an sich hatten, weil sie das
Leben darstellten in direkter Nachahmung, in Wirklichkeit,
nicht im Symbol.

Ich spreche hier nicht von den Festen, die man in den bekannten Zeitschriften abgebildet finden kann, die von der sogenannten Gesellschaft gefeiert werden und die so frivol, peinlich und gefährlich sind wie etwa die »Parties« der Königin Marie Antoinette, die auf ebenem Weg zu ihrer Hinrichtung führten, nur mit dem Unterschied, daß es sich dabei in Amerika um die kräftige Rasse der Parvenues handelt, die noch vieles überleben wird.

Nein, hier geht es um die Feste auf dem Land, die feierlich oder mit kindlichem Vergnügen begangen werden.

Da ist das höchste Fest des Jahres, der Unabhängigkeitstag am 4. Juli, an dem wir gern zu Hause blieben, um nur von fern das Schießen und Knallen zu hören und nachts von unserm Almhügel aus allüberall die Raketen steigen zu sehen.

Einmal aber geschah es, und das erfuhren wir auch erst durch unser Wochenblatt, daß die Raketen nicht rechtzeitig eingetroffen waren.

Zweitausend Leute waren an diesem Tage in der Stadt zusammengekommen, um die Parade zu sehen, um Frauen, Männer und Kinder in den Kostümen aus vergangenen Zeiten, die sie aus den Truhen geholt hatten, zu bewundern, um die Schulorchester zu hören und in den Straßen den Square-Tanz — eine Art Quadrille — zu tanzen.

Den Höhepunkt aber sollte das Feuerwerk bilden, und man kann verstehen, wie es dem Organisator des Feuerwerks zumute gewesen sein muß, als er in höchster Verzweiflung und tiefstem Kummer folgende Erklärung in die Zeitung einrücken ließ:

»Am 27. Juni bereits hatte ich die Raketen bestellt. Am 28. Juni sind sie abgeschickt worden. Aber erst am 7. Juli, drei Tage nach dem Fest, sind sie eingetroffen. Ich weiß, daß viele weither zu diesem Fest gekommen sind, besonders Kinder. Ich weiß, wie schrecklich die Enttäuschung gewesen sein muß, und ich versichere Ihnen, daß ich verzweifelt war. Jedenfalls danke ich Ihnen herzlich, daß das übrige Festprogramm doch noch erfolgreich verlaufen ist.«

Zu diesen lärmenden Festen ist auch Halloween zu zählen, die Nacht vom 31. Oktober auf den 1. November, in der die Hexen unterwegs sind.

Das Wort Halloween soll eine Zusammensetzung von »the holy ones« und »even« sein und den »Abend der Heiligen«

bedeuten, obwohl es ganz unheilig in dieser Nacht zugeht. Vermummte Gestalten brummen und kreischen vor den Häusern, Hexen aus Wachs prangen in den Schaufenstern, Totenkopflaternen werden durch die Straßen getragen, und am Allerheiligenmorgen finden die Farmer ihre Schlitten auf dem Dach, die Egge auf den Schornsteinen, die Stalltüren offen . . . und Ermahnungen stehen in der Zeitung, der Unfug sei wieder zu weit getrieben worden.

Drei oder vier Wochen später, am letzten Donnerstag des Monats November, wird »Thanksgiving« gefeiert, zur Erinnerung an das erste Erntedankfest, das von den Pilgervätern im Jahre 1623 nach einem harten und schrecklichen Winter in ihrer neuen Kolonie zelebriert wurde, wobei wilde Truthähne verzehrt wurden. Auf diese Weise stiegen die Truthähne zu dem Rang einer rituellen Festspeise auf, wie etwa Weihnachtsgänse oder Weihnachtskarpfen und Lamm oder Zicklein zu Ostern.

Alljährlich wird »Thanksgiving«, die Danksagung, vom Gouverneur von Vermont feierlich proklamiert und im »Vermont Standard« veröffentlicht:

»*Allwie* es seit den Tagen unsrer Väter geschah, die unter harten Mühen sich ihren Weg durch die Wildnis bahnten, um dort die erste Kolonie zu Ehren Gottes und der Freiheit zu gründen, *allwie* es Brauch geworden ist, einmal des Jahres für den überreichlichen Segen der gütigen Vorsehung zu danken,

somithin wir dankbar das unschätzbare Privileg anerkennen, unser Leben nach eigenem Wissen, Gewissen und Urteil führen zu können, und unsrer tiefen Verantwortlichkeit dafür bewußt sind,

allderowegen erkläre ich, der Gouverneur von Vermont, den . . . November als den Tag der Danksagung. Laßt uns nie vergessen, daß Selbstvertrauen und die Verantwortung des einzelnen die Wesenszüge einer starken Nation sind, laßt uns die Verantwortung erfüllen gegen unsre Mitmenschen zu Hause und in der übrigen Welt. Bedenkt, daß die Menschheit überall dieselben Nöte, die gleichen Bedürfnisse hat, und denkt an die Kraft und den Segen, die aus einer geeinten Welt strömen . . .

Gegeben und gesiegelt mit dem Siegel des Staates am 12. November . . .«

Vom zweiten Winter an waren wir zu Thanksgiving immer bei amerikanischen Freunden eingeladen.

Es ist vielleicht das amerikanischste aller Feste und zugleich auch im tiefsten Sinn eine Danksagung der Emigranten dafür, daß sie ihrer Heimat glücklich entkommen sind und das Leben in der Wildnis bestanden haben.

Viele der historischen Entdecker und Emigranten sind zu dem Zweck nach Amerika gefahren, um dort vom Gold bis zum Elixier der ewigen Jugend Schätze zu suchen, die sie reich und glücklich machen sollten.

Jedoch bei den Pilgervätern lag bekanntlich der Grund ihrer Reise in einer unfreiwilligen Ursache.

Nachdem König Jakob I. von England sich dahin geäußert hatte: »Entweder lassen sie sich gleichschalten[1], oder ich jage sie aus dem Lande«, blieb jenen Religiösen, die auf ihre eigene Façon selig werden wollten, nichts anderes übrig, als zunächst einmal nach Holland zu flüchten und später nach Amerika zu pilgern.

Bevor sie sich einschifften, um endgültig und ohne Gedanken an Rückkehr in das unbekannte Land zu fahren, hielten sie einen Bet- und Bußtag ab, und dazu wählte der Priester einen Text aus dem Buch Esra (8, 21) aus: »Und ich ließ daselbst am Wasser bei Ahava ein Fasten ausrufen, daß wir uns demütigten vor unserm Gott, zu suchen von ihm den richtigen Weg für uns und unsre Kinder und alle unsre Habe.«

Kein Ururonkel von uns war dabei auf jenem historischen Schiff, der Mayflower, von deren kleiner Passagierliste so viele Amerikaner abstammen, daß man mit der Zeit den Eindruck gewinnt, die Mayflower hätte 500 000 Ahnen transportiert.

Wir hatten keine Ahnen auf diesem Schiff, aber wir haben unsre eigene »Mayflower« erlebt, die wir niemals im Leben vergessen werden, als unser Schiff die damals noch unzerstörte Stadt Rotterdam verließ, um uns endgültig und ohne Gedanken an Rückkehr nach dem unbekannten Land zu bringen.

Und nun feiern wir Thanksgiving, und wir sitzen mit unsern Freunden am Tisch in ihrem alten, schönen Haus mit den hohen Fenstern und den weiten Räumen.

,,I will make them conform'' lautet der englische Satz. Da nun ,,conform'' anpassen, gleichförmig machen und im weiteren Sinn auch mit dem Strom schwimmen, mit den Wölfen heulen bedeutet, da das Verbum ,,conformo'', bilden, formen, gestalten meinend, im mittelalterlichen Latein den Sinn von ,,gleichmachen'' angenommen hat, schien es mir nicht unerlaubt, es mit einem Wort zu übersetzen, das aus dem Vokabular der jüngsten Vergangenheit oder der geschichtlichen Periode der ,,Neuesten Zeit'' entstammt.

Der Tisch ist weiß gedeckt, zwischen den silbernen Armleuchtern, die mit blaßgrünen, wohlriechenden Kerzen besteckt sind, liegt ein großer rotgelber Kürbis, umfriedet von rosa Karotten, gelben und weißen Zwiebeln, roten Rüben, grünen und blauen Weintrauben, hellen Äpfeln und noch andern Zeichen der guten Ernte.

Draußen ist es fröstelig, die Laubbäume sind kahl, das Wiesengras ist kurz, bräunlich und verlangt nach der Schneedecke. Im Raum ist es warm wie in jenen Spätherbsttagen, den sie den »indianischen Sommer« nennen.

Auf dem Tisch steht feines Porzellan, kristallene Gläser auf silbernen Platten, und in Glasschalen sind über den ganzen Tisch grüne Oliven, braune Nüsse, gebleichter Sellerie verteilt. Zuerst gab es Austernsuppe, die jedem französischen Küchenchef Ehre gemacht hätte. Dann folgte der Truthahn, in dunkelbraunem Glanz mit einer köstlichen Füllung, und dazu gab es kleine grüne Erbsen, weiße Zwiebeln in Creme, Kartoffelpüree und rotes Cranberrygelee, das ungefähr den Geschmack von Preißelbeeren hat.

Hausherr und Hausfrau saßen an den beiden Enden der Tafel, er zerteilte den Truthahn, sie reichte ihm die Teller, die sie mit den Beilagen füllte. An den Seiten der Tafel saßen wir neben den Kindern, zwei kleinen Mädchen und einem Knaben, bezaubernde Geschöpfe, die wie Bilder aus vergangenen Zeiten aussahen.

Zuletzt gab es eine Kürbis-Pie, deren pastenartiger Teig mürb und schmelzend auf der Zunge zerging.

Dann gab es zuletzt noch Käse, Äpfel und andres Obst, und nach dem Mahl ging man hinüber in den blauen Salon, um dort am Kaminfeuer Kaffee zu trinken und später den Whisky serviert zu bekommen.

Aber es mußte gar nicht Thanksgiving sein, auch wenn man sonst dort eingeladen war, immer war es festlich, immer waren die Speisen mit raffiniert köstlicher Einfachheit zubereitet und wurden von dem Hausherrn und der Hausfrau in patriarchalischer Weise ausgeteilt.

In dem Haus gab es Dienstpersonal, manchmal zwei Mädchen, manchmal eins, hie und da einmal keins, aber auch das machte keinen Unterschied, denn sie und er konnten wie ihre beste Köchin kochen. Einmal aßen wir mit ihnen in der Küche, und das war nicht weniger festlich.

Das Haus war ein großes Landhaus, auf einem Hügel gelegen, aber wenn man die steile Zufahrtstraße hinauffuhr, hatte man den Eindruck, die Auffahrt führe zu einem kleinen Schloß.

Sie war mir schon im ersten Jahr, als wir noch Sommergäste waren, aufgefallen. Ich sah sie manchmal in Geschäften beim Einkauf, im zweiten Jahr grüßten wir uns, im dritten erkundigte ich mich bei einem Geschäftsinhaber, wer sie wäre, und erfuhr, daß sie sich erkundigt hatte, wer ich wäre.

Daraus ergab sich eine Bekanntschaft, die sich zur Freundschaft entwickelte, ja, ich ahne nicht, wie wir all die Fährnisse bestanden hätten ohne ihre Hilfe. Sie wußten und konnten schlechtweg alles.

Ihn, der abends wie ein feingekleideter Edelmann aussah und zarte Gedichte schrieb, konnte man tagsüber in einem undefinierbaren, ehemals blauen Arbeitsanzug auf dem Traktor über seine weiten Ländereien fahren sehen, mähend oder Dünger streuend, und dabei half ihm ein Freund, der ein Hilfsbube par excellence war und im Hauptberuf ein äußerst begabter Maler.

Wenn ich mich mit dem Telefonamt der Stadt verbinden ließ, wußten sie schon auf dem Amt, daß ich wahrscheinlich die Nummer jener Freunde verlangen würde, da dies meine ständige Auskunftsstelle war für alle Fragen vom Gemüseeinwintern über Kochrezepte bis zum Schweinepökeln und Schinkenräuchern.

Als im Jahre 1944 der Hurrikan von Florida angemeldet wurde und man nicht sicher sein konnte, daß er nicht doch noch wie im Jahr 1938 seinen Weg unangemeldet über Vermont nehmen würde, bekam ich von ihr übers Telefon alle Anweisungen, wo wir die Tiere unterzubringen und uns selbst zu bergen hätten. Sie sprach sehr ruhig und sachlich, und ich dachte damals: sie versteht es auch, mit dem Hurrikan umzugehen.

Sie verstand alle Haus- und Farmarbeit, sie war gelernte Försterin und entschied selbst welche Bäume ihres großen Waldbesitzes zu fällen seien; sie konnte nicht nur anschaffen, denn das meiste in ihrem Haus geschah durch ihrer eigenen Hände Arbeit, und bei alledem sah sie aus wie eine große, schlanke Aristokratin und hatte nichts von einer emsigen, schweißbedeckt tüchtigen Hausfrau an sich.

Diese Zusammensetzung war uns neu. Wir waren von Europa her gewöhnt, daß Leute aus einer bestimmten Gesellschaftsschicht, die sich mit geistigen Dingen beschäftigten, vor allem von der Arbeit des täglichen Lebens verschont bleiben sollten und müßten. Und nun waren da unsere Freunde, einzigartige Leute, die aber nicht etwa die einzigen jener Art waren, die, aus bester Familie stammend und mit Geld gesegnet, sich der Beschäftigung von Handarbeiten ergaben und dabei immer noch Zeit fanden, sich höheren Dingen zuzuwenden.

Er war früher einmal Universitätsprofessor gewesen und beide verbanden eine profunde Kenntnis der Literatur, Malerei, Geschichte und Philosophie mit einem umfassenden Wissen von dem täglichen Leben, so daß das Abstrakte lebendig und das Konkrete auf eine höhere Ebene gerückt wurde.

Von den andern Gedenk- und Feiertagen, wie Columbus-, Lincoln- und Memorial-Day ist wenig zu berichten, es handelt sich dabei für uns mehr oder weniger um die Frage, ob und welche Läden schließen werden, eine Entscheidung, die oft erst in letzter Stunde fällt und in den verschiedenen Staaten, Städten, Gemeinden beträchtlich variieren kann.

Ein wichtiger Einschnitt im städtischen Leben ist Labor-Day, der erste Mai von Amerika, der am ersten Montag des September angesetzt ist und bedeutet, daß die Sommerferien endgültig dahin sind und man nach diesem Tag keine Sommerkleider, Sommerschuhe und Hüte tragen darf, auch wenn es noch so heiß ist.

Für uns Landleute spielen jedoch die Jahreszeiten und das Wetter die Hauptrolle und davon kann in unsrer Gegend niemand aufhören zu reden, zu schreiben, zu erzählen.

»Jeder spricht davon, aber niemand tut etwas dagegen«, soll Mark Twain über das Neu-England-Wetter gesagt haben, und ich glaube, wenn bereits die erstaunlichsten Apparate gegen Trockenheit, Hurrikane und Hagel gefunden sein werden, wird man noch immer nicht wissen, wie man *unseres* Wetters Herr wird und wie man den Winter verkürzen könnte.

Im November, um die Jagdzeit, fängt es an. Gewöhnlich kommt noch kein Schnee, aber es wird kalt, und es tritt eine Stille ein wie in dem Vakuumraum eines Taifuns.

Diese beklemmende Stille wird nun in ihren Anfängen neun oder zehn Tage lang wohltätig lärmend durch die Jagdzeit unterbrochen.

Da gibt es die ganz großen Jäger, von denen der Standard berichtet:

»Unter die gewaltigen Jäger Amerikas zählt man Daniel Boone, Buffalo Bill und neuerdings die Jenne-Brüder aus Reading. Sie haben drei Böcke und vier Bären erlegt, und als unser Berichterstatter auf ihre Farm eilte, um sie mit ihrer Beute zu photographieren, waren zwei der Brüder schon wieder in den Wäldern auf der Jagd nach Bären, und er fand nur mehr den dritten Bruder vor, der auf dem Sprung und ungeduldig darauf aus war, seinen Brüdern zu folgen.«

So sehr wir die großen Jäger bewundern, so sehr verdrießen uns die kleinen Jäger. Jeder Bursch von 14 Jahren kann sich für billiges Geld einen Jagdschein kaufen und mit Vaters Gewehr in die Wälder eilen. Sie schießen viel, treffen aber ganz selten Wild, oftmals sich selbst oder andere, verirren sich leicht, und Zuck mußte mehr als einem jener Jäger den Pfad aus der Wildnis zeigen.

In den zehn Tagen der Jagdzeit müssen wir uns wie dressierte Affen mit roten Kappen und grellbunten Jacken bekleiden, wenn wir auch nur bis zur Ecke durch den Wald gehen, Post holen, damit sie uns nicht für fliehende Rehe halten.

Auch streichen um diese Zeit unbekannte, wilde Männer ums Haus, und manchmal ist einer dabei, dem es kalt wird, der sich von seiner Jagdgesellschaft trennt, unaufgefordert in unsere Küche kommt, sich zum Ofen setzt, aus der mitgebrachten Whiskyflasche trinkt, hie und da die Ofenringe hebt und seinen Kautabak auf die glühenden Kohlen spuckt.

In diesen Zeiten trug ich stets ein Küchenmesser bei mir, um mich sicher und überlegen gegen solche unerwünschten Besucher benehmen zu können.

Das Schlimmste passierte aber einmal vor der Jagdzeit, wo man auf nichts Böses gefaßt war.

Zuck war auf zwei Tage verreist. Er hatte vom Anbeginn unserer Übersiedlung die Farm zwei Jahre und acht Monate nicht mehr verlassen, nun aber mußte er zu seinem Übersetzer fahren, der im Süden Vermonts lebte.

Winnetou und ich blieben zum erstenmal allein im Haus zurück, es fiel in eine hilfsbubenlose Zeit, und wir fühlten uns verlassen und unbehütet in dem großen, einsamen Haus.

Nach der Stallarbeit holten wir vor Dunkelheit die Hunde in die Garage, die von der Küchentür her zu erreichen war.

Winnetou und ich krochen zusammen in mein großes Doppelbett, sie hatte sich das Bürgerkriegsgewehr aus dem Keller geholt, ich hatte ein langes, scharfgeschliffenes Brotmesser auf dem Nachtkasten liegen. Wir drehten das Licht frühzeitig aus, konnten nicht schlafen, lagen im Dunkeln und warteten.

Wir warteten, daß etwas geschehen würde, wir lagen sprungbereit wach, wir lauerten auf die Gefahr. Um etwa ein Uhr nachts geschah es.

Vom Waldweg her, der fast unbefahren war, hörten wir einen Wagen kommen.

Wir sprangen aus dem Bett und liefen mit Gewehr und Messer in Zucks Zimmer, durch dessen Fenster man alles beobachten konnte. Wir hörten den Motor heulen, als er sich den Weg entlang kämpfte, dann blieb der Wagen mit einem Ruck beim Teich stehen.

Der Motor wurde abgestellt, man hörte Männerstimmen murmeln, dann wurde es ganz still.

Ich sperrte die Tür des Zimmers ab, in dem wir standen, Winnetou nahm das Gewehr wie eine Schlagwaffe in beide Hände und ich umklammerte das Brotmesser.

Plötzlich wurde der Wald taghell durch Scheinwerfer erleuchtet, wir sahen dunkle Umrisse in dem Lichte stehen und dann begann ein entsetzliches Schießen aus drei Gewehren.

Die Hunde, die am andern Ende des Hauses eingesperrt waren und daher wohl keinen Wind bekommen hatten von den Fremden, fingen nach den Schüssen wie rasend zu bellen an.

Wir konnten jetzt ganz deutlich sehen, daß es drei Männer waren, und hörten sie rufen, fluchen, wir sahen sie etwas tragen und aufs Auto verladen, der Motor wurde wieder angelassen, die Scheinwerfer abgeblendet, sie drehten am Teich um, die Maschine heulte jetzt wie eine Sirene, als könne sie den weichen, steilen Waldweg nicht bezwingen, die Räder begannen zu spinnen, die Metallstücke knirschten.

»Wenn die in der Garage Werkzeug holen wollen und einbrechen«, sagte Winnetou zähneknirschend, »werden sie von den Hunden zerrissen.«

Plötzlich schaffte es der Motor, der Wagen holperte den Weg hinauf und verschwand im Wald.

Wir standen und lauschten und hörten nur mehr die Lautlosigkeit der Nacht.

»Wir müssen hinuntergehen und nachsehen, ob sie alle weg sind«, sagte ich, klappernd vor Kälte, obwohl ich einen warmen Schlafrock anhatte.

»Ich glaube, sie haben die Hunde erschossen«, sagte Winnetou, »die bellen nicht mehr.«

Wir wagten uns in die Küche und in die Garage, wo wir die Hunde friedlich eingeschlafen fanden.

Als Zuck zurückkam, sahen wir aus wie bleiche, verhärmte Farmerinnen, die gerade einen Indianerüberfall hinter sich hatten, und schworen, daß wir das nächstemal, wenn er wegführe, ins Dorf übernachten gingen oder uns einen Holzfäller zu unserm Schutz holen würden.

Unsere Angst war wahrhaftig berechtigt gewesen, denn es hatte sich um die gefährlichste Sorte von Wilderern gehandelt, deren Gepflogenheit es ist, das Wild mit Scheinwerfern zu blenden und die geblendeten Tiere abzuknallen.

Diese Art Wilddiebstahl wird schwer bestraft, es ist daher mit einer Sorte von Skrupellosen zu rechnen, die mit der Schießwaffe leicht und gut umzugehen verstehen und, wenn sie sich verraten glauben, nicht davor zurückschrecken würden, mehr als Wild abzuschießen.

Ein andermal, als Zuck wieder verreisen mußte, war eine Freundin von mir zu Besuch, eine handfeste, mutige Tapfere aus Wien. Man konnte sich mit ihr köstlich amüsieren und in ihrer Gegenwart kam gar kein Gedanke an Angst auf. Da sie aber trotz ihres muntren Temperaments an Schlaflosigkeit litt, hatte sie in der dritten Nacht unseres Alleinhausens in Weiberwirtschaft eine ordentliche Portion Schlafmittel genommen, und es entging ihr daher völlig, daß um zwei Uhr nachts unser ganzes Haus von Irrlichtern umflackert schien, die auf den Hügeln tanzten, in den Bäumen sprangen und in den Wiesen hüpften.

Dieses gespenstische Spiel wurde von Zeit zu Zeit von Schüssen unterbrochen, aber auch die hatten etwas so Geisterhaftes an sich, daß Winnetou und ich das Gefühl hatten, diesmal ging es zwar nicht mit natürlichen und rechten, aber vielleicht auch nicht mit bösen und schlechten Dingen zu.

Daher sperrten wir die Tiefschläferin in ihr Zimmer ein, verriegelten meine Schlafzimmertür, legten das Gewehr zwischen uns ins Bett und schliefen wieder ein. Als wir am nächsten Tag im Dorf anriefen, erfuhren wir, daß es sich um eine Waschbärenjagd auf unserm Gebiet gehandelt hatte, Tiere, die mit vielen Blendlaternen gejagt, in den Bäumen gesucht und heruntergeschossen wurden.

Das war die Jagdzeit, der wir munitionslos und ohne Waffen zusehen mußten, da uns damals als Ausländern der Besitz von Schußwaffen noch nicht erlaubt war.

Zu Beginn der Jagdzeit waren Haus und Ställe schon winterbereit. Äußerlich wurden sie zum Schutz gegen den Schnee bis zur Fensterhöhe in starkes braunes Packpapier gehüllt und sahen aus wie halbfertig gepackte Pakete vorm Versand.

Dann wurde vor jedes Fenster ein Doppelfenster eingehängt, das bezeichnenderweise den Namen Sturmfenster trägt.

Die Stallwände und einige gefährdete Wandpartien im Haus wurden zuerst mit einem watteartigen Material bekleidet und dann mit Platten überdeckt, während sämtliche Wasserröhren in weiße Hüllen gesteckt wurden, eine poröse Masse, die wie ein Gipsverband aussah, so daß die Räume, durch die die Leitungen liefen, wie Rotkreuzstationen für erste Hilfe aussahen.

Diese Arbeiten gegen den Frost mußten wir alljährlich selbst tun, und ich verabscheute die Isolierungswolle, die aus einem teuflischen Material bestand, das durch die Handschuhe, in denen man arbeitete, stach und einem gern in die Kleider über Nacken und Brust hinunterrieselte, so daß man meinen konnte, ein Nesselhemd anzuhaben. Wenn das Haus also in jeder Weise isoliert war, sah man geduldig und guter Dinge dem Winter entgegen, sah den Schnee fallen und sich häufen, spürte die arktischen Kälten im Januar und Februar und hörte staunend übers Radio, Moskau hätte nur 30 Grad unter Null, zu einer Zeit, als wir auf 45 Grad unter Null gesunken waren.

Dann kamen die ersten Nachrichten, wie etwa:

»Rupert Morton versichert, er hätte eine Amsel gesehen, und Leslie Sawyer will einen Frosch quaken gehört haben...«, oder:

»Es wird vermeldet, daß einige tapfere Seelen und Optimisten sich durch den Schnee zu den Ahornbäumen durchgekämpft haben, bereits Bäume anzapfen und glauben, der Ahornsaft wird schon in die Eimer rinnen.«

Diese Meldung bedeutet: bald kommen die klaren Sonnentage nach den Frostnächten, der Ahornsaft tropft in die Blecheimer, die Schornsteine der Zuckerhütten in den Wäldern rauchen Tag und Nacht, und wir sitzen in der Küche bis zwei, drei Uhr morgens und sehen dem Einkochen des Saftes zu.

Dann kommt Ende März die nüchterne Mitteilung:

»Der Schnee, der vom 2. November bis 16. März gefallen ist, betrug alles zusammengerechnet vierdreiviertel Meter. Heftiges Tauwetter hat plötzlich eingesetzt und erfüllt diejenigen mit etwas Hoffnung, die Schnee und Winterkälte verabscheuen ...«

Das Tauwetter hält nur drei Tage an, dann kommt Eisregen, und wir klettern auf allen vieren übers Glatteis zu den Ställen, Zuck verbringt seine Tage mit dem Streuen von Kohlenasche auf allen Wegen. Das Trinkwasser der Tiere muß alle drei Stunden gewechselt werden, es friert in den Gefäßen, und wir gefrieren mit in Mark und Knochen. Die Mitteilung:

»Am Ostermorgen fand Mrs. Harold Stillwell eine blühende Christrose in ihrem Garten und sah am selben Tag einen großen Zug von Wildgänsen nordwärts fliegen ...«

kann unser Gemüt nicht erheitern, denn diese gute Nachricht mußten wir in der Verdunklung lesen, da um diese Zeit die Fenster unsrer Parterreräume noch ganz, oder vierfünftel bis zu einem Drittel, je nach Lage, vom Schnee verfinstert waren, und in uns das Gefühl erweckten, von einer Lawine verschüttet worden zu sein. Das ist die Zeit, in der das Telephon, sofern es nicht kaputt ist, dauernd in Gang gehalten wird.

Wir klagen über alle neun Linien, wir geben unsrer Ungeduld und unsrer Verzweiflung Ausdruck, wir können den Schnee nicht mehr sehen, wir wissen, daß es niemals mehr zu schneien aufhören wird, und wir glauben es nicht mehr, daß jemals noch der Frühling kommen könnte.

Unter diesen tröstlichen Gesprächen schliddern wir unmerklich, aber plötzlich in die »Schlammzeit« hinein. Das ist Frühlingsbeginn, wo allüberall das Eis mit Macht aufbricht und die Wege in unwegsame Sümpfe verwandelt.

Dann stellt sich alljährlich über Nacht heraus, wie gering die Anzahl der guten Hauptstraßen auf dem Lande ist und wie weit der Weg, der zu ihnen führt.

Nun kommt Leben und Bewegung in unsre Gemeinde. Die Hebekranwagen der Garage sind ununterbrochen unterwegs, um die im Schlamm versunkenen Autos zu bergen. Man telephoniert nach Hause: »Eben verlasse ich die Stadt, wenn ich in einer Stunde noch nicht da bin, keine Sorge, dann stecke ich im Dreck.«

Die Autos winden sich wie Kriechtiere und Lurche durch den Sumpf, an manchen Stellen sieht der Schlamm wie brodelnde Lava aus, dann wieder gibt es Furchen, in denen sich die Räder wie Saugnäpfe festsetzen, woanders strömen reißende Bäche über die Straße, aber dann kommt wieder der schwarzbraune Sumpf. Doch die nasse Erde, die über dem Wagendeck zusammenschlägt, riecht nach Frühling.

Man kommt nach Haus, zittert am ganzen Leib von der Anstrengung, die es kostete, die Räder gegen den Dreck zu stemmen, man schimpft über die unmöglichen, elenden Straßenverhältnisse, man fordert, daß nun endlich zwischen den großen Gemeindedörfern Betonstraßen gebaut werden, von denen das Schneewasser einfach abläuft und den Verkehr unabhängig vom Wetter macht. Man erzählt von den bilderreichen Flüchen der Fahrer, die einem entgegenkamen, und der ungeheuren Schwierigkeit des Ausweichens, und dann läuft man ans Telephon und will hören, wie es den andern ergangen ist, und zugleich Meldung erstatten, welche Stellen der Straßen die allerschlimmsten sind.

In all diesen aufgeregten Gesprächen klingt jedoch die Freude durch, daß wir wieder einmal dem Eis und der Schneedecke entronnen sind und uns nun im Schlamm tätig tummeln können.

Der Frühling ist kurz, bald kommen mit ihm der Sommer und die Tiere aus dem Wald.

Da kommt die Zeit, in der man die Abfalleimer nur vorsichtig leeren kann, weil vielleicht ein Skunk drin sitzt, ein schönes und freundliches Tier, das aber, wenn es aufgescheucht wird, erschrickt und seine Drüse benützt. In wenigen Minuten ist das ganze Haus in eine Gaswolke gehüllt, deren Gestank den der Stinkbomben übertrifft.

Dann taucht der Woodchuck auf, eine Art großes Murmeltier, harmlos, aber viel Schaden stiftend in den Feldern.

Im frühen Frühling wird er zum Fabeltier »groundhog«, dem Grundschwein, das die Dauer des Winters weissagt. Wenn es an einem Stichtag im frühen Frühling herauskommt und seinen eigenen Schatten erblickt, zieht es sich wieder zurück und hält noch sechs Wochen Winterschlaf. Ist aber diesiges trübseliges Wetter an jenem Tag, so kann ihn kein Schatten erschrecken, er hat ausgeschlafen und der Frühling kommt bald.

Eines Abends hörten wir ein Schnauben und Scharren, als ob man Holz mit einem Stahlbesen abkehren wollte. Zuck geht zur Doppeltoilette in der Scheune, die jedem alten Farmhaus zugehört, und das Licht seiner Taschenlaterne trifft auf den einen der Sitze und beleuchtet den Kopf eines Stachelschweins, das aus der Öffnung hervorlugt und seinen Hals wohlig in der Rundung reibt. Von da an hüteten wir uns vor dem Doppelsitzigen am Abend.

Dann kommt die Zeit, wo Zuck heimkommt und strahlend erzählt, er wäre im Wald einer Bärin mit Jungen begegnet. Sie hätte sich hoch aufgerichtet und unwillig gebrummt, und er hätte nur mit Mühe die Hunde fest an der Leine halten können.

In derselben Woche finde ich im Standard die erstaunliche Geschichte von Bär 1902, Bär 1944:

»Mr. und Mrs. Lamontaine sind verwundert über die Bärenangelegenheit. Als sie 1902 heirateten, fuhren sie auf ihrer Hochzeitsreise mit Pferd und Wagen durch den Wald und da stand mitten auf der Straße ein Bär vor ihnen. Letzten Dienstag fuhren sie an ihrem 42. Hochzeitstag mit dem Auto durch den Wald. Da stand mitten auf der Straße ein Bär vor ihnen.«

Die Panthergeschichte aber scheint mir noch viel bedenklicher zu sein, obwohl immer wieder versichert wird, die Panther wären längst ausgestorben bei uns im Osten.

Da gibt es zehn Minuten von unserm Haus im Wald, ganz nahe am Weg, einen großen hellen Granitfelsen. Unter ihm, heißt es, läge ein großer Goldschatz verborgen.

Einmal sah ich tags eine mächtige Wildkatze auf dem Felsen sitzen, die fauchte, als müßte sie als verhexte Hüterin den Schatz verteidigen. Auf demselben Felsen duckte sich eines Abends, als Zuck den Weg heraufkam, ein Luchs und stieß jenes gellend wimmernde Geschrei aus, das Mutige mit Schrecken, Ahnungslose mit Entsetzen und Furchtsame mit Schaudern erfüllt.

Wenn ich an diesem Felsen vorbeiging, mußte ich immer an die Panther denken, die früher von den Bäumen herab den ahnungslos Vorübergehenden in den Nacken sprangen und sie zu Tode brachten.

In Amerika ist gar nichts so lange her, der letzte Indianerüberfall in unsrer Gegend fand im Jahre 1793 statt, der letzte Panther wurde 1883 erlegt.

Da steht nun:

»Wieder der Panther. Mr. und Mrs. Ralph Stevens wollen es nicht rund heraus sagen, daß sie einen Panther gesehen haben, aber sie sagen, sie hätten ganz in der Nähe ihres Hauses ein wildes Tier gesichtet. Sie sagen, es hätte einen langen Schwanz gehabt, wie ein Hund, aber kurze Beine und einen Katzenkopf.«

Nun geht es rasch auf den Hochsommer zu, es gibt manchmal heiße Tage, aber die Nächte sind fast immer kühl.

Das ist die Zeit der Gäste.

Sie strömen herbei, bleiben auf kurze Zeit oder länger, manchmal sind sie nur einen Abend da.

Einen Sommer lang hatten wir payings guests — zahlende Gäste —, seit der Zeit hätte ich Lust, eine Gastwirtschaft zu besitzen, nur zum Geschirrwaschen möchte ich Hilfe haben.

Im Spätsommer fand das große Schlachten statt, eine traurige und häßliche Angelegenheit, wo es eine Tröstung und Herzerfreuung war, wenn das Haus von Gästen wimmelte. Da gab es nach der Tötung der Schweine das große Schlachtfest, das wir mit Würsten und die Gäste mit Getränken belieferten.

Die Küche wimmelte von Menschen.

Da stand ein Chirurg mit Zuck an der Wasserleitung und reinigte Schweinedärme, ein Maler stopfte mit mir gemeinsam Würste, ein Universitätsprofessor drehte Leber und Milz durch die Fleischmaschine, ein Verleger wusch Geschirr am laufenden Band, Michi bereitete mit einer Freundin aus Wien Topfenknödel, Winnetou sortierte die mitgebrachten Getränke, während eine vom Arbeiten ermüdete Gruppe von Gästen sich im kühlen Keller dem Cocktailbrauen mit durchschlagendem Erfolg ergeben hatte und in die Küche hinaufrief, wir sollten das Arbeiten nun endlich sein lassen und uns mit ihnen des Lebens freuen.

Diese Feste gelangen in allen Phasen und endeten in Glückseligkeit und Harmonie knapp vor der Stunde des morgendlichen Melkens. — Ein andermal, an einem Tag, an dem es kein Fest gab, sondern vierundzwanzig Hühner ermordet, gerupft und ausgenommen Punkt vier Uhr nachmittags in der Tiefkühleranlage der Stadt abgeliefert werden mußten, kam als Geschenk des Himmels der Übersetzer und Schriftsteller von Süd-Vermont zu Gast mit seiner Frau.

Die Männer mußten sich zu ernsthaften Gesprächen zurückziehen, und ich stand mit der Frau in der Küche vor einem Berg gerupfter Hühner und wußte nicht recht, wie ich eine intellektuelle Konversation mit Hühnerausnehmen verbinden sollte. Sie war eine gescheite, gebildete Person, aber mir war nicht klar, wie weit sie dem Landleben gewachsen war. Da sie jedoch eine junge Amerikanerin vom alten Schlag war, krempelte sie die Ärmel auf, verlangte eine Schürze, und schon standen wir gemeinsam am großen Tisch und nahmen ein Huhn nach dem andern aus.

Wenn ich nach dem Schweineschlachten drei Tage lang Filz zu schneiden, Fett auszulassen, Grammeln zu riechen, Metzelsuppe zu kochen hatte, so beteuerte ich mit alttestamentarischen Belegen, daß ich kein Schweinefleisch mehr sehen, noch anrühren könnte — auf Monate, versicherte ich, die Zeit beschränkend, da ich Schweinefleisch besonders gern esse.

Nach dem Rupfen und Ausnehmen der Hühner jedoch — Zuck besorgte das sachgemäße Morden — war ich sicher, das Grausen würde jahrelang anhalten.

Diesmal aber war es anders. Die Tätigkeit an sich und der Gestank blieben unverändert, aber die Zeit verflog unter munteren Gesprächen. Bis zum achten Huhn hatten wir uns über die Folgen der falschen Pädagogik unterhalten, bis zum zwölften die heikle Frage des Theaters und der Übersetzung gestreift, bis zum sechzehnten beleuchteten wir die Literatur im allgemeinen, es brauchte nur zwei Hühner, um die Stellung des Mannes in Europa zu schildern, und mit den restlichen sechs reichten wir kaum aus, um die Bedeutung der Frau in Amerika festzulegen.

Punkt drei Uhr fünfzehn waren die Hühner säuberlich verpackt in meinem Wagen, und ich konnte sie pünktlichst dem Tiefkühlermann in der Stadt abliefern.

An demselben Abend gerieten wir in sprachlose Verwunderung über unsern Gast, der nicht nur acht Sprachen beherrschte, sondern auch zaubern konnte in einem Ausmaß, das nicht etwa für den Hausgebrauch bestimmt war, sondern nur einem Artisten von Beruf eigen sein konnte.

Als sich herausstellte, daß er auch einmal Zauberkünstler gewesen war, gab ich es von da an auf, Leute zu klassifizieren oder in irgendein System bringen zu wollen.

Es gibt zierliche, stille, alte Herren, die einmal Walfischfänger gewesen, mächtige Holzfäller, die ihr Rechtsanwaltsberuf nicht mehr gefreut hatte, Verkäufer, die jahrelang Schulen geleitet hatten, langweilige Hausfrauen, die auf gefährlichen Expeditionsreisen die halbe Welt erforschten, Männer, die die amüsantesten und weltgewandtesten Gesellschafter waren und sich als Pfarrer entpuppten. Das heißt, man konnte nach einiger Zeit wohl herausfinden, mit *wem* man es zu tun hatte, wobei aber seine Arbeit und Tätigkeit keine entscheidende Rolle spielen mußte, ihm keinen Stempel aufdrückte, der Beruf goß ihn in keine Form, deren Gestalt er annahm, und diese anscheinende Formlosigkeit war es, die uns anfangs befremdet, ratlos gemacht und erstaunt hatte, bis wir begriffen, daß da eine neue Form nach neuen Gesetzen heraufkam.

Im Herbst zogen die Gäste dahin, Vogelschwärme ließen sich auf ihrem Flug nach dem Süden manchmal auf unserm Teich nieder.

Der Herbst zeigt sich an:

»Braucht jemand Green-Mountain-Kartoffeln? Wir haben sie. Holt sie euch ab.«

»Wir haben eine Mostpresse. Kommt und bringt eure Äpfel mit oder ohne Würmer. Wir wollen sie für euch bis zum letzten Tropfen auspressen.«

Und hier ist einer, der noch keine Winterhöhle gefunden hat:

»Künstler, der was von Farmarbeit versteht, sucht eine Farm für den Winter zu kaufen oder zu mieten, ganz gleich, in welchem Zustand sie ist.«

Es kommen die Oktobertage, die lärmend in brennenden Farben, warm und beunruhigend sind wie der Frühling. Das Holz ist in der Scheune gestapelt, der Rauch steigt kerzengerade aus den Schornsteinen, das Haus ist eingepackt, die Bären traben zum Winterschlaf, und eine gute Einsamkeit und eine beschwingte Stille umzäunen das Haus.

DIE DRUD

Wenn ich von Land und Leuten, Tieren und Farm erzähle, so kann ich ein Wesen nicht verschweigen, das in unserm Haus lebte, verborgen, unsichtbar und nur manchmal in Erscheinung tretend.

Nicht etwa, daß sie ganz besonders gern bei uns gewesen wäre oder in unserm Haus Fuß gefaßt hätte.

Sie ist überall, in allen Häusern, in allen Ländern, in allen Weltteilen, man gibt ihr hundert Namen, man findet tausend Erklärungen für sie.

Im Volk ist sie ein greifbares Wesen und aufs engste verschwistert mit Alp und Mahr, den bösen Geistern, die nachts durchs Schlüsselloch schlüpfen und sich dem Schläfer grinsend auf die Brust setzen, ihn drücken, ihn würgen, ihm den Atem rauben, ihn im Bann gräßlicher Träume halten.

Der Alp kann als Geist auftreten, er kann weither übers Wasser kommen wie der »Mahr aus Engelland«. Er kann aber auch ausgesendet werden von Menschen, die den Alp in sich haben und »andern, wenn sie Zorn oder Haß haben, den Alp mit bloßen Gedanken zuschicken können«.

Von diesen »Alpenden«, wie sie genannt werden, kommt der Alp »aus den Augenbrauen, sieht aus wie ein kleiner weißer Schmetterling und setzt sich auf die Brust des Schlafenden, zu dem er gesendet wurde«.

Ich will von der Drud berichten, der Schwester des Alps und des Mahrs, und in ihr schlechtweg den bedrückenden Wachtraum personifizieren und jenen Zustand schildern, der vom Wetter, besonders vom Föhn und dem Mangel an ultravioletten Strahlen der Sonne, von Magenüberfüllung, falscher Ernährung, psychischen Störungen herrühren soll und die Vorstufe zur Depression, Melancholie und Schwermut werden kann.

In Amerika nennt man sie die »Blues«, die Blauen, als wolle man die Drud und den Alp in nachtblaue Farben einkleiden.

Man kennt sie überall und besonders auf einsamen Farmen. Sie hat vielerlei Gestalten, dem einen erscheint sie als Nebel, dem andern als Spinnweben, sie kann ein schwerer Stein sein oder eine dunkle Wolke, ein Tier, eine Alge oder ein unsichtbares leeres Nichts. Wie immer sie aber auftritt, so wohnt ihr die Eigenschaft inne, Kummer mit schäbigen Plagen, Sorge mit häßlichen Beschwerlichkeiten, Not mit kleinlichen Leiden zu verbinden. Sie läßt kein leidenschaftliches Gefühl aufkommen wie Schmerz und Trauer, ihr Pendel schwingt zwischen nagender Unlust und würgender Angst. Sie saugt sich in den geheimen Kummer ein, sie mischt Sorgen und Nöte zu einem unkenntlichen Gemenge von Staub, dessen graue Partikeln sich in die Ritzen des täglichen Lebens fressen.

Sie erscheint in den Nächten und begleitet einen manchmal bis in die Tage hinein.

Da wachte man nachts auf, und der ganze dunkle Raum war bevölkert von Unheil und Unglück.

Man versuchte, die Augen zu schließen, aber die Augenlider waren kein Schutz gegen die stechende Dunkelheit. Der Kopf schien ein Magnet zu sein, und die Gedanken, die sich in alle Richtungen verteilt hatten, rückten, sobald sie in sein Anziehungsfeld gerieten, zu skurrilen Gebilden zusammen und formten abstruse Figuren.

Man hörte die apokalyptischen Reiter, man sah einen Zug Menschen, die man alle und einzeln kannte, doch wußte man nicht, wer noch zu den Lebenden, und wer schon zu den Toten gehörte, man war weit weg, ganz frei, und zugleich auf einer kleinen Insel gefangen.

Man wußte, man war nicht mehr fremd, man hatte Wurzel gefaßt, man liebte das Haus, aber in jenen Nächten haßte man alle Arbeit, die damit verbunden war, der Staub verkroch sich wie Spinnen in Gebälk, um immer wieder aufzutauchen, die Geschirrberge lagen wie Korallenriffe, an denen man zerschellen mußte, der Flickwäschekorb quoll über wie ein Teig, der zu viel Hefe in sich hat, ach, und die Ställe, die Scheune, die Werkstatt, die Zäune, die Reparaturen, man fand nie Zeit, damit zu Ende zu kommen.

Es fiel einem der Ausdruck ein, der übersetzt bedeutet: die Zeit hängt schwer an meinen Händen.

Aber sie legte sich auch wie Gewichte an die Füße. Es war, als würde man dem Zifferblatt einer großen Uhr entlanggehen, deren Zeiger in kreisender Anfangs- und Endlosigkeit nur mehr den Weg beschreiben und nicht mehr die Zeit. Sechs, neun, zwölf, drei wurden zu Wegmarkierungszeichen, die man in immerwährender Wiederholung derselben Tätigkeit durchschritt und nicht mehr gewahrte, daß sie die Zeit anzeigen. Denn die Zeit ist wohl das Unfaßlichste alles Meßbaren, und es kann Tage, Wochen, Monate geben, in denen man Gefühl, Gehör und Gesicht für die Zeit verliert.

Alles, was man tat, schien keinen Sinn und kein Ziel mehr zu haben, es blieb nur die Angst vor der Zukunft. In solchen Nächten kam manchmal winters die Kälte dazu, die durch die Wände ins Haus zog und so brennend übers Gesicht strich, als sei man dem offenen Kaminfeuer zu nahe gekommen.

Nie zuvor hatte ich die Kälte in so sichtbarlich verdichteter Form gespürt, nie zuvor empfunden, wie beißende Kälte und sengende Hitze verwandt sind.

Nun versuchte ich, an etwas Bestimmtes zurückzudenken, denn

sobald man einer Erinnerung feste Gestalt geben oder etwas zu Ende denken konnte, mußte die Drud in eine Ecke zurückweichen, um dort auf eine neue Welle von Unordnung und Verwirrung zu warten.

Mir fiel der kleine zehnjährige Bauernbursche ein, den ich einmal mit nach Salzburg genommen hatte, um ihn zum Eisessen einzuladen.

Er hatte noch nie zuvor in seinem Leben Eis gegessen, und als er nun ein gewaltiges Stück Schokoladeeis in seinen Mund schob, brüllte er auf, spuckte das Eis in weitem Bogen aus, zitterte mit den Armen und geballten Fäusten, als wäre er von Eiswasser übergossen worden, und rief keuchend mit weit offenem Mund, als habe er glühende Kohlen verschluckt, immer wieder: »Heiß, heiß, heiß, heiß . . .« Diese Kälte, jene schwelende, glühende, sengende Kälte, die hatten wir nun in den Vermonter Wintern kennengelernt.

Da war man also wieder bei der Kälte angelangt, deren man nicht Herr werden konnte, beim Sturm, dessen Sirren und Heulen das Trommelfell schmerzen machte, beim Winter, der Brutzeit für die Drud.

Als man mit seinen Gedanken in diese Wolkenbank geraten war, kam vorübergehend Hilfe.

Schlag drei Uhr nachts klapperte die Tür des eisernen Ofens, der in der Halle des oberen Stockwerks stand und alle Zimmer heizen mußte. Er war ein mächtiges Gestell und verlangte alle drei Stunden Nahrung. Ich hörte, wie die schweren Klötze Stück für Stück hineingelegt wurden, und die eiserne Tür sich wieder schloß. Dann begann ein leises Knattern, wie Maschinengewehrfeuer, dazwischen knallte es wie ein schwerer Einschlag, dann ging es in ungleichmäßiges Ticken über, und all diese Geräusche zeigten die Erhitzung des Ofens selbst an, im Stadium bevor er Wärme abgab und selbst ausstrahlen konnte.

Dann kam einem das Heizen in den Sinn, eine der großen ägyptischen Plagen in unserm Winterleben.

Sechs Monate im Jahr mußte Zuck Schlag drei Uhr nachts im eisernen Ofen nachlegen, schlafwandlerisch, ohne dabei aufzuwachen, und doch unter einem höllischen Zwang, der ihm die tiefe Nachtruhe nahm.

Da war also das Heizen. Ich glaube, wir wären alle erfroren, wenn Zuck nicht ein so fanatischer Heizer gewesen wäre. Es ging übrigens gar nicht so sehr um unser Wohlbefinden, die

Hauptrolle spielten die Wasserröhren, die nicht einfrieren durften. Denn es war nicht mehr wichtig in unserm Leben, ob es uns selbst kalt oder warm war, man hatte immer für etwas anderes zu sorgen.

Die Röhren betreute man wie Säuglinge, die Tiere wie Kinder, die Öfen wie launische Tiere, das Holz hielt man heilig.

Man selbst war in den Mittelpunkt aller Dinge gestellt, und um sich selbst zu erhalten, mußte man sich zum Wächter, Behüter und Bewahrer aller Dinge aufstellen und die uns umgebenden Objekte konstant an ihrer Tendenz zum Chaos verhindern.

Für ihn war Holz und Heizen Totem, Tabu und Fetisch zugleich, ich nannte ihn daher einen Pyromantiker, eine Zusammensetzung aus Pyromanie und Romantik.

Wenn man ihm zusah, wie er in den großen, offenen Kaminen das gespänte Holz kreuzförmig schichtete, gespaltenes Holz in Gitterwerken darüberlegte und den Bau mit dem mächtigen Stamm der gelben Birke krönte, wenn er das Gebaute an Ecken und Enden anzündete und die Flammen hochschlugen, so schien diese Handlung mit geheimen Zauberformeln und Sprüchen aus dem Urwald verbunden zu sein. Wenn er die riesigen Klötze in die Eisenöfen warf, verteilte und stellte, so begriff man, daß das Feuer einstmals als Geschenk des Himmels an die Menschheit gedacht war und ehrfürchtig damit umgegangen werden mußte. Zuletzt war da noch der Küchenofen, der morgens und abends eine Ladung Kohlen verlangte, der morgens und abends mit ohrenbetäubendem Lärm geschüttelt wurde, um seine Asche und Schlacken in die Versenkung rieseln zu lassen, wobei er den Geruch einer verrußten Lokomotive auf einer Kleinbahnstrecke verbreitete. Wenn er nun die neuen Kohlen aus dem schwarzen Eimer mit einem Schwung auf das glühende Herdfeuer warf, erinnerte er an einen Heizer auf einem Schiff, der die Kessel an den Rand des Explodierens bringen mußte, um der Verfolgung durch einen feindlichen Kreuzer zu entgehen.

Nur die Hände des Pyromantikers konnten sich noch nicht mit denen eines Heizers messen.

Es gehörte in die Drud- und Alpnächte, daß man seine eigenen rissigen Hände immer wieder befühlte, an den zerschlissenen Nägeln entlangstrich, daß man sich dabei sehnte nach Schwielen und Hornhaut als schützendem Überzug gegen die Empfindlichkeit, zugleich aber die verunstalteten harten Hände als Fremdkörper am eigenen Leib empfand.

Wir arbeiteten zwar viel mit Handschuhen, wie es in Amerika Sitte ist, und es gibt Handschuhe vom schwersten Leder über Stoff zum feinsten Gummi. Trotzdem waren unsere Fingernägel gekerbt von Schnitten, und die beginnende Hornhaut setzte sich schmerzhaft in der Nähe der Fingerspitzen an.

Bei ihm aber begann überdies durch die Beschäftigung mit Holz und Heizen die Haut am Nagelbett zu springen, Innenhand und Finger waren durchzogen und gespickt von Holzsplittern, die nicht immer entfernt werden konnten, und in die Schrunden und Risse betteten sich Blutstropfen ein, die, von der Hitze des Feuers rasch getrocknet, zu Krusten verhärteten.

Die Tasten seiner Schreibmaschine, die a, e, r und andere viel benützte Buchstaben wiesen bräunliche Flecken auf, und es waren manchmal einfach die blutigen Finger, die ihn daran verhinderten, seine Bleistiftnotizen in Form und Gestalt in die Maschine zu übertragen, auch wenn sich plötzlich und unerwartet freie Zeit zum Schreiben eingestellt hatte.

Da man sich im vertrauten Umgang mit toten Gegenständen, mit denen man zu leben hat, bald angewöhnt, sie als sehr lebendig zu betrachten, so pflegte Zucks Wut sich nicht gegen das Dasein an sich, sondern in direktem Angriff gegen die Schreibmaschine zu richten, und er schlug mit den lädierten Fäusten auf den Tisch und schrie, er wolle nun diese Maschine, dieses . . .

Nun folgte eine Reihe von farbreichen, blühenden, schöpferischen Flüchen, die dahin zu verstehen waren, daß er nunmehr entschlossen sei, die Maschine endgültig zu zertrümmern, die Öfen zu zerschlagen, die Feuer zu zertreten, die Asche in alle Winde zu verstreuen.

Das war der Augenblick, in dem diesem klaren Ausdruck von Vernichtungswillen etwas Praktisches, Konkretes entgegengesetzt werden mußte, und da waren Lösungen vorhanden, die zweierlei Eigenschaften besaßen. In die eine Lösung tauchte man die Hände, um sie darin zu baden und zu erweichen, mit der andern Lösung, die von rötlicher oder tiefblauer Farbe war, bestrich man die verletzten Stellen, um sie zur Heilung und Verhärtung zu bringen.

Ein oder zwei Tage nach solcher Behandlung konnte er wohl wieder schreiben und die Maschine behämmern, vorausgesetzt, daß es keinen Sturm, keinen rauchenden Ofen, kein krankes Tier, kein leckes Dach gab, daß kein Zufall und kein Unfall eintrat, Fälle, die fast schon als Normalzustand unseres Lebens zu betrachten waren.

Wenn sich die Gedanken über Kälte, Heizen, Hände wie ein Nesselhemd an einen gelegt hatten, so war die Vorstellung von der Schreibmaschine das Schlimmste, ja der Alpdruck an sich. Manchmal schien es mir, als sähe ich sie leibhaftig und als Verkörperung der Drud in seinem Zimmer auf seinem Schreibtisch hocken.

Das Klappern der Maschine war der Bewegung und dem Ausschlag eines Meßinstruments zu vergleichen, eines Seismographen, der anzeigt und registriert.

Einmal klang das Klappern wie rasches, gleichmäßiges Hämmern eines Mühlwerks, dann wieder wie das Rollen von großen Kieseln nach einem Steinschlag, manchmal wie das langsame Tropfen von einer feuchten Felswand oder wie das Aufschlagen eines Stockes, mit dem ein Blinder seinen Weg suchte. Oder es hörte ganz auf, und das Klappern verstummte für Tage, Wochen, Monate.

Wir hatten uns mit der Zeit abgewöhnt, über seine Arbeit zu sprechen, als wolle man einen unheilbaren Zustand und eine gefährliche Krankheit von sich wegschieben, indem man sie verschweigt.

Im ersten Jahr auf der Farm hatte er noch Pläne und Illusionen gehabt. Die Pläne gingen strahlenförmig in viele Richtungen, aber ihre Ausführung glich einem Radius, der von einem zu engen Kreisumfang begrenzt und abgeschnitten wird. Die Themen stimmten nicht, die Umstellung gelang nicht, der Weg vom Grundeinfall zur Produktion war unterbrochen.

Ja, dieser ganze Komplex, der die untägliche Arbeit betraf, schien einem Strauch vergleichbar zu sein, der in Versandpackung mit wohlumhüllten Wurzelballen und umschnürten Zweigen in eine Schattenecke der Scheune gestellt worden ist, um an einem kühlen Abend eingepflanzt zu werden.

Was die Illusion anbetraf, so teilte er sie mit vielen anderen. In einer dieser unerträglichen Nächte versuchte ich, die Drud mit Lesen zu vertreiben, eine erfolgreiche Unternehmung, sofern es gelingt, das Erhabene mit dem Gewöhnlichen in richtiger Dosierung zu mischen. Da fand ich in einer Zeitschrift unter dem Titel »Farmen ist kein Spaß« einen Traktat gegen das Farmen, den ich mit Erleichterung und Genugtuung las, denn es stimmt einen fröhlich, wenn ein anderer ausspricht und niederschreibt, was man hundertmal dumpf in seinem Ärger gedacht hat.

Da schrieb dieser amerikanische Leidensgenosse:

»Ich begann in meiner freien Zeit, die mir mein Schriftstellergewerbe ließ, meinen Acker in Vermont zu bebauen. Nun bin ich so weit gekommen, daß ich nur in meiner spärlichen freien Zeit zum Schreiben komme, die ich mir von der Farmarbeit abknapsen kann. Würde es nie regnen, käme ich überhaupt nicht an meine Schreibmaschine, weil der Mais und die Kartoffeln meine Aufmerksamkeit brauchen. Meine an den Schreibtisch gefesselten Freunde betrachten meinen Hof, meine Ställe, meine Weiden mit sehnsüchtigen Blicken. Sie sehnen sich danach, in Mutter Erde zu graben, sie sprechen von der frischfröhlichen Arbeit mit Axt und Spaten. Ich beneide sie ebenfalls. Ich bin nach drei Jahren Farmarbeit dahinter gekommen, daß ich es satt habe und müde bin der Farmarbeit. Ich bin außerdem furchtbar müde... Heuen ist gewiß ein schönes Schauspiel, wenn man in einer schattigen Ecke am Rande des Feldes sitzt und dem Werken des fröhlichen Landmanns zusieht. Prosa und Lyrik verzieren und besingen diese harte Plage als wohlgefälliges Vergnügen, weil wahrscheinlich keiner jener Dichter jemals die Heugabel stundenlang in einem sonnendurchglühten Feld geschwungen hat. Ich weiß es. Ich weiß, was es heißt, wenn der Schweiß aus allen Poren sickert und sich meine Haut wie die eines Aals anfühlt und ich, was immer ich an Flüssigkeit in mich hineinschütte, doch an den Rand der völligen Ausdörrung gebracht werde. Merkwürdigerweise werden sogar Vermonter romantisch, wenn die Ahornsirupzeit kommt, und feiern diese Angelegenheit mit schmucken Festen... Für mich bedeutet sie nichts anderes als mich mit Vierzig-Pfund-Kübeln Ahornflüssigkeit abzuschinden. Meine Arme strecken sich dabei zu affenartiger Länge aus, Gesträuch, Steine und verborgene Stecken stellen mir ein Bein, Zweige schlagen mein ungeschütztes Gesicht, und meine Lungen, Beine, Schultern schmerzen kaum weniger als meine Arme... Es soll angenehm sein, wenn man nach einem gesunden Tagwerk von Feld und Wald in sein behagliches Heim zurückkehrt. So wird es von Schriftstellern geschildert, die über Amateur-Farmen schreiben, oder auch von andern, die Romane erzählen. Wobei sie alle vergessen, daß der heimkehrende Farmer zuerst noch die allerschmutzigste Arbeit machen muß, bevor er sich hinsetzen kann, nämlich die Stallarbeit, daß er seinen Tieren dienen muß als Masseur, Kellner, Stubenmädchen und Einrichtung für Müllabfuhr . . .«[1]

An dieser Stelle mußte ich zu lachen beginnen, weil einerseits gleicher Ärger, gleicher Verdruß zum Mitgefühl des Lachens reizt, andererseits war es auch unverkennbar, wie sehr die Drud diesem Farmschriftsteller ein Bein gestellt hatte und ihn in ihren Fängen hielt.

Nichts aber ist der Drud widerwärtiger, verhaßter als Lachen, es ist, als würde man sie mit DDT bestäuben und mit Rattengift füttern.

Sie mit Lachen zu vertreiben, ist allerdings ein Glücksfall, mit dem man nicht rechnen darf, ebensowenig wie man auf die Verminderung der Last zählen kann.

Die Drud, der Alp, der Mahr, die Blauen — das ist nichts mehr und nichts weniger als die Angst, die Last, die aus vielen Komponenten zusammengesetzt und veränderlich ist, nicht tragen zu können.

Es scheint wie auf einer Waage zuzugehen, in deren einer Schale die Last der uns ständig bedrohenden realen Tatsachen liegt, und in deren andere Schale jene irreale aber wägbare Kraft hineingeworfen werden muß, die durch Zug und Druck das Gleichgewicht herstellt.

Diese Kraft ist es, auf die es die Blauen abgesehen haben, die sie von allen Seiten anzugreifen und zu zerstören versuchen.

Es gibt viele Wege, um ihnen zu entkommen, obwohl sie uralt, schlau und abgründig böse sind.

Man kann vor ihnen davonlaufen, den Standort zeitweise wechseln, man kann sich auf eine höhere Ebene zurückziehen und der Meditation ergeben, man kann versuchen, eine klare Bilanz zu ziehen, Soll und Haben abzurechnen und zu einem günstigen Plus zu kommen. Man kann sein Schicksal mit dem anderer vergleichen, man hat in unserer Zeit in jedem Augenblick die Möglichkeit, sich Millionen Schicksale in all ihrer Härte und Grausamkeit vorzustellen und dabei dankbar sein eigenes verbeultes, blaues Auge zu befühlen, mit dem man davongekommen ist.

[1] Frederic F. Van de Water: Farming Isn't Fun, Condensed from The Baltimore Sunday Sun by Reader's Digest.

Man kann noch mancherlei andere Auswege und Waffen gegen Alp und Drud gebrauchen, man darf aber diese Feinde, obwohl sie zunächst nur Regungen wie Mißmut, Abscheu, Unbehagen, Ekel, Unlust und Entmutigung erzeugen, als nichts Geringes ansehen.

Sie sitzen im Hinterhalt und lauern darauf, daß man für jene Zustände, die sie erzeugen, falsche Erklärungen findet und versucht, andere für seine eigene Unfähigkeit verantwortlich zu machen, daß man Ursache und Wirkung nicht mehr auseinanderhalten kann, Unordnung und Verwirrung auch in die einfachsten Dinge bringt. Sie vergiften die Freude und schüren die Lebensangst, sie wollen uns beweisen, daß wir wie Fakire auf einem Nagelbrett in einem Trancezustand leben und, aus der Verzückung gerissen, von jedem einzelnen Nagel verwundbar sind.

Sie sind nichts Geringeres als die auf der Schwelle hocken vor der Tür, die zur Krankheit, zum Wahnsinn und zur Selbstvernichtung führt. Sie sind eine Heimsuchung in allen Ländern, bei allen Menschen, in allen Zeiten. Prokopius, ein griechischer Geschichtschreiber aus der Völkerwanderung, beschrieb sie vor vierzehnhundert Jahren in einer Geschichte über Land und Leute der Insel Thule.

»Auf dieser Insel«, schreibt er, »geschieht alljährlich etwas höchst Wunderbares. Denn zur Zeit der Sonnenwende im Sommer geht die Sonne vierzig Tage lang nicht unter. Aber sechs Monate später, um die Zeit der Sonnenwende im Winter, geht die Sonne vierzig Tage lang nicht mehr auf über der Insel Thule, und ewige Nacht umgibt sie. Schwermut befällt die Leute, weil sie einander nicht sehen können in dieser Zeit . . . Wenn aber 35 Tage dieser langen Nacht um sind, werden einige Leute auf die Bergesgipfel gesandt, und sobald sie eine Spur von der Sonne entdeckt haben, melden sie es den unten Harrenden und rufen ihnen zu, daß in fünf Tagen die Sonne scheinen wird. Dann feiern sie ein großes Fest im Dunkeln. Das ist das größte Fest der Leute von Thule. Denn ich kann mir denken, daß, wenn auch Jahr für Jahr dasselbe geschieht, die Leute von Thule doch allemal von der Furcht befallen werden, die Sonne könnte einmal ganz ausbleiben.«

Die Leute von Thule wurden von den blauen Gespenstern in die Schwermut gejagt, von den Gestirnen geängstigt, vom Weltuntergang bedroht.

Wir haben es nach vierzehnhundert Jahren so weit gebracht, daß der Untergang der Erde vielleicht in nicht allzu ferner Zeit technisch möglich sein wird.

Zweifellos aber gab es nie zuvor in der Geschichte eine Zeit, in der die Begriffe von Erhaltung oder Zerstörung des Lebens, die Wahl zwischen »Energie« und »Bombe« so unumwunden dargelegt wurden und ohne den Umweg über Philosophie und Weltanschauung zu nehmen in den gemeinverständlichen Sprachgebrauch, in das tägliche Leben verflochten sind wie in unserm Atomzeitalter.

Wir sind alle in einem Boot, mit uns sind auch die Versuchstiere, die Ziegen und Schweine, und die Probe von Bikini liegt uns in allen Gliedern.

Aber da ist noch die »Energie«, die Sammelstelle, der Speicher jener Kräfte, die Menschen, Tieren und Dingen innewohnt, solange sie da sein und leben wollen.

In den alten Sagen kommt ein Spruch gegen die Drud vor:

>>Drud, komm morgen,
so will ich borgen«,

worauf sie alsbald weicht und am andern Tag in Gestalt eines Menschen wiederkommt, um etwas zu borgen.

Das heißt, sie ist schwach geworden, ein Bittsteller, ein Schuldner, ein armseliger Feind, man muß sie mit Güte und Vorsicht behandeln, um die Kraft zu bewahren, die zu ihrer Überwindung führt.

Denn man muß für alle Zeiten mit seiner Drud leben und sie immer wieder überwinden.

DER WEG ZUR BIBLIOTHEK

Durch die Völkerwanderung kam ich zur Bibliothek. Mir waren Schriften des Paulus Diakonus und des Prokop in die Hände geraten, die am Ende und in der Mitte jener Zeit gelebt hatten, und ich konnte mich seither nicht mehr von diesem dunklen Zeitalter trennen und wollte immer mehr davon erfahren.

Nicht durch Historiker, die elfhundert bis neunzehnhundert Jahre später gelebt hatten, sondern von den Augenzeugen selbst, die die Völkerwanderung erlebt und erfahren hatten, wie etwa Gregor von Tours, der in den wüsten Zeiten der Merowinger schrieb, oder Prokop, der dem byzantinischen Kaiser Justinian berichtete, schmeichelte und ihn zugleich abgründig haßte, Paulus, der als Geisel und Freund am Hof Karls des Großen lebte, Benedikt, der dem Chaos eine Regel entgegensetzte, die von Klugheit, Menschenkenntnis bis zur schöpferischen Weisheit reicht, und von Gregor, dem Großen, Mönch, Heiligen, Dichter, Verwalter, Papst, Kriegsherrn, Römer, Diplomaten, Prediger und Kenner aller menschlichen Schwächen. Die Greuel, die in jenen Zeiten geschahen, konnten einen nicht mehr schrecken, sie waren weit weniger ausgeklügelt und vorbedacht als die Martern, die in unsrer Zeit angewandt wurden.

Die Beschäftigung mit dem frühen Mittelalter, der Kindheitsgeschichte der Völker, dessen dunkle Züge sich in krankhafter Wiederholung in unserm erwachsenen, bewußten Zeitalter widerspiegeln, war in gleichem Maße unheimlich und vertraut.

Es war daher auch gar nicht verwunderlich, daß die Bibliothek, in der man alles Material darüber in lateinischer, englischer und deutscher Sprache finden konnte, einen Platz von verzauberter Unwirklichkeit für mich darstellte, eine Insel, ein gelobtes Land.

Es war auch nicht zu verwundern, daß der Weg dahin lang und beschwerlich war, aus vielen Stationen bestand, und man auf Hin- und Rückweg sozusagen Lösegeld bezahlen mußte, um sich freizukaufen vom täglichen Leben, um sich das Recht zu erwerben, die Insel betreten zu dürfen. Es war auch selbstverständlich, daß die Vorbereitungen zu einer so bedeutsamen Reise aufs sorgfältigste getroffen werden mußten und mindestens vierundzwanzig Stunden vorher begannen.

Nicht etwa, daß die Bibliothek weit von unserm Haus entfernt gewesen wäre.

Im Sommer betrug die Autofahrt genau fünfundfünfzig Minuten von der Küchentür der Farm bis zum Eingangstor der Bibliothek. Im Winter allerdings wurde diese simple Verbindung zu einer Expedition, und wenn ich die Küchentür um sieben früh hinter mir zuschlug, stand ich kaum jemals früher als zwölf Uhr mittags vor dem Eingangstor der Bibliothek.

Im Sommer konnte ich es mir leisten, wöchentlich einmal hinzufahren; im Winter hing es vom Wetter ab.

Im Sommer blieb ich selten über Nacht in der Universitätsstadt, in deren Mittelpunkt die Bibliothek stand, und pflegte nachts um halb elf Uhr, nach der üblichen Sperrstunde der Bibliothek, nach Hause zu fahren.

Winters blieb ich ein bis zwei Nächte in der Stadt und hatte dort Quartier bei guten Freunden.

Es gibt allüberall Bibliotheken in Amerika, jeder kleine Ort, jedes Dorf hat seine eigene Bibliothek in einem eigenen kleinen Haus.

Diese Dorfbibliotheken sind meist zweimal in der Woche in den Abendstunden geöffnet. Da kommen die Kinder und die Dorfleute, holen Bücher und bringen Bücher zurück. Die kleinen Bücherhäuser haben oft ansehnliche Werke vom Beginn der amerikanischen Geschichte über Dickens bis zu den Neuerscheinungen der amerikanischen Literatur. Da sind Bücher über Landwirtschaft, über die Geschichte der Gemeinden, da sind Detektivromane und vor allem Kinderbücher.

Die kleinen Städte haben größere Bibliotheken, unsere Nachbarstadt besitzt zum Beispiel eine sehr ansehnliche Bibliothek, in der außerdem noch eine schöne China-Porzellan-Sammlung aufgestellt ist.

Die Hauptstädte haben mächtige Bibliotheken von gewaltigen Ausmaßen. Die Lesesäle der Öffentlichen Bibliothek in New York fassen fünfhundert Personen.

Die größte aller Bibliotheken in Amerika ist die Congress Library in Washington, von der die Sage geht, sie besäße alle Bücher der Welt.

Diese Bibliotheken sind zumeist von Stiftern begründet worden und werden durch Stiftungen erhalten.

Etwas ganz Eigenartiges aber sind die Universitätsbibliotheken, und ich hatte das Glück, in die Dartmouth College Library zu geraten, ein Glück, das die verhängnisvolle Eigenschaft in sich trägt, die Überzeugung zu vermitteln, man könnte nirgends anderswo glücklich sein.

Wenn man sich dort einmal eingenistet hatte, so erschienen alle andern Bibliotheken, besonders aber die in Europa, Ausspeisungshallen, Bahnhofswartesälen, Steuerbüros oder Museen zu gleichen, deren variierende und unberechenbare Öffnungs- und Sperrstunden, deren Aufschriften, die aus mannigfachen Verboten bestehen, deren Beamte, in weißgraue Kittel gekleidet, in mir die Vorstellung erwecken, ein Bittsteller, ein Schüler auf Stipendium zu sein, der es sich nicht leisten kann, die nötigen Bücher zu kaufen, und daher ein Almosen entgegennehmen muß, wobei ihm gut auf die Finger geschaut wird, daß er nichts mitgehen läßt.

Am meisten aber stört mich an den europäischen Bibliotheken die Nüchternheit, die Unbeschwingtheit, die den Lesesälen aus all ihren Staubporen dringt und einen zwingt, sich wie eine Schnecke mit dem geliehenen, ergatterten Buch in sein Haus zurückzuziehen.

In meiner Bibliothek ist man zu Gast, die Angestellten sind gekleidet wie zu einer Teegesellschaft, in deren Bibliotheksräumen man sich aufhält, und die Gastgeber setzen ihren Stolz darein, die Bücher zu haben oder zu beschaffen, für die man sich interessiert.

Es geht gastfreundlich und ungezwungen zu; das Gebäude, die Innenräume, die Einteilung, die Leute dort sind erfüllt von der Atmosphäre des Bedeutenden und Wichtigen, des Bedeutenden, das in vielen Büchern als latente Energie aufgespeichert ist, und des Wichtigen, diese in das Leben überführen zu können und sie dem Lebendigen nutzbar zu machen.

Das also ist meine Bibliothek, und sie bedeutet nichts Geringeres für mich als auf einem andern Planeten zu landen.

Wenn ich in den ersten Sektor der Drehtür trat, die zur Eingangshalle der Bibliothek führte, spürte ich, wie hinter mir alle bedrückenden Geister und bösen Gespenster in blauem Rauch vergingen und in Nebel zerflossen.

Die Vorbereitungen zu der Reise bestanden in Vorkochen, Telefonieren und all dies zu tun und aufzunotieren, was auf den »fürchterlichen« Listen stand.

Das Kochen bezog sich auf größere Quantitäten von Speisen wie braune Bohnen mit Schweinernem, die amerikanische Nationalspeise, unter dem Namen Boston baked beans bekannt, die in einem irdenen Topf zwölf Stunden lang im Ofen gebacken werden. Oder es war ein Szegediner Gulasch oder auch Linsen mit Geselchtem oder Hammel mit Kohl, kurzum ein Gericht, das vom Aufwärmen immer nur besser werden konnte, so daß Zuck getrost und gerne zwei bis drei Tage vom Aufwärmen lebte.

Da er außerdem selbst sehr gut kochte, so brachte er in diese deftigen Eintopfgerichte Abwechslung durch Zwischenspeisen wie rasch abgebratenes Fleisch, Omeletten, Rühreier usw., und lebte in diesen Tagen wie ein Mann auf einer Jagdhütte, der den Beweis erbringt, daß er auch ohne Weiberhilfe zurechtkommen kann.

Denn in Amerika muß der Beweis geistiger Bedeutung und männlicher Tatkraft nicht unbedingt dadurch erbracht werden, daß der Träger dieser Eigenschaften und Fähigkeiten der Arbeit des täglichen Lebens unfähig gegenübersteht. Es gilt nicht als achtens- oder liebenswert, wenn ein Mann sich wie ein hilfloses Kind gebärdet, es wird andererseits auch nicht als Zeichen von Sklaverei und trauriger Vorherrschaft der Frau angesehen, wenn die amerikanischen Männer jede Art von Hausarbeit leisten können und manchmal sogar von Säuglingspflege etwas verstehen.

In dieser Selbständigkeit der Männer liegt wiederum eine Gefahr für die Frauen, denn indem sich die Männer der Pflege und Wartung ihrer Frauen entzogen haben, kann der Bestand der Ehe kaum mehr auf der beliebten Tatsache fundiert sein, daß ein Mann seine Frau nur deshalb nicht verlassen wird und will, weil sie im Laufe der Zeit sein unentbehrliches Kindermädchen und seine gewohnte Köchin geworden ist.

Wir hatten in bezug auf Hausarbeit ein gewisses Abkommen getroffen, das ein europäisch-amerikanisches Gemisch darstellte.

So fand ich Küche und Haus bei der Heimkunft aus der Bibliothek in tadellosem Zustand vor, das Geschirr gewaschen, die Böden gekehrt, alles aufgeräumt, und konnte mich mit gestärkter Kraft und neuem Mut in die Hausarbeit stürzen, von der er dann wieder befreit wurde.

Nach dem Vorkochen kam das gründliche Prüfen der Listen. Man durfte nichts vergessen, besonders nicht in der Zeit der Benzinrationierung, in der das Benzin nur für eine Fahrt wöchentlich bis zur nächsten Stadt und für eine Fahrt alle drei Wochen bis zur nächsten Universitätsstadt reichte.

Über dem Küchentisch zog sich wie ein Fresko eine Liste an der Wand entlang, auf der alles verzeichnet war, was man für die Küche brauchte. An der Tür zur Garage hing die Aufzeichnung aller Futtermittel, an einer andern Tür war ein Zettel befestigt, auf dem die jeweiligen Reparaturen notiert waren.

Da stand: Achtung Dach; Küchentür quietscht; Schwimmer im Clo kaputt; Entenwassergefäß rinnt; Küchentischbein lockert sich.

Diese Bemerkungen bedeuteten keineswegs, daß man einen Handwerker zur Beseitigung der Schäden bestellte, sondern nur, daß man das Material herbeischaffen mußte, um damit die Schäden selbst auszubessern.

Neben diesen registerartigen Listen, die wie Gesetzestafeln streng und mahnend von allen Wänden auf uns herabschauten, gab es die schwarze Schultafel, an der Wand befestigt, auf der mit bunten Kreiden die jeweiligen Wünsche und das Verlangen der einzelnen Familienmitglieder geschrieben standen, in einer zusammenhanglosen, ungesetzmäßigen Aufstellung.

Wenn die Kinder zu Hause waren, ging es besonders kraus auf dieser schwarzen Tafel zu.

Da stand zum Beispiel in Michis Handschrift, und sie liebte es, ihre Wünsche in gelber Kreide auf die Tafel zu schreiben: Nagellack, Schokolade, Rilke-Gedichte, Vanille, blaue Wolle, Zimt in Stangen, Strümpfe.

Winnetou benützte gewöhnlich blaue Kreide für: Körnerfutter für Kücken, Rizinusöl für die Katzen, Mozart-Sonaten fürs Klavier, Zigaretten, Beefsteaks.

Zucks Liste sah in weißer Kreide ungefähr so aus: Farbband, ein Herz für die Hunde, Leber für die Katzen, Leukoplast, Tabak, Grimms Rechtsaltertümer, Material nachsehen über Paul Bunyan, Jonny Appleseed, Barbara Blomberg nicht vergessen, Whisky, Lammschulter, Messerschleifer, Rattengift.

Meine Liste war uninteressant und bestand etwa aus: Sechs Dutzend Eier einpacken, Pulver gegen Verstopfung der Abwasch, Zwiebelsalz, Thunfisch, Bier, Wein, Pfefferkörner usw., und diese Eintönigkeit kam daher, daß ich stets eine besondere Liste führte für die Bücher, die ich auf der Bibliothek auszuleihen gedachte, und daher die Heiligen der Merowinger niemals mit Paprika mischte, Karl den Großen nicht neben Lorbeerblätter setzte, und die Könige der Germanen niemals dem Seifenpulver folgen ließ. Alles, was auf jenen Listen stand, mußte säuberlich auf Notizblätter übertragen und unter die drei oder vier verschiedenen Städte rubriziert werden, in denen ich die einzelnen Artikel bekam.

Dann packte ich die Eier in besondere Aluminiumkästen, die in Kartonfächer eingeteilt waren, und in jedes einzelne Fach wurde ein Ei, in Papier gehüllt, getan, denn diese Art Verpackung schützte die Eier auf dem Transport, auch wenn noch so wild mit ihnen verfahren wurde.

Manchmal nahm ich auch geschlachtete Hühner, Enten oder Gänse zum Verkauf mit.

Die schwerste Last aber, die ich zu tragen hatte, waren die Bücher, die ich der Bibliothek zurückzugeben hatte, und ihre Anzahl war gewöhnlich nicht geringer als ein volles Dutzend.

Nach dem Einpacken und Listennotieren ging ich an ein übermäßig gründliches Aufräumen des Hauses, um Zuck das Haus gut instand zurückzulassen, und zuletzt ging ich in den Stall, besah mir die Tiere und ermahnte sie, verständig zu sein und sich in der Zeit meiner Abwesenheit keiner wie immer gearteten Krankheit hinzugeben.

Nach all diesen intensiven Vorbereitungen mußte das Wichtigste unternommen werden, nämlich das Telefongespräch mit Harry. Von diesem Gespräch hing alles ab, denn dabei stellte sich heraus, ob ich meinen eigenen Wagen benützen konnte oder nicht. Am Abend rief ich Harry an.

Harry weiß alles, kann alles, versteht alles.

Um sechs Uhr früh melkt er seine Kühe und füttert die Schweine, um dreiviertel acht holt er die Post und fährt den Schulautobus zur nächsten Stadt, ab halb neun Uhr ist er Verkäufer in einem Fleischerladen, um halb vier Uhr nachmittags bringt er Post und Schulkinder zurück von der Stadt ins Dorf, um sechs melkt er die Kühe und füttert die Schweine. Er ist Farmer, Postmann, Verkäufer und vor allem Autosachverständiger, ja Autoliebhaber, und die Autos blühen unter seinen Händen auf.

Manchmal, wenn ich winters in meinem Wagen im hohen Schnee in einem tiefen Graben versunken war und nicht mehr auf die vereiste Straße zurückkonnte, hielt ich einen Automobilisten an, sandte nach Harry und ließ ihm sagen, ich säße im Graben an einer der vier Stellen, wo man winters unweigerlich in den Graben zu fahren pflegte.

Dann kam Harry an die bezeichnete Stelle, vergnügt, unbeschwert, heiter, und es schien mir, als würde mein Wagen die Ohren spitzen und leise wiehern bei Harrys Anblick.

Dann setzte sich Harry ans Steuer, der Wagen sprang keuchend und in den Flanken zitternd aus dem Graben, schlenkerte und tänzelte auf der vereisten Straße, bis Harry ihn in die strenge Gangart gebracht hatte, und lief dann, als hätte er niemals im Graben gesteckt. Das ist also Harry, der Autodompteur, und bei ihm hatten wir winters den Wagen eingestellt, er hütete und betreute ihn und ließ ihn allmorgendlich anlaufen, damit der Motor nicht einfriere. Dies also war Harry, den ich abends vor der Expedition anrufen mußte, um ihn zu fragen, wie es mit meinem Wagen stehe, und ob er glaube, er wäre geneigt, am nächsten Morgen anzulaufen. Er könne nichts prophezeien, pflegte Harry zu antworten, heute morgen sei er noch gelaufen, aber nun begänne die Temperatur zu sinken, und es würde wohl eine kalte Nacht geben. (Wenn ich zur Bibliothek wollte, sank die Temperatur immer tief unter Null, oder sie stieg auf Schneesturm.)

Jedenfalls sollte ich ihn morgen früh wieder anrufen, und dann werde man weiter sehen.

Die Nächte vor diesen Fahrten verbrachte ich unruhig, stand auf, um nach dem Thermometer zu sehen oder das Fenster zu öffnen, um zu erschnuppern, ob ein Schneesturm bevorstünde.

Um halb sechs läutete der Wecker, ich stand auf, es war stockdunkel, aber Zuck hatte schon in allen Öfen brüllendes Feuer angefacht, und es war warm im Haus.

Wir frühstückten verschlafen in der warmen Küche.

Um halb sieben Uhr rief ich Harry an.

»Läuft er?« fragte ich.

»Noch nicht«, antwortete Harry, »aber vielleicht doch.«

»Rufen Sie mich an, wenn er läuft«, bat ich Harry.

»Allright«, sagte Harry.

Nach einer Viertelstunde läutete unser Morsezeichen.

»Er läuft«, sagte Harry.

Das war der reine, einfache Satz, auf den ich unruhig und ergeben gewartet hatte.

Die Antwort: »Er läuft nicht«, bedeutete mit dem Schulautobus fahren bis zur nächsten Stadt, um dort eine Stunde lang auf einen Autobus zu warten, der übers verschneite Gebirge her gern mit Verspätung ankam und einen nur bis zur nächsten Stadt mit Eisenbahnstation brachte. Dort mußte man zwei Stunden lang auf einen andern Autobus warten, der einen dann in einer knappen Viertelstunde von der Eisenbahnstation zur Universitätsstadt transportierte.

Kurzum, die Fahrt ohne eigenen Wagen bedeutete Warten, Harren, mit schweren Lasten umsteigen und erforderte ein Ausmaß an Geduld und Sanftmut, dem man nicht immer mit Fröhlichkeit gewachsen war.

Ich kann mich gut erinnern an jene Wintermorgen.

Um Punkt sieben Uhr verließ ich das Haus, mit einem schweren Rucksack am Rücken, die Aluminiumschachteln mit Eiern in der

Hand und einen Skistock in der Rechten. Ich mußte allein gehen, da es die Zeit des Melk- und Fütterungsdienstes, die unabkömmliche Zeit für Zuck, war. Wenn wir gerade einen Hilfsbuben hatten, ging der mit mir.

Aber gewöhnlich stapfte ich allein dahin durch den finsteren Wald, ausstaffiert wie zu einer Lapplandexpedition: dicke Wollstrümpfe, darüber Skiunter- und Skioberhosen, zwei Paar Socken in Filzschuhen mit Filzsohlen, die in schenkelhohen Gummistiefeln staken. Flanellbluse, Wollsweater, Lammfellweste und über dem allen noch ein pelzgefütterter Trenchcoat mit Pelzkappe und Pelzhandschuhen. Wenn der Nordwestwind blies, trug ich überdies noch einen Wollhelm übers Gesicht, der nur Schlitze für die Augen freiließ, und ich sah in dieser Aufmachung wie der leibhaftige Kukluxklan aus, der durch den Wald geht.

Am Anfang des Weges mußte ich manchmal noch die Blendlaterne benützen.

Ich fürchtete mich vor der Dunkelheit und vor der Stille, vor dem Schnee, der alle Geräusche schluckte und Leben und Bewegung gleichsam zudeckte. Ich liebte es nicht, nur meine eigenen Schritte zu hören, das quietschende Knirschen der Gummistiefel in den tiefen Schneelöchern. Wenn ein Baumast unter der Schneelast brach, erschrak ich zu Tode.

Ich fürchtete mich auch vor den Tieren des Waldes.

Als im ersten Winter ein Bär sein Winterquartier in einer verfallenen Scheune, sehr nah an unserm Haus aufgeschlagen hatte, sagte Zuck, da sei nichts zu fürchten, der Bär würde dort seinen ganzen Winter ruhig verschlafen. Aber ich mißtraute seinem Schlaf und fürchtete sein Erwachen. Zu meinem Trost fand ich einen Furchtgenossen in einem Elektriker vom Werk, der den Elektrizitätsverbrauch in unserm Haus abzulesen hatte. Als er die Bärenspuren fand, kam er nicht mehr wieder und schickte von Stund an eine Postkarte, auf der wir unsern Verbrauch selbst angeben konnten.

Wenn ich allein und unbeschützt durch den Wald ging, und mich die Einsamkeit heftig anfiel, liebte ich es, mir ein bestimmtes Bild vorzustellen.

Da sah ich vor mir her auf dem Waldweg Zuck gehen, ihm zur Rechten ein Luchs und zur Linken ein Skunk, und hinter ihm drein eine Prozession von Waschbären, Bibern, Stachelschweinen, Wieseln, Schlangen, und dann kam ihm ein Bär entgegen und legte ihm die Tatze freundlich auf die Schulter ...

Zuck liebte alle Tiere und fürchtete sich nicht vor ihnen; er könnte sein Zimmer mit einer Giftspinne und einem Skorpion teilen und in Frieden mit ihnen leben. Vielleicht stammt diese freundliche Unbekümmertheit noch aus den Zeiten seiner frühen Jugend, wo er als Tigerdompteur beginnen wollte und mit einer gemischten Gruppe von Kaninchen und Bären enden. Noch in den ersten Jahren unserer Ehe versuchte er, Schlangen ins Haus zu schmuggeln, und einmal kam er heim mit einer Äskulapnatter, die sich sanft um seinen Hals geringelt hatte. Aber ich wollte damals das Haus nicht mit Gewürm und Geziefer teilen, und keine Ahnung sagte mir, daß ich dereinst mit Schweinen, Geflügel, Ratten und Spinnen leben müßte und wilden Tieren ums Haus.

An der Ecke, wo der Waldweg in die Landstraße mündete, wartete Harry auf mich, das heißt, ich hatte immer auf ihn zu warten. Wenn Harry dann mit einer gewissen Pünktlichkeit zu spät kam, stieg ich rasch in meinen warmen Wagen, lud alles Gepäck auf den Hintersitz und wechselte meine schweren Gummistiefel und Filzschuhe in leichtere Schuhe um, denn die Gashebel, Pedale, Bremsen meines Oldsmobile sind eine feine Tastatur, die keine derbe Berührung verträgt; ein leiser Druck auf die zarten Instrumente genügt, um den Wagen auf Hundert-Kilometer-Tempo zu schnellen, eine nicht ungefährliche Geschwindigkeit auf Schnee und Eis.

Wenn nun mein Wagen nicht angelaufen war und nicht funktionierte, holte mich an derselben Ecke ein Schulautobus ab, der sehr oft von Harrys Frau gelenkt wurde. Der Schulautobus war ein einfacher Stationswagen, der zugleich zum Transport der Post diente, und diese Eigenschaft brachte es mit sich, daß die Fahrt von unserm Ort bis zur Stadt drei- bis viermal so lange dauerte als man brauchte, wenn man ungehindert und ohne Aufenthalt fahren konnte.

Wenn ich in den Schulautobus einstieg, fand ich schon eine Anzahl Schulkinder vor, die zur »Highschool« fuhren, die eine höhere Fortsetzung der Dorfschule war, ein Mittelding zwischen Bürgerschule und Gymnasium, und auch den Übergang zur Universität darstellen konnte.

Die Burschen und Mädchen zwischen dreizehn und achtzehn Jahren schnatterten, quakten, gackerten und krähten wie unser Geflügel zur Fütterungszeit, manche sangen und pfiffen Schlager, und dazwischen gebrauchten sie Ausrufe und Ausdrücke, die der Schulsprache aller Länder und Dialekte entsprechen und sich auf Worte wie: »gediegen, au fein, gemein, tulli, gosh, prima, knorke« usw. beschränken, Worte, die auch bei seltener Anwendung nicht unbedingt originell klingen, aber wahrscheinlich den Sinn haben, durch immerwährende, geradezu rhythmische Wiederholung die Unsicherheit und Unbeholfenheit der jungen Leute schützend zu ummänteln.

Über diesem Lärm, unter dieser dauernden brodelnden Bewegung des Stoßens, Puffens, Aufspringens und Sich-wieder-auf-die-Sitze-Werfens thronte breit, mächtig und von unverwüstlich guter Laune besonnt Harrys Weib Naoma. Den ganzen Weg entlang standen unzählige Postkasten an der Landstraße, die wie metallene Nester für Leghühner aussahen. Wo die Landstraße noch durch den Wald führte, standen manche einsamen Postkasten, so weit entfernt von der zugehörigen Farm wie unser Postkasten, der am Ende des Waldwegs an der Ecke der Landstraße, fast zwei Kilometer weit von unserm Haus, befestigt war.

Erst hier in Europa fiel mir auf, wie sonderbar es war, daß aus diesen weit entfernten, an der offenen Landstraße liegenden Postkasten nichts gestohlen wird. Bei unserm Postkasten wurden manchmal Schätze wie Whisky, Tabak, Fleisch, Kaffee usw. von der Postfrau deponiert, und in all den Jahren fanden wir immer alles vor, wie sie es hingestellt hatte.

Europäer würden diese erstaunliche Erscheinung damit erklären, daß die amerikanische Bevölkerung zu wohlhabend sei, um sich des kleinlichen Diebstahls bedienen zu müssen.

Mit dieser unzutreffenden Erklärung ist es sicherlich nicht abgetan, vielmehr steckt da eine Überzeugung dahinter, daß kleinlicher Diebstahl, unnützes Lügen, vorsätzliches Mißtrauen etwas grundsätzlich Unsoziales ist und als Erschwerung und Belastung des täglichen Lebens abgelehnt wird.

Ja, man kann mitunter bemerkenswerte Notizen in der Zeitung finden, die, unter den Annoncen stehend, folgende lapidare Aufforderung enthalten: »Würde jene Person, die die Gegenstände aus der Maple-Farm-Scheune ohne Erlaubnis entfernt hat, selbige bitte retournieren und auf der hinteren Küchenveranda deponieren, um Unannehmlichkeiten zu vermeiden.«

Noch deutlicher und entgegenkommender ist folgende Zeitungsnotiz: »Würde jenes Mädchen, der man dabei zugesehen hat, wie sie einen blauweiß gestreiften Shawl von der Bank vorm Haus mit sich nahm, diesen bei Jim Potwin abgeben? Man würde dies begrüßen und keinerlei Fragen stellen.«

Von den einsamen Postkasten im Wald, die stumm und schweigend dastehen, kamen wir zu den farm-nahen, bei denen Farmersfrauen standen und auf Ansprache und Unterhaltung warteten.

Sie gaben Naoma Aufträge, sprachen über Tagesereignisse, Wetter und Krankheit.

Da, wo niemand stand, holte Naoma die Säcke aus den Postkasten, aus allen jenen, die auf der linken Straßenseite standen, denn sie hatte links ihren Führersitz.

Wenn ich neben ihr auf dem Vordersitz saß, durfte ich alle Postsäcke, die auf der rechten Straßenseite lagen, herausholen.

Das geschah folgendermaßen: Naoma fuhr auf den Zentimeter an die Postkasten heran, dann streckte ich den Arm zum geöffneten Autofenster heraus, machte die Klapptür des Postkastens auf und tastete nach dem Säckchen, als wolle ich ein Ei aus dem Nest holen.

Manchmal lag auch ein Zettel dabei mit einer Bestellung, die oft kaum zu entziffern war, aber Naoma kannte ihre Kunden und ihre Unorthographie.

Hierauf hatte ich den Postkasten wieder zu schließen und das kleine Blechfähnchen, das auf dem Kasten aufgestellt war, niederzuklappen, ein Zeichen, das für den Inhaber hieß: »Deine Post ist abgeholt worden.«

Diese kleinen Postsäcke in der Größe eines mittleren Nikolaus-Strumpfes hatten Form und Gesicht und repräsentierten ihre Besitzer.

Da waren bunte, freundliche Säcke, auf die der Familienname gestickt war, da gab es saubere, strenge in fahlem Grau, da gab es lustige, schmutzige, unordentlich beschriftete Beutel und solche, die verdrückt, zerknittert, beschmutzt waren und nach schimmeligem Brot rochen.

Die Aufenthalte bei den Postkasten waren nur kurz im Vergleich zu den Hauptaufenthalten, die durch Schneeverwehung und Eis im Winter, durch Schlamm im Frühling, durch Stürme im Sommer entstanden.

Es gab kein höheres Vergnügen für die Schulkinder als etwa im Schnee stecken zu bleiben, auf dem Eis mit dem Auto zu tanzen oder gar in den Graben zu fahren.

Es war aber auch ein großes Vergnügen für mich, Naomas Verwandlung zuzusehen, wenn sie aus einer einfachen Chauffeuse zu dem Steuermann eines Schiffes wurde und von der Kommandobrücke aus Befehle erteilte, um ihr Schiff von der Sandbank weg wieder flottzumachen. Ich schlug Naoma bei einer dieser Gelegenheiten einmal vor, gleich nach Beendigung des Krieges einen sachlichen und zugleich herzbewegenden Brief an die Armeeleitung über das Klima und die Wegverhältnisse Vermonts einzusenden und die Verwendung von Tanks für Schulkinder und Posttransport im Winter und zur Schlammzeit vorzuschlagen, ein Projekt, das für die Neu-England-Staaten ernsthaft erwogen werden sollte.

Trotz aller Zwischenfälle kamen wir immer früher oder später in der Stadt an, und dort ging ich von Geschäft zu Geschäft, um meine Bestellungen zu machen, die ich am nächsten oder übernächsten Tag abholen wollte.

Dann kam irgendwann der Autobus, der mich zur Eisenbahnstation brachte, einem Eisenbahnknotenpunkt mit Mainstreet und Läden, und dem jene hektische Freudlosigkeit innewohnt, die Städten anhaftet, die nur zum Aussteigen, Einsteigen und Umsteigen da sind.

In dieser freudlosen Stadt aber gibt es ein Hotel, das von heiteren, freudigen Schweizern geführt wird, bei denen wir unsern Sammelplatz und unser Standquartier aufgeschlagen hatten, wenn wir auf Reisen gingen.

Auf meinem Weg nach der Bibliothek machte ich dort Station, um mich umzuziehen, einem zweiten Frühstück zu frönen und die ersten Strapazen der Reise zu überwinden.

Die Hotelbesitzer hielten für mich ein Zimmer oder ein Badezimmer bereit, und da konnte ich mich ausschälen, Schale um Schale, wie eine Zwiebel. Wenn ich wieder normale Unterwäsche, Rock und Bluse anhatte und nicht mehr wie eine Maronibraterin im Schneesturm aussah, fühlte ich mich innerlich und äußerlich wohl vorbereitet, um die heiligen Hallen der Bibliothek zu betreten.

Jedesmal aber, wenn ich begann, die Stücke meiner Nordpolausrüstung zu sammeln und in eine Tasche zu packen, fiel mir bei eben dieser Handlung der Rückweg ein, und ich malte ihn mir in seiner ganzen Schrecklichkeit aus. Ich mußte denken und fürchten, daß es noch mehr Schnee geben würde, mehr Kälte, vielleicht sogar Eis.

Ich sah mich auf der Heimfahrt, das Auto beladen mit Lebens-
mitteln, mit Büchern, Futter für die Tiere und all den andern
Mannigfaltigkeiten.

Ich sah Zuck an der Ecke stehen, den großen Tragkorb auf dem
Rücken, die Hunde an der Leine.

Ich sah, wie wir alles aus dem Auto herauszogen und abluden
auf die Futtersäcke und auf die Rodel, die unter dem Postkasten
stand, damit das Mitgebrachte nicht vom Schnee benetzt werden konnte.

Dann hatten wir, wenn ich mit meinem eigenen Wagen gekommen war, die Landstraße hinunter zum Dorf zu fahren, um den
Wagen in Harrys Garage zu deponieren, und dann mußten wir
die ganze lange Landstraße zurück zu Fuß wandern, zur Wald-
ecke, wo der Lasttransport begann. Die Waren wurden auf
Rucksäcke, Taschen, Tragkorb, Rodel verteilt, und ich begann,
leise vor mich hin zu murren, warum die wilden Wolfshunde
nicht wie Polarhunde dressiert werden konnten, warum man
sie nicht vor den Schlitten spannte, anstatt daß wir wie Maul-
tiere beladen hinter ihnen drein trotten mußten.

In all diesen Jahren geschah es mit teuflischer Regelmäßigkeit,
daß sich auf dem Heimweg durch den Wald ein starker Wind
erhob und einem den Schnee ins Gesicht schlug und peitschte.

Zuck pflegte vorauszugehen und stampfte den Weg mit seinen
schweren Stiefeln, und ich stolperte hinterdrein, geblendet vom
Schnee, mit eiskalten Fingerspitzen und Zehen, und Zorn im
Herzen.

Einmal war der Heimweg so bitter, daß ich achtzehnmal hin-
fiel, elfmal, weil der Schnee nachgab, siebenmal aus Wut. Ich
konnte nicht fluchen, weil ich die Zähne zusammenbeißen
mußte, ich konnte nicht heulen, weil die Tränen zu Eis froren
und die Haut verletzten.

Zuck aber ging vor mir her wie ein Bergführer über einen
Gletscher, ruhig, aufmerksam, und prüfte den tückischen Schnee
mit seinen Stiefeln und seinem Skistock.

Manchmal drehte er sich um, meine knirschende Verzweiflung im
Rücken spürend, und nahm mir schweigend ein paar Pakete ab.

In schlimmen Stürmen dauerte der Weg von der Ecke bis zum
Haus mehr als eine Stunde, und das Licht unseres Hauses
schien mir entgegen wie ein Leuchtturm über schwerer See.
Wenn ich ins Haus kam, stellte ich die Traglasten in der Küche
ab und ging ins Wohnzimmer zum Kamin.

Zuck warf einige Stücke Holz ins Feuer, und ich kniete mich ganz dicht ans Feuer und wartete, bis Hände und Füße auftauten, mein Zorn zu schmelzen begann, und es Zeit wurde für die abendliche Stallarbeit.

Das war der Alptraum vom Rückweg durch Schnee und Wildnis und Kälte, der mich stets am Hinweg verfolgte.

Dann aber, wenn ich weiterfuhr nach der Universitätsstadt und über den Hügeln die Turmspitze der Bibliothek auftauchen sah, war alles vorbei, und ich begann, mich zu freuen auf die zunächstliegende gute Gegenwart.

Ich hielt in der Hauptstraße der schönen, freundlichen Stadt an und lieferte Eier und Geflügel ab.

Dann kam noch die letzte Station, der Anruf an meine Freunde. Ich meldete ihnen, daß ich gut durchgekommen sei und spät abends nach Bibliotheksschluß zu ihnen kommen würde.

Und wenn ich nach diesem Anruf wieder in meinen Wagen stieg, dann hatte ich die angenehme Vorstellung vom Beschluß des Tages.

Ich würde zu dem Haus meiner Freunde fahren. Das Haus ist geräumig, hell und in skandinavisch-amerikanischem Stil gebaut. Die Bibliothek ist in fast weißem Naturholz, und der Kamin besteht aus roten Ziegeln.

Wenn ich komme, sind sie noch auf.

Niemand kann einen Old Fashioned so mixen wie er, der Hausherr, und obwohl es eine unmögliche Stunde für Cocktails ist, braut er noch dieses Gemisch von Whisky, Bittertropfen, Orangenschnitte und Eis und tut eine Kirsche hinein.

Man sagt »Guten Abend« und »Hallo« beim Eintritt, und dann spricht man ohne Übergang über Dinge, die einen angehen, nahegehen oder die Welt betreffen.

Man erregt sich über Unzulänglichkeiten, man sucht nach Beispielen, man schildert Leute mit ihren Fehlern und Abwegigkeiten, man kritisiert und ist unzufrieden mit den bestehenden Zuständen, aber die Kreise und Winkel dieser Gespräche sind neu und ungewohnt. Denn hinter jeder Kritik steht immer die Voraussetzung, daß eine Veränderung zum Positiven eintreten könnte, eine Veränderung, die nicht vom Allgemeinen, wie etwa der Regierung, nicht vom Unbestimmbaren, wie etwa von der historischen Entwicklung bestimmt wird, sondern vom Einzelnen ausgehen kann und soll. Ja, nach den Gesprächen mit jenen Freunden fühlte ich plötzlich eine persönliche Verantwortung, nicht nur für mein eigenes Schicksal, sondern ein Bestandteil der Kraft, die Bewegung und Veränderung erzeugt. Manchmal saßen wir bis tief in die Nacht zusammen, manchmal kam ein Anruf in unsere Gespräche, der seinem Beruf als Arzt galt, und ihn zu einem Schwerkranken rief . . .

Nachdem ich also die Freunde angerufen und mir mein Nachtquartier gesichert hatte, fuhr ich mit meinem Wagen zum Westflügel der Bibliothek, wo die Autos der Studenten in langen Reihen parkten.

Inzwischen war es zwölf Uhr geworden, die Turmuhr schlug, und das Glockenspiel begann seine Stundenmelodie.

Ich stand vor der Drehtür der Bibliothek, und indem ich sie bewegte, mußte ich an eine Drehbühne denken; es verschob sich Raum und Zeit, und ein neuer Akt begann.

DIE BIBLIOTHEK

Da ist also die Bibliothek: mein Fels, mein Hort, mein Kloster. Wenn ich in meiner Zelle sitze, da meckert keine Ziege mehr, da gackert kein Huhn, da grunzt kein Schwein, keine Ente quakt, keine Gans trompetet, da kräht kein Hahn.

Da ist Wohlgeruch von Leder und Staub, da ist Kühle, Einsamkeit und vollkommene Stille.

Ich denke an meine Einzelzelle, die hoch oben im zehnten Stock der Bibliothek liegt, und zu der drei Schlüssel führen. Der erste Schlüssel sperrt den Lift auf, der zu dem neunten Stock fährt, zum neunten Stock, in dem die gesamte Religion vereint ist. Wo die Päpste stehen in langen Reihen, und nicht weit von ihnen der Martin Luther in einer gewaltigen Prachtausgabe, da sind Calvin und Zwingli, die Mormonen und die Shaker, da sind die Kirchenväter und Buddha, da sind Confutse, die Juden, die Heiligen und Mohammed. Da sind die Dogmatiker und die Häretiker, die Sanftmütigen und die Streitsüchtigen, die Weisen und die Wüsten, die Heiligen und die Teufel.

Manchmal, wenn ich nachts beim letzten Läuten durch die halbdunklen Gänge dieses Stockwerks ging, schienen sie mir in verzweifelter Stummheit in ihre Bücher gebannt.

Da war der zweite Schlüssel, der sperrte die Tür zum zehnten Stockwerk auf, die am Ende einer kleinen, steilen eisernen

Stiege lag. Da war der Gang, an dem die Studierstuben standen in langer Reihe, kleine, zellenartige Stuben mit einem großen Schreibtisch, einem Drehstuhl, einem Büchergestell und einem Fenster mit der Aussicht auf die Berge von New Hampshire, die White Mountains: die weißen Berge. Die Stube selbst sperrte der dritte Schlüssel auf, und jede der einundfünfzig Studierstuben hat ihren eigenen dosischen Schlüssel. Die einundfünfzig Studierstuben sind für Professoren der Universität bestimmt, die, wie es in der Beschreibungsbroschüre der Bibliothek heißt: »nahe bei den Büchern ihre Arbeit vollenden können, ohne Störung und Unterbrechung«.

Die Stuben im achten und neunten Stock liegen an Gängen, die durch eiserne Gitter von der übrigen Bibliothek getrennt sind, der neunte Stock gehört ganz den Stuben. »Die Türen zu den Gängen sind geschlossen zu halten«, heißt es weiter, »keine Telefone sind erlaubt, die Schreibmaschinen, wenn solche verwendet werden, müssen geräuschlos sein. Diese Studierstuben werden auf ein Semester an Mitglieder der Fakultät vergeben, die sie aus einem bestimmten Grunde benötigen. Manche mögen sie brauchen, weil sie ständig eine große Anzahl Bücher für ihre Arbeit verwenden müssen, die von der Bibliothek nach Hause zu tragen sehr unbequem wäre. Andere wieder mögen zwar weniger Bücher zu verwenden haben, aber da sind Kinder zu Hause, oder Studenten kommen in ihre Amtsräume und verhindern aufs traurigste eine gedeihliche Arbeit. Für solche sind die Studierstuben von unschätzbarem Wert.« Nach zwei Jahren etwa, als ich schon ein recht wohlbekannter Gast in der Bibliothek war, bekam ich zum erstenmal eine Studierstube. Ich hatte eine Unzahl Bücher auf einmal zu benützen, da mein Plan war, alte Dokumente aus dem frühen Mittelalter zusammenzustellen – ich wurde zu Hause aufs traurigste von meinen Tieren gestört, für mich war die Stube von unschätzbarem Wert.

Ja, schon die Einfahrt in die Universitätsstadt und der Anblick der Universität hatten auf mich immer wieder die Wirkung von Freude, Ruhe und Zufriedenheit.

Die Bibliothek liegt genau in der Mitte der Stadt, das ist kein Zufall, sie haben sich die Mitte ausgedacht und die Mitte gewählt.

Das Gebäude hat nach der Südseite einen breiten zweistöckigen Mittelteil mit einem hohen Turm und zwei Seitenflügeln im »Colonial Georgian«-Stil, rote Ziegelwände, weiße Fensterrahmen und Türen und einen weißen Turm. Da das Gebäude auf unebenem Hügelterrain liegt, besteht die Nordseite aus zehn niedrigen Stockwerken, während die übrigen Teile nur aus zwei hohen Stockwerken gebildet sind.

Der Mittelteil mit seinen hohen Kirchenfenstern und dem Turm erinnert an die ruhigen und gradlinigen Kirchen Neu-Englands.

Das Gebäude ist einfach und schön in seinen Maßen und Proportionen, und obwohl erst 1928 im alten Stil erbaut, wirkt es echt und unnachgeahmt. Es begrenzt den großen Rasenplatz mit den alten Bäumen, dominiert über die Lehrgebäude, die um die Bibliothek gruppiert sind, und beherrscht die Stadt.

Am liebsten gehe ich unter den Bäumen, vorbei an dem großen Rasenplatz, dem Sportplatz der Studenten, hinüber zum englischen Rasen, der zwischen den drei Teilen des Bibliotheksgebäudes liegt, und dort ist der südliche Eingang, der Haupteingang der Bibliothek.

Da ist die Drehtür, durch die ich mich mit meinem Rucksack und den Taschen voll Bücher durchschiebe, und da stehe ich vor dem Hauptpult für die Ausgabe und Annahme der Bücher.

Ich packe die Bücher aus und staple sie auf, und da sind zwei milde Fräulein, die sie entgegennehmen und ihren Empfang notieren.

Im ersten Jahr war's noch nicht viel mit Gesprächen, aber jetzt kenne ich sie alle bei Namen, und sie kennen mich. Ja, sogar die Leiterin der Abteilung lernte ich im Laufe der Zeit kennen, sie hatte etwas Ehrfurchtgebietendes in ihrem Wesen, und ich fühlte mich stets leicht versucht, vor ihr zu knicksen wie ein Schulmädchen. Als sie mir nach drei Jahren in einem dunklen Gang hinter den Büchern den stummen Diener zeigte, den kleinen Lift, in den man seine Bücher legen konnte, um sie in jedes beliebige Stockwerk fahren zu lassen, um sie nicht über die Stiegen schleppen zu müssen – in diesem erinnerungswürdigen Augenblick erst empfand ich die wahre Zugehörigkeit zu dem Haus und den Aufstieg vom Rang des Lehrlings zu dem des Gesellen.

Die Fräulein und ich sprechen übers Wetter, über unser Wohlbefinden, über die Blumen, die immer neu und in seltener Pracht auf dem großen Pult stehen, über das letzte Konzert in Hanover, über die Ereignisse in der Stadt. Wir sprechen flüsternd, obwohl niemand liest in der großen Halle, aber die Halle hat etwas Feierliches an sich und verträgt nur gedämpfte Stimmen.

Ja, selbst die Studenten, die noch eben auf ihrem Sportplatz getobt haben wie Bernhardiner und große Doggen, traben wie zahme Bären, denen man Zucker verfüttert hat, auf leisen Tatzen durch die Halle und brummen mit gestopften Trompeten.

Da ist also die riesige Halle, langgestreckt und hoch wie eine Kirche, in deren Mittelschiff das mächtige Pult steht, an dem die Bücher ausgegeben und wieder zurückgenommen werden. An der Wand hinter dem Pult ist eine Inschrift:

> Dieses Gebäude ist ein Geschenk von George
> F. Baker zum Angedenken an seinen Onkel
> Fisher Ames Baker, Dartmouth, Jahrgang 1859,
> der ein Soldat des Bürgerkrieges war und ein
> bedeutender Jurist.

George F. Baker stiftete im Jahre 1928 eine Million Dollar zur Errichtung der Bibliothek und schenkte dann eine weitere Million der Bibliothek zu ihrer Erhaltung. Ein anderer ehemaliger Student Dartmouths – Edwin S. Sanborn, Jahrgang 1878, hinterließ der Bibliothek eine Million Dollar zum Ankauf von Büchern, so daß ihr glänzendes Bestehen auf lange Jahre gesichert erscheint.

Und sollte es einmal zur Neige gehen, so werden sich andere alte Herren finden, Jahrgänge von Dartmouth, die gern und tief in die Tasche greifen werden, um ihren Jugendtraum und das Zentrum der Erinnerung an ihre glücklichste Zeit zu bewahren und zu erhalten. An den großen Fenstern der Halle hängen purpurrote Vorhänge, die roten Lederfauteuils sind für Wartende und in Büchern Blätternde bestimmt.

Im Ostflügel, der seinen eigenen Ausgang hat, stehen Tische mit Büchern, die von augenblicklichem oder besonderem Interesse sind, so etwa die Ursachen des chinesischen Bürgerkriegs, die Atom-Energie, der Stand der Krebsforschung, die neuen Romane der Weltliteratur, die Politik Amerikas und neue Lyrik.

Auf dem Ausgabe- und Annahmepult selbst stehen die allerletzten Neuerscheinungen, die oft nur auf drei Stunden ausgeliehen werden können, weil viele Leser darauf warten, und die nur in der Bibliothek selbst gelesen werden dürfen.

In der Nordwand der Halle sind Vitrinen eingebaut, in denen Bilder und Bücher von besonderem Interesse ausgestellt werden. Im Westflügel der Halle sind die Kästen der Kartothek aufgestellt, geordnet nach Schriftstellern auf der linken Seite und nach Themen auf der rechten, für jene, die die Schriftsteller des Buches vergessen haben oder eine ganze Bibliographie über ein Thema haben wollen.

Vom Ostflügel der Halle kommt man in zwei große Räume, den freundlichen, nüchternen Raum, der nur für Zeitungen bestimmt ist, und dem gegenüber liegt der »Reference«-Raum, in graugrünem Holz getäfelt, mit dunklen, glattpolierten Tischen und antiken Stühlen, Alkoven und in die Wand eingelassenen Büchergestellen, ein Bibliotheksraum wie in einem englischen Schloß, in dem der Hausherr die Bücher wirklich liest, die er besitzt.

Dort ist die Abteilung für die Diktionäre, Enzyklopädien, Bibliographien und Atlanten, da ist Grimms Wörterbuch und ein Diktionär, das Nahrungsmittel in sechs Sprachen nennt, da sind Zitatensammlungen und Genealogien, da ist »Who is Who« — Wer ist Wer — unter den Lebenden und den Toten, »da sind die Bücher«, heißt es, »die auf die Fragen Antwort geben, die an Universitätsbibliotheken am meisten gefragt werden«.

Vor diesem Reference-Raum sitzen von acht Uhr früh bis halb elf Uhr nachts an einem großen Schreibtisch, der bedeckt ist mit kleinen Fragezetteln, Angestellte der Bibliothek und erteilen Auskünfte, freundlich, hilfsbereit, unermüdlich. Sie helfen den Studenten Bücher in der Kartothek suchen und in den Bücherregalen finden, sie suchen ihnen das Material über Kaiser Augustus oder Churchill zusammen, sie beraten sie, wo sie ihre Mäntel hinwerfen sollen, und wo sie rauchen, und wo sie nicht rauchen dürfen.

»Obwohl das Privileg des Rauchens kaum jemals in Bibliotheken gestattet ist«, heißt es im Handbuch, »wegen der Feuersgefahr, hat sich die Bakerbibliothek entschlossen, um einen angenehmen Platz für die Studenten zu schaffen, das Rauchen im Turm, in den Seminarräumen und im großen Studiersaal zu gestatten. Die Studenten werden gebeten, das Rauchen auf die angegebenen Räume zu beschränken[1].«

Dieser Turm, der über zwei große Treppen von der Haupthalle aus zu erreichen ist, nimmt den ganzen ersten Stock ein. Es ist ein Riesensaal, eichengetäfelt, mit großen und kleinen Tischen und schweren Fauteuils. Hier, sagen sie, sollen die Studenten

[1] The Baker Memorial Library at Dartmouth College. Students' Handbook. (Auch Zitate S. 185, 186, 191—192.)

zu ihrem Vergnügen lesen und nicht ihrer Prüfungen und Zeugnisse wegen. Hier haben sie bequeme Stühle für sie gebaut mit besonderem Bedacht auf Haltbarkeit und doch nicht zu massiv. Die Stühle sind so bequem ausgefallen, daß man die Studenten oft reihenweise schnarchen hört, besonders aber geschah das gewaltig und vielstimmig in den Kriegszeiten, als die Studierenden zu neun Zehntel aus Matrosen bestanden, die nebst allem Universitätsstudium auch noch ab sechs Uhr früh exerzieren mußten, und der Turm ihr einziger ungestörter Aufenthalt wurde.

In diesem Raum, der etwa viertausend Bücher enthält sind alle Arten von Büchern vertreten, »von den schöpferischen Werken der Neuzeit und den großen Geistern der Vergangenheit bis zur leichten Unterhaltungslektüre«.

»Hier sollen keine Regeln gelten und keine Beschränkungen«, erklären sie. »Dieser Raum soll als ein Club betrachtet werden. Vielleicht werden sich dann manche Studenten nach Jahren noch daran erinnern, daß sie die wertvollsten Stunden ihrer Universitätszeit dort verbracht haben.« Manchmal im Winter lesen hier die Mitglieder der Fakultät Gedichte und Prosa vor, die Studenten gruppieren sich ums Kaminfeuer, das bei Abenddämmerung angezündet wird, es herrscht ein angenehmes, von Lampenschirmen gedämpftes Licht, und über dem allen liegt der Duft von Kaffee, der im Hintergrund serviert wird. Sie sagen: »Wenn die Bibliothek in gewissem Sinne das Herz der Universität ist, so soll dieser Raum das Herz der Bibliothek sein.«

Da gibt es noch viele andere Räume in der Bibliothek, die Räume zum Beispiel, in denen sortiert, registriert wird, ein Raum, in dem nochmals die ganzen Kartotheken der Harvard- und Congress-Bibliotheken sind, für den Fall, daß man Bücher wünscht, die in der Dartmouth-Bibliothek nicht vorhanden sind und in Harvard, Yale, Congress oder einer der anderen großen Bibliotheken ausgeborgt werden müssen.

Da ist ein Stab von Angestellten damit beschäftigt, einem das Buch zu besorgen, das man braucht. Die Antwort »Das gibt es nicht, das kann ich Ihnen nicht beschaffen« habe ich in all den fünf Jahren, die ich in der Bibliothek arbeitete, niemals gehört. Einmal verlangte ich ein Buch, das ein höchst merkwürdiges Buch über die Kindheit des Klostergründers Benedikt und seiner Schwester Scholastica ist. Ich betonte, daß das Buch nicht unbedingt wichtig sei, ich es aber aus Gründen der Absonderlichkeit

gerne einmal lesen möchte. Die Suche danach dauerte zwei
Monate, aber endlich hatten sie es gefunden, in einem Benedik-
tinerkloster im Staate Indiana. Als es ankam, hatte ich nur die
Portokosten zu bezahlen, hin und zurück 80 Cents. Leihgebühr
gibt es keine. »Es ist keine Grenze gesetzt für die Anzahl der
Bücher, die ausgeliehen werden können«, erklären sie. »Jedoch
sind manche Bücher besonders schwer zu ersetzen, wenn sie
verlorengehen, daher können solche Bücher nur in der Bibliothek benützt werden. Die Frist, die Bücher zu behalten, er-
streckt sich auf 14 Tage, jedoch kann sie – wenn die Bücher
nicht von andern angefordert werden – verlängert werden.«
Im November 1946, bevor ich nach Europa fuhr, brachte ich
68 Bücher zurück, und manche davon hatten sie mir drei Monate und länger gelassen, allerdings handelten sie zumeist vom
frühen Mittelalter, nach dem es wenig Leser verlangt. Da gibt
es Bußen für zu spät zurückgegebene Bücher, drei Cents und
fünf Cents pro Tag. »Unser ganzes System würde zusammen-
brechen«, sagen sie, »wenn die Bücher nicht zurückgegeben
werden, damit andere sie benützen können. Die Bußen sind
nicht als Geldgewinn, vor allem nicht als Strafen gedacht. Die
Bücher werden zumeist aus Gedankenlosigkeit nicht rechtzeitig
zurückgegeben, und die Bußen sollen helfen, dies zu vermeiden.«
Die Bücher sind zumeist in einem tadellosen Zustand, der nicht
etwa aus der besonderen Achtsamkeit der Studenten resultiert,
sondern aus der Tatsache, daß die Bücher, bevor sie ernstlich
beschädigt sind, in die Buchbinderei kommen, die sich im Keller
befindet, und strahlend neu gebunden wieder auftauchen.
Da ist noch ein Museumsraum, ein kleines Zimmer, nachge-
bildet der ersten Bibliothek, die von Bezaleel Woodward, Ma-
thematikprofessor und erstem Bibliothekar, 1772 gegründet
wurde.
Da ist der Treasure Room, die Schatzkammer, die Bücher von
Raritätswert enthält, ein feierliches, unbewohntes Herrenzim-
mer, auf dessen Kirchenglasfenstern die Legenden und Insi-
gnien gemalt sind, die mit der Geschichte und Tradition der
Universität zu schaffen haben. Irgendwo fand ich einmal in der
Beschreibung dieses Raumes die Bemerkung: »Die Frage wurde
aufgeworfen über die Tendenz der drei Sterne, die auf einem
der Fenster abgebildet sind, und es soll hiermit festgestellt werden, daß sie das Originalsiegel der Phi-Beta-Kappa-Studenten-

verbindung von Dartmouth sind und in keiner Weise die Schutzmarke des Cognacs Hennessy bedeuten sollen.«

Gleich neben diesem Raum sind die Zimmer der Bibliothekare und des Leiters der Bibliothek, Zimmer von einer Schönheit und Behaglichkeit, daß man sich fragt, ob die wohl je nach Hause gehen wollen.

Einer der Bibliothekare, Mr. Rugg, ist ein Sammler seltener Pflanzen, sein Büro sieht wie ein exotisches Glashaus aus. Als ich in der Bibliothek mit einer bestimmten historischen Arbeit beginnen wollte und Hilfe brauchte, wurde ich ihm vorgestellt und von ihm eingeführt und mit der Bibliothek bekannt gemacht.

Später erhielt ich zwei Briefe von ihm, die ich mir aufgehoben habe. Der eine stammt vom Januar 1942, fünf Wochen nach Kriegsausbruch, und lautet: »Ich hörte gestern, daß Sie auf Grund von neuen Regierungsbestimmungen Schwierigkeiten haben, nach Hanover zu kommen. Ich hoffe, daß sich das bald regeln läßt und Sie die nötige Erlaubnis erhalten, um in die Bibliothek zu kommen. Wenn Sie jedoch in der Zwischenzeit bestimmte Bücher haben wollen, dann senden Sie mir doch bitte eine Liste, und ich will gerne dafür sorgen, daß sie Ihnen zugeschickt werden. Sie haben dafür nur die Postgebühr zu bezahlen. Mit den freundlichsten Grüßen an Sie beide . . .«

Der zweite Brief kam ein halbes Jahr später, als wir eine recht strenge Benzinrationierung bekamen, mit der man nicht mehr weit fahren konnte.

»Ich habe Sie nicht gesehen«, schrieb er, »seit der Benzinrationierung, und ich hoffe, daß Sie eine Zusatzkarte bekommen haben, um Ihre Studien an der Bibliothek fortsetzen zu können. Einige meiner Freunde bekamen eine Zusatzkarte zum Zweck ihrer weiteren Studien zugesprochen. Inzwischen werden wir Ihnen natürlich gern die nötigen Bücher mit der Post zusenden . . .«

Ich bekam inzwischen eine Farmer-Zusatzkarte dadurch, daß ich Eier, Ziegenmilch, Hühner, Enten, Gänse in Hanover zu verkaufen begann und den Verkauf in die Nähe der Bibliothek verlegte, und Mr. Rugg war zufrieden und erfreut.

Im Jahr 1943, als ich mitten im Krieg die Bewilligung bekam, eine Amerikanerin 5000 km durchs ganze Land in den Westen nach Kalifornien zu begleiten, schickte ich Mr. Rugg aus San Francisco eine Redwoodwurzel, eine kleine Wurzel von den

Riesenbäumen aus den westlichen Wäldern, durch deren Stämme Tunnels gehackt werden, durch die Autos bequem durchfahren können, Bäume, die mehr als dreißig Meter in den Himmel wachsen und das achtbare Alter von neunhundert Jahren und mehr haben. Ob die kleine Wurzel des Riesenbaums Wurzel geschlagen hat in Mr. Ruggs östlichem Garten oder gar in einem Blumentopf seines Büros, das habe ich ihn nicht gefragt, aber möglicherweise werde ich einen Baumanfang sehen davon, wenn ich zurückkomme, denn Mr. Rugg ist ein Zauberer mit Pflanzen und hat eine gute Hand für Bücher.

Da ist eine medizinische Bücherabteilung und ein Photostatraum und ein großer Raum unter der Halle, nochmals ein Studierraum für Studenten, die bestimmte Lehrbücher brauchen. Dessen Wände sind mit modernen Bildern eines mexikanischen Malers bemalt, und man wird angewiesen, Geduld zu haben und sie sich gründlich zu betrachten, bevor man sie abstoßend findet. Ich habe sie gründlich betrachtet, aber ich habe nicht viel Geduld und meide diesen Saal. Alle diese Räume, die ich bisher beschrieben habe, sind zum Studieren und Meditieren, zur Sammlung, zur Einkehr, zum Ausruhen.

Aber da ist der Kern der Bibliothek, die neun Stockwerke, in denen die Bücher stehen. Im Amerikanischen werden sie »stacks« genannt, ein Ausdruck, der schichten, aufhäufen, aufstapeln bedeutet und etwa im Zusammenhang mit Ziegelhaufen und Heuschober verwendet wird.

In diesen Stacks hat man die Bücher zu suchen und zu finden. Der Vorgang ist sehr einfach. In der Kartothek der Haupthalle sucht man den Namen oder den Schriftsteller des Buches, das man haben will. Dann schreibt man sich auf einen Zettel die Buchstaben und Nummern auf, mit denen das Buch bezeichnet wird, etwa: H 26 R 322 c. Neben der Eingangstür zwischen Halle und Stacks ist eine große Orientierungstafel, aus der zu ersehen ist, daß H (History – Geschichte) im sechsten Stock ist und 26 das Büchergestell im sechsten Stock bezeichnet. R bedeutet den Anfangsbuchstaben des Autors, und 322 c ist die Nummer des Buches auf dem Regal, c heißt innerhalb der Numerierung, daß es das soundsovielte Buch desselben Autors ist. Manchmal ist auf der Kartothekkarte das Zeichen q oder f, das heißt: Achtung, das Buch ist von ungewöhnlichem Format, in quarto oder folio, also steht es in einem unerwarteten Regal, das hoch genug ist, um solche Bücher zu fassen.

In jedem Stockwerk sind an jeder der zwei Stiegen nochmals kleine Orientierungstafeln, falls man die Anmerkungen auf der großen beim Eingang vergessen hat.

Da die Bibliothek, wie ich anfangs erwähnt habe, auf hügeligem Gelände steht, so kommt man von der Halle, die im Parterre zu liegen scheint, direkt in den vierten Stock der Stacks. Drei Stockwerke führen hinunter, fünf Stockwerke hinauf, jedes Stockwerk ist zweieinhalb Meter hoch, und rechts und links führt je eine Stiege von Stockwerk zu Stockwerk. In jedem Stockwerk sind drei Gänge, zwei breite Außengänge, die von einer Reihe von Fenstern beleuchtet sind, und in denen Tische und Stühle stehen, und ein finsterer Mittelgang, der die Büchergestelle trennt. Die Gänge sind sozusagen drei parallele Alleen, die durch elf Quergassen getrennt werden, in denen rechts und links auf dunkelgrünen, eisernen Gestellen die Bücher vom Plafond bis zum Fußboden stehen. An jeder Seitenwand der Gestelle sind nochmals Zahlen und Buchstaben angegeben, um den Standort des Buches anzuzeigen, sozusagen seinen geometrischen Ort aufs genaueste zu bestimmen. Die Mittelallee und die Gassen zwischen den Büchern sind durch viele elektrische Lampen beleuchtet, die man selbst einschaltet und nach Gebrauch auch wieder ausschalten soll. An der Nordwand jedes Stockwerks sind sieben offene Kabinen mit Tischen und Stühlen, in denen man die ausgewählten Bücher lesen und durchsehen kann, bevor man sie ausborgt und nach Hause nimmt. Im zweiten und dritten Stockwerk sind die Kabinen geschlossen, bereit für Studenten, die an einer Arbeit konzentriert und ungestört arbeiten wollen. Das Bücher-Suchen und -Finden ist, sobald man es einmal weiß und kann, nichts Besonderes mehr.

Dann aber beginnt erst das Köstliche: daß nämlich das gesuchte Buch umgeben sein kann von ungesuchten Büchern, von denen man nichts wußte, oder die man vergessen hatte, die man vielleicht einmal gekannt hat und wiederfindet.

Manchmal, wenn ich in meiner Stube oben im zehnten Stock acht und neun Stunden gearbeitet hatte und müde geworden war, stieg ich hinunter und wanderte durch die Gassen und Alleen der Bücher, blieb stehen, wo ich wollte, zog ein Buch heraus, blätterte darin und legte es auf einen der Tische, so daß ich nochmals hineinsehen konnte, wenn es mir gefiel.

Bücher, die einmal aus den Regalen herausgezogen worden sind, sollen auf Tischen gestapelt werden, damit sie von befugten Händen wieder zurückgetan werden können und nicht dem Zufall des Irgendwohingestelltwerdens ausgesetzt sind. Allmorgendlich ist ein Stab von jungen Leuten damit beschäftigt, Bücher an die Plätze zurückzutun, an die sie gehören und wo sie richtig gefunden werden können.

Ich gehe also durch die Stockwerke und betrachte die Bücher und nippe an vielen, und manchmal wird eine Begegnung daraus. Und wie ich durch die Reihen von Hunderttausenden von Büchern gehe, denke ich, die kann ich alle haben, die gehören mir und den Studenten und den Professoren und den Gästen, die in die Bibliothek kommen. Dieses Gefühl von allgemeinem Besitz oder gemeinsamem Besitz des Außergewöhnlichen macht es wohl, daß kaum jemanden die Lust ankommt, etwas davon wegzunehmen und zu behalten. Diebstahl ist ein Faktor, mit dem an der Bibliothek nicht gerechnet wird und nicht gerechnet werden muß.

Ich gehe auf meinem Rundgang hinunter in den dritten Stock und in den vierten Stock, wo die Büchergassen durch starkes blaues Neonlicht erleuchtet sind, das in Röhren an der Decke entlangläuft.

Da stehen die Römer und Griechen, da stehen die alten Geographen, die von der Insel Thule und den Amazonen berichten, da erzählen Postkutschenreisende von den Alpen, Rikschareisende von China und Flieger vom Südpol. Da ist der Fall von Rom und der Aufstieg des Christentums. Da sind die Biographien von Alexander dem Großen bis zu Bernhard Shaw und Franklin D. Roosevelt. Da stehen die Russen in ihren anarchistischen und gläubigen, christlichen und terroristischen, passiven und revolutionären Schriftstellern, vertreten bis zu den neuen Sowjetkomödien und -dramen. Da ist Shakespeare in alten und neuen Ausgaben, in allen Auslegungen, in allen Personen erscheinend, aus denen er bestanden haben soll. Da sind die Engländer von Beowulf bis Priestley.

Da sind die Deutschen von der Ulfilas-Bibel über die Klassiker- und Romantiker-Ausgaben bis zu Barlachs »Blauem Boll«. Da wird kein Halt gemacht bei den Modernen, sie strömen immer neu herein, ohne Ende und ohne Zensur.

Im Herbst 1945 kamen die Nazibücher an, Romane, Zeitschriften, Schulbücher, Lyrik, sie wurden sortiert und bereitgestellt. Eine kleine Ausstellung davon wurde in den Vitrinen der Haupthalle zusammengestellt. Es war kein »Stürmer« darunter, und kein Aufmarsch im Gänseschritt. Es waren legitime Bücher wie etwa »Mein Kampf«, ein Rosenberg, Ludendorff, Gedichte von Schirach, Photographien der Führer, deutsche Wochenschau-Bilder aus dem Krieg. Die aggressiven Titel, die häßlichen Führer, der schlechte Druck erregten Verwunderung und Spott bei den Studenten. In einer andern Vitrine standen Bilder aus deutschen Zeitschriften, meist Naturaufnahmen, die große Bewunderung hervorriefen.

Die Bücher sind alle da, da sind die Amerikaner, die Franzosen, die Skandinavier, die Holländer und Italiener, die Russen, die Inder, die Chinesen und Spanier, da sind die Völkerscharen in ihrer Literatur und in ihrer Geschichte, zu allen Zeiten, da sind die Religionen, das Recht, die Musik, die Folklore, die Wissenschaften, die Landwirtschaft, das Fischen und Jagen, der Sport, die Technik, die Detektivgeschichten, da ist das ganze Material, geordnet, aber unverkürzt und nicht ausgewählt. Die Studenten, denen diese Bibliothek geschenkt ist, sollen suchen, auswählen und selbst überlegen, was sie damit beginnen wollen; die ältere Generation will die Jungen nicht beherrschen, und die Jungen fürchten die Alten nicht.

Als die Dartmouth-College-Bibliothek eingeweiht wurde, hielt ihr Bibliothekar eine Ansprache:

»Jede Errungenschaft des menschlichen Geistes«, sprach er, »ruht vor allem auf dem Glauben.

Diejenigen, die diese Bibliothek geplant haben, haben sie mit Glauben geplant, und sie haben in ihren Bau bestimmte Überzeugungen hineingelegt, die niemand beweisen kann, und die ich nicht beweisen will.

Sie glauben daran, daß Dartmouth dahin kommen soll, zu lehren, daß alle Dinge ineinandergreifen und sich um eine reale Mitte schließen.

Darum beschlossen sie, das Gebäude ins Herz der Universität zu verlegen und es mit ihm verwandten Lehrgebäuden zu umgeben; darum sammelten sie alle Bücher und brachten sie an einem Platz zusammen, um sie, ohne sie aufzuteilen und zu zerstreuen, auf einem zentralen Platz bewahren zu können.

Sie glauben daran, daß es gut sei, die Jugend mit Schönheit zu umgeben, und daß dies zur Erziehung gehöre. Darum dachten sie sich für die Räume der Bibliothek Grundriß, Farben und Möbel genau aus und stellten sich die Aufgabe, Schönheit zu schaffen.

Sie glauben daran, daß den Studenten die Möglichkeit gegeben werden soll, mit Lust zu lesen, als Quelle der Beschaulichkeit und Muße; sie glauben, dies sei der sicherste Weg, den Geist scharf und nutzbar zu bilden.

Das war der Grund, den Hauptlesesaal in den Turm zu verlegen; damit ist der Versuch gemacht worden, die Lust am Lesen zu kultivieren.

Für diesen Glauben aber: an eine reale Mitte, an Schönheit und an das Beste aus dem Erbe der Vergangenheit, soll dieser Turm ein Symbol sein — eine Erleuchtung für Dartmouth — ein Zeichen für die Welt!«

VOX CLAMANTIS IN DESERTO

Eines Tages ging ich zum Reference Desk, dem Auskunftspult, und fragte, was die Wetterfahne auf dem Turm bedeute.

Ich hatte sie lange Zeit als sonderbaren Hahn angesehen, mit gesträubten Federn und ohne Kopf.

Sie zeigten mir das Exlibris der Bibliotheksbücher, und bei dieser Gelegenheit erfuhr ich einiges über die Gründung und die Geschichte der Universität Dartmouth, eine bemerkenswerte und einmalige Historie.

Zunächst sah ich mir das Exlibris an, das die Szene darstellt, die sich auf der Wetterfahne abspielt.

Es *war* eine Szene: Da war eine hohe Kiefer, zehn Meter hoch, und unter ihr stand ein Faß, und neben dem Faß war ein Baumstumpf, und auf dem Baumstumpf saß ein Mann. Der Mann hatte Escarpins an und Schnallenschuhe, einen langen Rock und zusammengebundene lange Haare. Den rechten Arm hatte er erhoben und den Zeigefinger seiner rechten Hand ausgestreckt. In seinem Zeigefinger liegt nicht die Starrheit des Auf-etwas-Hindeutens oder -Hinweisens. In der — fast möchte man es Bewegung nennen, obwohl sie festgebannt ist in Gußeisen —, in der Geste seines Arms und seiner Hand, die aus einem weiten Ärmel mit breitem Aufschlag lugt, vor allem aber in seinem Zeigefinger liegt die wiegende, illustrierende, skandierende Geste des Lehrens.

Vor ihm sitzt ein merkwürdiger Schüler. Er hockt mit gekreuzten Beinen auf dem Boden, auf dem Haupte zwei Federn, im

Munde eine lange Pfeife, die er mit beiden Händen hält, als wolle er die Flöte blasen.

Dies also ist die eiserne Wetterfahne von Dartmouth. Das Siegel aber von Dartmouth hat die Inschrift: vox clamantis in deserto.

Und das ist die Geschichte von Dartmouth, wie ich sie hörte, und wie ich sie las[1], und die so sehr zu Land und Leuten gehört und so sehr mit unserer Landschaft, den Unbilden des Wetters, der Ausdauer und Zähigkeit der Menschen verbunden ist, daß ich sie als Beleg und Beispiel und Abschluß für alles, was ich bisher erzählt habe, berichten will.

Da war ein Mann, und sein Name war Eleazar Wheelock, ein wohlbekannter Kanzelredner, Flugblattverfasser, Polemiker, vor allem aber Vorsteher und Besitzer einer Schule für Indianer im Staate Connecticut.

Seine Vorstellung, sein Wunsch und sein Ziel waren einigermaßen ungewöhnlich: er wollte die Ureinwohner Amerikas, anstatt sie zu bekämpfen, zu demoralisieren oder zu töten: zivilisieren, bilden, erziehen.

Seine Pläne gingen nicht nur so weit, eine Schule zu gründen, in der den Indianern das ABC, das Christentum und das Auf-Bänken-Sitzen beigebracht werden sollte, Mr. Wheelocks Plan war nicht mehr und nicht weniger, als eine Universität, eine Hochschule für Indianer und Weiße zu schaffen.

Wie das Geld dafür aufgebracht, der Platz gefunden wurde, wo das College stehen sollte, und auf welche Weise es entstand, ist eine der seltsamsten Geschichten einer Hochschulgründung.

In der Gründungsurkunde von Dartmouth steht zu lesen: »Im Namen unseres Königs Georg III. verordnen, bewilligen und verfügen wir mit bestem Wissen und Gewissen, daß eine Hochschule in obengenannter Provinz New Hampshire errichtet werden und Dartmouth College genannt werden soll, und sie soll dienen der Erziehung und Belehrung der Jugend unter den Indianerstämmen in unserm Lande, und sie sollen unterwiesen werden im Lesen und Schreiben und in allen Dingen der Gelehrsamkeit, die zuträglich und nützlich sind, um die Kinder der Heiden zu zivilisieren und dem Christentum zuzuführen, und sie sollen auch belehrt werden in den freien Künsten und Wissenschaften, und auch die englische Jugend soll dort gelehrt

[1] The Story of Dartmouth by Wilder Dwight Quint. Boston 1914.

werden und alle Arten von Jugend, und niemand soll ausgeschlossen werden; welcher religiösen Gemeinschaft er auch angehören möge, so darf ihm die Freiheit, die Privilegien und die Immunität der obengenannten Hochschule nicht versagt werden wegen seiner theoretischen Meinungen in Fragen der Religion oder etwa auf Grund seines Bekenntnisses, wenn es von dem der Leitung und des Kuratoriums der Hochschule abweichen sollte.«

Zunächst ist also zu berichten, auf welche Weise das Geld aufgebracht wurde, um die Hochschule überhaupt gründen zu können.

Mr. Eleazar Wheelock hatte Freunde in England, die begeistert waren von dem frommen Plan der Bekehrung und Belehrung der wilden Indianer.

Der Hauptplan bestand nun darin, den mächtigen Earl of Dartmouth zu gewinnen und sich seiner Hilfe zu versichern. Die zwei Abgesandten, die Mr. Wheelock auswählte, um sie nach England zu schicken, waren ein seltsames Paar.

Der eine war Nathanael Whitaker, ein schöner, stattlicher, großer Mann, ein streitbarer Kämpfer Gottes, von unbeugsamem Willen und gewaltiger Starrköpfigkeit und Presbyterianer vom Princeton College.

Der andere Abgesandte war Samuel Occom, ein Vollblutindianer vom Stamme der Mohikaner aus Connecticut.

45 Tage waren die beiden unterwegs nach England. Widrige Stürme hatten ihre Reise verzögert, und sie kamen erst am 6. Februar 1766 abends in London an.

Das Aufsehen, das sie erregten, war ungeheuer, aber wie aus Occoms Tagebüchern hervorgeht, merkte er nichts von dem Aufsehen, das er erregte, oder es machte ihm keinen Eindruck. Samuel Occom ging mit dem leichten, federnden Schritt der Indianer in Wäldern und Prärie durch die Straßen Londons; seine glatten schwarzen Haare fielen ihm über die Schultern auf sein schwarzes geistliches Gewand, und sein kupferfarbenes Gesicht lugte ruhig und unbewegt aus der dunklen Pfarrertracht mit den weißen Beffchen unterm Kinn.

Ja, das Aufsehen, das er erregte, war so groß, daß er nach kurzer Zeit auf dem Theater in einer Komödie dargestellt wurde, was ihm sehr verwunderlich vorkam.

Eindruck machte auf Occom nur das wüste Treiben in London am heiligen Sabbat, und er schrieb darüber in sein Tagebuch:

»Am Sabbath abend ging ich mit Mr. Whitaker, um einen Brief bei seiner Lordschaft Lord Dartmouth abzugeben, und sah ich eine Konfusion, wie ich nie geträumt davon, es taten einige singen und predigen, in den Straßen war Fluchen, Lästern, Verwünschungen, andere taten sich in Heulen, Raufen, Schwätzen, Tanzen und Gelächter, und Kutschen fuhren hin und her und her und hin und kreuz und quer, und die armen Bettler beten und weinen und betteln auf ihren Knien.«

Der Erfolg Occoms, des Indianers im Priestergewand, war durchschlagend.

Lord Dartmouth empfing ihn und übernahm das Patronat über die künftige Hochschule, gab ihr seinen Namen und machte den Anfang auf der Subskriptionsliste mit 50 Pfund.

Reverend Whitaker, der einen gesunden Sinn für Reklame hatte, organisierte, und Occom predigte. Er predigte in England von mehr als dreihundert Kanzeln, ja, es wird erzählt, er hätte sogar vor dem König gepredigt. Ob dies wirklich geschah, steht nicht fest, wohl aber ist es erwiesen, daß der König 200 Pfund stiftete.

Occom, heißt es, predigte mit der natürlichen Beredsamkeit und der Vorstellungskraft der Rothäute, er gab die Vision von der großen Bekehrung aller Indianerstämme, und seine Zuhörer gaben, schenkten und halfen ihm in seiner Mission.

Die Schenkungen kamen aus allen Schichten vom König bis zu den Bauern. Da waren reiche exzentrische Kaufleute, wie etwa der dicke Mr. Thornton, der später Mrs. Wheelock eine Staatskarosse schenkte, damit sie damit durch die Wildnis fahren konnte.

Da waren Leute, die sich folgendermaßen in die Liste eintrugen:

1 Witwe 5 shilling,
2 Witwen 16 shilling 2 pence.

Da waren aber auch Rückschläge, wie aus Occoms Tagebüchern hervorgeht. »Der Erzbischof von Canterbury hilft nicht den Dissentern. Der Bischof von Gloucester gibt keinen Penny und fordert uns auch nicht auf zum Niedersetzen.«

Zuletzt hatten sie eine Liste mit 2500 Namen aufzuweisen, und als die beiden Abgesandten zwei Jahre später, im April 1768 wieder heimsegelten nach Amerika, brachten sie zu Gottes Ruhm und zum Wohl der Indianer elftausend Pfund mit, eine ungewöhnlich hohe Summe in jenen Zeiten.

Inzwischen hatte Mr. Wheelock in Amerika ein Grundstück gesucht. Im Staate Connecticut wollte er nicht bleiben, denn er hielt es für weiser, in der Wildnis, inmitten der den Indianern gewohnten Umgebung, die neue Schule zu beginnen.

Dem Leidensweg, den Mr. Wheelock nun zu beschreiten hatte, den Anfeindungen, denen er ausgesetzt war, den Beschimpfungen und den Rückschlägen wäre ein weniger eigensinniger und starrköpfiger Mann nicht gewachsen gewesen. Aber Mr. Wheelock muß von der Art der Neuengländer gewesen sein, die man nicht biegen und nicht brechen kann.

Im Jahre 1765 hatte ihm der Gouverneur Wentworth von New Hampshire 500 acres Land versprochen.

Im Jahre 1770 war es endlich so weit, daß Wheelock im Frühling eine Acht-Wochen-Reise in die Wälder des Nordens unternehmen konnte, um den rechten Platz für seine Universität zu finden. Als er den rechten Platz gefunden hatte, brach ein Sturm der Empörung bei jenen aus, die sich einen andern Platz gedacht hatten oder sich übergangen fühlten bei der Wahl des Platzes.

Wheelock wurde als Phantast und nur auf seinen Vorteil bedachter Betrüger bezeichnet, beschimpft und verleumdet. Aber es half nichts. Seine Antwort war: »Der Platz für das Dartmouth College wurde weder durch private Interessen noch von irgendeiner Partei bestimmt, sondern ganz alleine nur von unserm Erlöser.«

Dazu sei bemerkt, daß der erste Präsident des Dartmouth College der unbeirrbaren Meinung war, er und der Allmächtige stünden auf so ausgezeichnetem Fuß, daß keine Macht auf Erden je dazwischentreten könne.

Anfang August setzte sich Eleazar Wheelock in Bewegung und zog mit ein paar Arbeitsleuten, einem beladenen Ochsenwagen, einem Lehrer und einem Schüler den Connecticut-Fluß nordwärts, den Fluß, über den es damals noch keine Brücken gab, und der von den Canoes der Indianer befahren wurde.

Dieser Zug durch die Wildnis wurde später von einem Dartmouth-Schüler besungen, der den historischen Irrtum beging, zu glauben, das Fäßchen Rum wäre bereits im Gepäck des Mr. Wheelock vorhanden gewesen, während es erst später in der Karawane der Mrs. Wheelock transportiert wurde. Der Vers lautete:

»Oh Eleazar Wheelock, das war ein Mann in Ehren.
Er wandert in die Wildnis, Indianer dort zu lehren
Mit Gradus ad Parnassum und seiner Bibel frumm,
Mit Trommeln und 500 Gallonen echtem Rum.«

Mr. Wheelock und seine Gesellschaft kämpften sich durch die dichten Wälder, den mühsamen Pfaden entlang, und es war eine harte Plage, bis sie durch das gebirgige Land ziehend den auserwählten Platz erreicht hatten.

Dort, auf einem Hochplateau, standen damals, so wird berichtet, zehn Meter hohe Kiefern, und sie waren so dicht beästet, daß die Sonne nicht auf den Waldboden scheinen konnte, außer am Mittag, wenn sie im Zenit stand. Die hohen Bäume aber hielten auch die Stürme ab, und im Waldesdunkel, heißt es, sei es so still gewesen wie in einer Kathedrale. Nur das Brummen der Bären, das Heulen der Wölfe, das Kreischen und Jaulen der Luchse, das Knurren der Panther hätte manchmal diese Stille unterbrochen.

Wenn der gute Doktor Wheelock, erzählen sie, sich einen stillen Platz für sein College gewünscht habe, einen Platz, weit entfernt von den Versuchungen der bevölkerten Städte, so hätte er zweifellos einen stilleren und entlegeneren kaum finden können.

Drei Wochen später stand ein Blockhaus aus gerodetem Land, sechs Meter im Quadrat, mit Fenstern aus Glimmer und Wachspapier, und sie gingen daran, Quartiere für die Studenten zu schaffen. Mitte September, sechs Wochen nach Mr. Wheelocks Aufbruch, setzte sich Mrs. Wheelock in Bewegung.

Sie fuhr in der herrlichen Staatskarosse, die ihr von dem englischen Kaufmann geschenkt worden war, gezogen von zwei mißmutigen, keuchenden Rössern.

Hinter der Kutsche kam der Ochsenwagen, beladen mit einem Faß gesalzenem Schweinefleisch, einem halben Faß Zucker, mit Wein, Tabak, Pfeifen und anderm Vorrat, vor allem aber mit dem besungenen Faß Rum.

Im Zuge marschierten die vier Negersklaven der Familie Wheelock, mit Namen Exeter, Brister, Chloe und Peggy, und hinter ihnen zog eine Kuh, die dem Brister gehörte, der sich störrisch geweigert hatte, ohne Peggy und die Kuh zu ziehen, obwohl es höchst fraglich war, ob genug Futter für die Kuh aufzutreiben sein würde.

Hinterdrein kamen dreißig Studenten, Indianer und Weiße. Pferde, Ochsen und Menschen trotteten, stolperten, stapften auf der holprigen, unwegsamen Straße. Es mag nicht wenig Mühe gekostet haben, die Fässer vorm Herunterrollen vom Ochsenwagen zu bewahren, ganz zu schweigen von Mrs. Wheelock, die in ihrer Staatskarosse geschüttelt, gerüttelt, gestoßen und geworfen wurde wie in einem Segler bei Sturm auf hoher See.

Die Karawane konnte täglich nur wenige Meilen zurücklegen. Zu Anfang ihrer Reise kam ihnen ein reitender Bote entgegen, ein Lehrer, abgesandt von Dr. Wheelock, der sie beschwor, sie mögen sofort umkehren, da Wassermangel eingetreten sei, und Mr. Wheelock erst neue Quellen finden müsse, um eine bequeme Unterkunft für Mrs. Wheelock und die Studenten zu schaffen.

Wasser oder kein Wasser! Mrs. Wheelock war nicht zur Umkehr zu bewegen, und nichts in der Welt konnte sie an der Weiterreise verhindern. So blieb dem verzweifelten Abgesandten, der Tag und Nacht geritten war und eine Extraerlaubnis in der Tasche hatte, die es ihm gestattete, selbst am Sabbat weiterreiten zu dürfen, es blieb ihm also nichts anderes übrig, als sein Pferd zu wenden und die langsame Prozession auf ihrem mühsamen Weg durch die Wildnis zu begleiten.

Die Ankunft der Karawane bedeutete für Mr. Wheelock und seine Helfer vollkommene Verwirrung und Umstürzen aller Pläne. Da er aber in jedem Unglück, Zufall oder Glück die Hand des Herrn sah, verzweifelte er nicht.

Er quartierte seine Frau und die weiblichen Personen des Transports in die fertige Blockhütte ohne Wasser ein und baute mit Hilfe der Indianer für sich, seine Söhne, die Dienerschaft und die Schüler provisorische Zelte. Als bald darauf ein neuer Trupp Studenten und Lehrer aus Boston ankamen, wurde die Lage noch schlimmer, und ein Lehrer gibt folgende Beschreibung der Zustände: »Als wir ankamen, war kein Platz mehr im Blockhaus, und wir mußten Zelte bauen aus Pfählen und Stangen, bedeckt mit Zweigen und Geäst. Wir schliefen sehr angenehm, eingerollt in unsere Decken, als sich plötzlich in der Nacht ein schrecklicher Sturm erhob. Die Zelte brachen über uns zusammen und begruben uns. Wir krochen darunter hervor, und als wir herausfanden, daß niemand verletzt war, beschlossen wir, das Ende des tobenden Sturmes in Ruhe abzuwarten und am nächsten Morgen weiterzusehen. Als der nächste Tag Schönwetter brachte, bauten wir uns bessere und festere Zelte zu unserem Schutz.«

Als der Winter begann, standen zwei Blockhäuser da, eines für die Lehrräume und die Wohnräume der Familie Wheelock, das andere Blockhaus, das größer und komfortabler war, sollte die Dienerschaft bewohnen und die Kuh. Rings umher waren Hütten für die Studenten gebaut. Das Dach des College-Gebäudes war noch nicht ganz fertig, als der erste Schneefall einsetzte.

In diesem ersten Winter wurde viel gehungert. Die wichtigsten Lebensmittel mußten hundert Kilometer weit durch Schnee und Schlamm auf schlechten Wegen transportiert oder von den Ablegeplätzen am Fluß über Wasserfälle, Abhänge und durchs Waldesdickicht geschleppt werden. Manche Studenten liefen davon in diesem Winter, die meisten aber blieben und studierten.

Im nächsten Frühjahr wurde ein großes Haus gebaut mit zwei Stockwerken, mit einer Halle und Küche und sechzehn Räumen für die Studenten. Ein Stall entstand, ein Waschhaus, ein Backhaus, und auf dem neu gerodeten Land wurde mit Anbau begonnen.

Im Sommer 1771 – nach einem Jahr – sah der Platz im Urwald wie ein Universitätsdorf aus.

In diesem ersten Sommer des Bestehens der Universität wurde mit Pomp und Gepränge die erste Abschlußprüfung, sozusagen die erste Promotion, abgehalten. Es war ein großes Ereignis.

Der Gouverneur Wentworth kam mit sechzig Gentlemen geritten und brachte eine silberne Punschbowle mit und den nötigen Rum dazu. Außerdem hatte er noch einen Ochsen gespendet, der am Spieß gebraten wurde, und dazu floß Rum in Strömen.

Nur ein so unbrechbar gottesfürchtiger Mann wie Mr. Wheelock konnte diesen Tag der höchsten Erfüllung seiner Wünsche und der tiefsten Verzweiflung überstanden haben.

Mrs. Wheelock war nämlich krank geworden und lag zu Bett, als die Gäste kamen, und diesen Umstand benützte der Koch, um sich so sinnlos zu betrinken, daß Mr. Wheelock selbst und persönlich in der Küche helfen mußte, um das Mahl für die illustren Gäste zu bereiten. Mr. Wheelock mußte sich auch dafür entschuldigen, daß das College nur ein Tischtuch besaß, das von einer mildtätigen Dame aus Connecticut gestiftet worden war, denn dieser Mangel an Tischtüchern wurde ihm von den

Farmern und Dörflern besonders verübelt, die das scheinbar als etwas Herabsetzendes empfanden. Alles in allem verlief das Fest trotzdem bemerkenswert erfolgreich.

Die vier ersten Studenten promovierten als Baccalaurei der freien Künste.

Das Programm war folgendes:

1. Eine Begrüßungsrede in englischer Sprache über die Tugenden, gefolgt von einer Hymne.
2. Eine Rede über Geschichte, in lateinischer Sprache gehalten.
3. Eine Disputation in Logik, in der ein Student die Frage zu stellen hatte: Kann die wahre Erkenntnis der Natur durch das göttliche Licht erworben werden? Diese Frage wurde von drei Studenten disputiert.
4. Eine Abschiedsrede auf lateinisch mit anschließender Hymne, die von den Studenten selbst komponiert worden war.

Der Beschluß soll so rührend gewesen sein, daß viele der Zuhörer in Tränen ausgebrochen seien, obwohl zu diesem Zeitpunkt noch kein Rum aus der silbernen Bowle ausgeschenkt worden war.

Die Studenten hielten ihre Reden und Disputationen von einer aus rohen Holzstämmen gezimmerten Plattform aus, zu der eine Planke aus ungehobeltem Kiefernholz führte.

Einer aber der Studenten, ein Indianer, soll sich geweigert haben, dieses Rednerpult zu benützen, und stieg auf einen breiten Ast einer hohen Kiefer und hielt seine Rede von dort oben herunter mit indianischem Akzent. Das erste College-Jahr endete unter einem guten Stern, so daß Mr. Wheelock für das nächste bereits einen Prospekt versenden konnte, in dem unter anderm stand: »Reverend Dr. Wheelock ist es gelungen, einerseits dadurch, daß ihm der Himmel gelächelt hat, andererseits auch durch seine ständigen Bemühungen, seine Unternehmung zu festigen und seine Indianerhochschule in der furchtbaren Einöde zu gründen und zu erweitern. Er hat nunmehr die besten Aussichten, in kurzer Zeit hundert indianische und englische Studenten in seine Schule aufnehmen zu können . . .«

Die Schule in der Wildnis hatte trotzdem noch viele Gefahren zu bestehen.

Die Geldfonds in England gingen zur Neige, die Studenten revoltierten gegen die schlechte Ernährung, Eltern schrieben wütende Briefe über schimmeliges Brot, verfaulte Kartoffeln, stinkendes Fleisch. Dazu waren Mr. Wheelocks Köche die Marterpfähle seines Lebens, sie stahlen und hatten einen unstillbaren Hang zum Rum. Der größte Dorn in seinem Fleisch aber waren die Wirtshäuser, die sich innerhalb des Dorfes, das um das College entstanden war, befanden.

Es war zwar den Studenten streng verboten, in die Tavernen zu gehen, aber sie taten es doch, und daraus ergaben sich die für Mr. Wheelock so überaus traurigen Dialoge, deren einer uns überliefert wurde.

Vor Mr. Wheelock stand ein Student.

»Ah, Miles!« soll Mr. Wheelock gesagt haben, und dies wird von eben jenem Miles wörtlich wiedergegeben. »Ah, Miles, Sie sind es. Aber wo ist denn Ihr Zimmergenosse? Ich habe nach ihm geschickt. Warum kommt er nicht?«

»Verzeihung, Sir, aber er kann nicht«, hatte Miles geantwortet.

»Er kann doch gehen, nicht wahr?« fragte Mr. Wheelock weiter.

»Verzeihung, Sir«, antwortete Miles, »er kann nicht stehen.«

»Schlimm, schlimm!« soll Mr. Wheelock gestöhnt haben und dazu seine Perücke geschüttelt. »Diese Wirtshäuser sind eine Pest. Nun sagen Sie mir, Miles, sind vielleicht meine Söhne auch dort gewesen?«

»Verzeihen Sie mir, ich fürchte ja«, erwiderte Miles.

»Ich ahnte es!« rief Wheelock erschüttert aus. »Oh, diese elenden Buben! Noch gebe ich James nicht verloren; Eleazar jedoch, fürchte ich, wird zur Hölle fahren.«

Trotz all dieser schweren Prüfungen und Anfechtungen gedieh Dartmouth College.

Zwei Jahre nach seiner Gründung hatte es fünfzig Studenten, darunter sechs Indianer. Nach vier Jahren hatte es bereits hundert Studenten, darunter einundzwanzig Indianer, und im Jahr darauf wurde es in Connecticut als das beste College des Kontinents gepriesen.

Es kamen nun kanadische Indianer, die viel schwerer zu zähmen waren als die Stämme, mit denen Wheelock gewohnt war umzugehen. Sie kamen und gingen, tauchten auf und verschwanden wieder in die Wälder, wenn ihnen die Zivilisation über wurde, sie störten die andern Studenten durch permanentes schrilles Heulen und durch die Folgen ihrer Neigung zum »großen Bier«, wie sie es nannten.

Dann kam die gefährliche Epoche für das junge College: der Befreiungskrieg.

Das College hatte seinen Bestand englischem Geld zu verdanken, seine Stifter und Beschützer waren Engländer. Aber Dr. Wheelock zögerte keinen Augenblick und schrieb an seinen englischen Gönner Thornton, den reichen Kaufmann, der ihm die Staatskarosse gestiftet hatte, einen Brief, der den Engländer in helle Wut versetzte, Mr. Wheelock aber in der Geschichte von Dartmouth als hohe Ruhmestat angerechnet wird.

»Ich glaube nicht«, schrieb Wheelock an Thornton, »ich glaube nicht, daß es ein Volk gegeben hat, das pflichtbewußter, loyaler und seiner Regierung mehr zugetan gewesen wäre als diese Kolonien bis zu den Stempelakten. Diese Kolonien waren immer geneigt zum Frieden und zur Versöhnung, bis jene schrecklichen Mordtaten und grausamen Abschlachtungen geschahen, unter dem unmenschlichen Vorwand, die Rebellen zum Gehorsam zwingen zu müssen. Ein Ring, der durch die Nase gezogen wird, erzeugt Blutstropfen . . . Unsere Freiheit war teuer erkauft, und wir haben ihre Süßigkeit gekostet, und wir schätzen sie als unser unveräußerliches Geburtsrecht. Vielleicht wird Seine Majestät es merken müssen, daß diese Freiheit nicht leicht aufgegeben werden kann. Die Kolonien scheinen entschlossen zu sein, niemals Sklaven werden zu wollen.«

Wheelocks Söhne und einige Studenten kämpften in Washingtons Armee, sonst aber spürte das College wenig vom Krieg, die Studien und Promotionen gingen ungestört weiter.

Viele indianische Studenten verschwanden und kamen nicht mehr wieder und kämpften wohl inmitten ihrer Stämme. Jedoch hatte das College keine Indianerüberfälle zu erdulden, obwohl Royalton in Vermont, ein Ort, der kaum zwanzig Kilometer vom College entfernt liegt, zu dieser Zeit geplündert, gebrandschatzt und beraubt wurde, Frauen und Kinder wurden getötet, skalpiert oder in die Gefangenschaft verschleppt.

Dieses Royalton, eine halbe Autostunde von Dartmouth College entfernt, ist heute noch ein unheimlicher Ort, dessen Totenstille und Düsterkeit selbst am hellen Mittag an Gespenster denken läßt.

Die Indianer verschonten das College, und der Krieg verschonte es, denn es lag außerhalb des Kampfgebietes. Übrigens hatte Lord Dartmouth dem britischen General Howe und dessen Bruder Admiral Howe das College besonders ans Herz gelegt und seine Verschonung dringend empfohlen.

Die Schlacht von Bunkerhill am 16. Juni 1775 wurde im friedlichen Dartmouth auf sonderbare Weise gehört.

In Wheelocks Tagebuch findet sich die Eintragung:

»16. Juni. Der Kanonendonner, der von der Richtung Boston kommen muß, wurde den ganzen Tag gehört. — 17. Juni. Wieder Kanonendonner. Wir warten mit Ungeduld, den näheren Bericht zu hören.«

Boston liegt dreieinhalb Schnellzugsstunden von Dartmouth College entfernt, doch die Eintragungen Wheelocks waren zweifellos nicht nachträglich gemacht worden.

Der Kanonendonner wurde gehört.

Er wurde gehört von einem indianischen Studenten namens Daniel Simons, der auf dem Boden lag und sein Ohr an die Erde preßte.

Es wäre noch viel zu erzählen von der Geschichte des Dartmouth College, von den berühmten Männern, die dort studierten, von seinen Geschicken und Kämpfen, von seinem Anteil am Bürgerkrieg — bis zum heutigen Tag, wo es eine der besten und ich denke eine der schönsten Universitäten des Landes ist. Nach letztem Bericht hat es 3200 Studenten.

Es gibt keine Indianer mehr. Der letzte indianische Student, ein Sioux, graduierte im Jahr 1891 und wurde ein bekannter Arzt und Schriftsteller.

Es gibt keine Wildnis mehr, und alles ist wohlgeordnet, wohlhabend, vornehm und gesichert.

Und doch scheint es, als säße noch heute hoch über allem in der Wetterfahne Mr. Wheelock mit dem erhobenen Zeigefinger, eben jener Mr. Wheelock, von dem man sagte, wer ihn liebte, der hielte ihm auf ewig die Treue, und wer ihn nicht liebte, haßte ihn wie den Teufel. Jener Mr. Wheelock, der sich, als er krank und müde war, nach einer kleinen Pension sehnte, die es ihm gestattet hätte, sich etwas Kaffee, Schokolade, Tee und ein Gläschen Wein zu erlauben, der aber bis zu seiner Todesstunde unterrichtete und stehend starb.

Jener Mr. Wheelock, auf dessen Grabstein steht:

> *Mit dem Evangelium besiegte er*
> *die Grausamkeit der Wilden.*
> *Den Gesitteten eröffnete er*
> *neue Pfade der Wissenschaft.*
> *Wanderer! Geh, wenn du kannst,*
> *und verdiene den guten Lohn*
> *solchen Verdienstes!*

Im August 1946 erhielten wir die Nachricht, daß Zuck seinen Dienst im Government antreten sollte.

Zwei Monate lang arbeitete er in einem Büro in New York, einer Zweigstelle des Kriegsministeriums.

Er kam manche Weekends auf die Farm, und diese Besuche hatten etwas von einem Kriegsurlaub an sich.

Wir wußten nicht, wann seine Abberufung nach Europa erfolgen würde, jeder seiner Besuche auf der Farm konnte der letzte vor seinem Transport nach drüben sein.

Wir begannen, Abschied zu nehmen.

Wir waren fünf Jahre auf der Farm gewesen, und es gab viele Dinge zu erwägen, praktische Beschlüsse zu fassen, Vorkehrungen zu treffen.

Das Haus wurde wie immer eingewintert, die Tiere verkauften wir nicht, sondern übergaben sie einem zuverlässigen Farmer, der sie in Pacht, Quartier und Verpflegung bis zu unserer Rückkunft nehmen sollte.

Zuck hatte sich nur auf ein Dienstjahr verpflichtet, ich sollte in dieser Zeit nach Europa reisen, zunächst in die Schweiz.

Michi war zu der Zeit schon im Süden verheiratet, Winnetou studierte in Kalifornien. Ich konnte nicht allein auf der Farm bleiben.

So war meine Reise nach Europa das Nächstliegende und Gegebene, besonders da Zucks Stück, das er auf unerklärliche Weise doch in den seltenen Farmarbeiterpausen in drei Jahren zu Ende geschrieben hatte, in Zürich aufgeführt werden sollte.

Wir beschlossen, nach einem Jahr alle wieder auf der Farm zusammenzutreffen, aber der Abschied lag uns in den Gebeinen.

Wir fühlten uns wie Sindbad der Seefahrer, Gulliver oder wie die ersten Raketenflugzeugreisenden nach dem Mars.

Wir konnten uns das Schreckliche, Schauerliche und die Zerstörung drüben vorstellen, wir waren darauf gefaßt, einige wenige Freunde wiederzusehen und sonst nur Unbekannte anzutreffen, für die auch wir unbekannt waren, und wir machten uns gar keine Illusionen.

Anfang November wurde Zuck plötzlich abberufen und mit einem Armeeflugzeug nach Berlin transportiert.

Ende November fuhr ich mit einem Schiff nach Holland. Es war damals sehr schwer, Schiffsplätze zu bekommen, und der Zufall wollte es, daß ich einen Platz auf einem holländischen Schiff reserviert bekam, das das Schwesterschiff von jenem war, das uns vor sieben Jahren nach Amerika gebracht hatte. Inzwischen war es von den Japanern versenkt worden, aber sein überlebendes Schwesterschiff glich ihm so sehr, daß man sich sogleich überall zurechtfinden konnte und die Überfahrt in unheimlicher Weise der vor sieben Jahren ähnlich war.

Ich fuhr von unserm Landungsplatz, dem Hafen von Hoboken, ab und kam in unserm Ausfahrtshafen Rotterdam an.

Es war ein langsames Schiff, das neun Tage zu seiner Überfahrt brauchte, und an fünf Abenden stand auf der schwarzen Bordtafel mit weißer Kreide geschrieben: »Heute, um Mitternacht, wird die Uhr um eine Stunde vorgestellt.«

Die Überfahrt war ziemlich ruhig, das Schiff hämmerte sich durchs Wasser wie eine große Pflugmaschine, die den Boden der unendlichen Maisfelder des Mittelwestens aufreißt.

Man legte Tausende von Kilometern zurück, und man wurde Nacht für Nacht daran gewöhnt, die Zeit zurückzusetzen und sich die Veränderung der Zeit ins Bewußtsein einzuprägen.

Eines Nachts wachte ich auf, erschreckt von der Stille. Das Hämmern der Maschine hatte aufgehört, man sah Lichter durch die Luken der Kabine. Wir waren im Hafen.

In Rotterdam sah ich die ersten zerstörten Häuser, und bräunlicher Rasen wuchs über die Plätze, die dem Erdboden gleichgemacht worden waren.

Dort sah ich auch zum erstenmal den Hunger in Haut, Gesicht und Augen der Menschen.

Ich blieb einige Tage in Amsterdam bei Freunden.

Das war der richtige Auftakt für spätere Erfahrungen. Meine holländischen Freunde hatten viel erlitten, durchgestanden und mit Mühe überlebt.

Ihr Haus war unbeschädigt geblieben, und sie selbst waren unbeschädigt.

In meiner Erinnerung hatten sie sich als Leute eingeprägt von außergewöhnlicher Schönheit, die sie in Bewegung und Ausdruck darzubringen verstanden. Sie waren Bilder, die man unverändert wiederzusehen wünscht.

Da es sich in diesen Jahren um keine Trennung im üblichen Sinn handelte, hat man notgedrungen und in unbewußtem Selbsterhaltungstrieb die Erinnerung in gefühlssichere Schächte verbannt, und die Bilder, Plastiken und Denkmäler der Freunde in tiefe Keller eingemauert, die später mitunter verschüttet und mancherorts unter Lava begraben wurden.

Und nun standen da die ersten ausgegrabenen Figuren vor mir, die ersten Freunde, die ich nach der Eingrabung wiedersah, unbeschädigt, unverändert, höchstens am Ohr ein wenig Mörtel, einige Sandkörner im Augenwinkel, ein Klümpchen Lehm im Mundwinkel.

Aber es war nichts abgebröckelt, nichts abgebrochen, und die Patina, mit der sie durch die Witterungsverhältnisse überzogen worden waren, erhöhte ihre fragile Anmut.

Am 5. Dezember 1946 kam ich an die Schweizer Grenze.

Damals mußten amerikanische Staatsbürger nicht nur ein Visum für die Schweiz haben, sondern auch einen triftigen Grund angeben, warum sie in dieses Land wollten.

Ich hatte als wahrhaft triftigen Grund und Ursache meiner Reise die Uraufführung von Zucks Stück in Zürich angegeben. Merkwürdigerweise hatte ich mir meinen Paß nicht näher angesehen, und die Seite mit dem Schweizer Visum nicht eingehender betrachtet. Erst an dem Gesicht des Paßbeamten merkte ich, daß etwas nicht in Ordnung sein konnte. Er suchte und blätterte in dem Paß, rückte dann die Seite mit dem Schweizer Visum ganz nahe an seine Brille, sah mich forschend an, las wieder, und endlich drückte er kopfschüttelnd den Stempel auf die Seite und gab mir den Paß zurück.

Auf der Seite des Passes fand ich neben der vorgedruckten Rubrik »Motiv der Reise« in säuberlicher Handschrift niedergeschrieben: »Des Teufels General«.

Eine Woche später war die Premiere von »Teufels General«. Zuck hatte vierzehn Tage Weihnachtsurlaub bekommen und war im letzten Moment aus Deutschland angekommen mit dem schmutzigen Gepäck eines Soldaten, mit dem grauen Aussehen von einem, der aus dem Schützengraben kommt.

Nun saßen wir also im Theater in der Loge, hörten Zucks geschriebene Worte sprechen, sahen seine Figuren agieren, und ich sah hinter alledem sein Zimmer in Barnard, hörte die Schreibmaschine und das Rascheln des Papiers, das zu Stößen gehäuft in die Schublade getan oder in verbeulter Kugelform in den Papierkorb geworfen wurde.

Es war ein großer Erfolg.

Und dann kam langsam alles ins Rollen.

Als wir uns vor dreiundzwanzig Jahren geheiratet hatten, besaß Zuck zwei Anzüge und Schulden, ich zwei Kleider und einen Lampenschirm.

Sechs Monate später hatte Zuck seinen ersten durchschlagenden Erfolg, und nach einem Jahr besaßen wir ein Haus auf dem Lande, eine Wohnung in der Stadt, ein Kind in der Wiege, feine Anzüge und köstliche Kleider und Lampenschirme überall.

Erfolg und Geld mehrten sich acht Jahre lang, bis Hitler kam; dann verließen wir Deutschland.

Aber da war noch unser Haus in Österreich, und es wurde uns fünf Jahre lang eine Gnadenfrist gegeben, um darin zu leben.

Dann war es soweit; wir mußten flüchten.

In der Schweiz trafen wir nach lebensgefährlichen Umwegen wieder zusammen. Fünf Handkoffer, drei Anzüge, acht Kleider, zwei Kinder waren in unserem Besitz geblieben.

Dann kamen Auswanderung und Einwanderung und alles, was in diesem Buch beschrieben wurde.

Die Wiederbegegnung mit Europa würde einen buchlangen Bericht erfordern.

Ich will nur so viel sagen: es war anders, ganz anders, als wir's uns je vorgestellt hatten.

Die Städte waren schrecklicher zerstört, als man es sich in Schreckensträumen ausmalen konnte.

Die Einwohner der Städte krochen in den Straßen umher, als wären sie Teile ihrer zerbröckelten Häuser und aus Partikeln von Staub, Schutt und Asche zusammengesetzt.

Aber allmählich tauchte zwischen diesem grauen Staub da und dort eine helle Schicht zutage, die der Zartheit einer Haut vergleichbar war, die sich im Heilungsprozeß über eiternden Wunden bildet. Das war eine Schicht des Ungekannten, Unvermuteten, das war ein Material, aus dem etwas Neues aufgebaut werden konnte.

Diese Schicht bestand zumeist aus jungen Leuten, die ihrem Leben Form und Sinn geben wollten, und aus Älteren, die Charakter, Anstand und Glauben an die Hoffnung besaßen. Dieser Schicht zu helfen, war eine Aufgabe, den Kontakt zwischen ihr und der Welt herzustellen, war eine Frage der Erhaltung des Lebens und des Friedens.

Da haben wir auch die Feinde wieder gefunden. Sie sind unverändert, wenige sind vertilgt worden, einige sitzen hinter Schloß und Riegel, viele haben sich in Zwangsjacken gezwängt, um vorzutäuschen, daß sie wieder normal sind, und harren auf eine neue Zeit des Wahnsinns, in der Verbrechen wieder erlaubt und Gesetz werden und Geisteskranke wieder zu Macht und Ehren gelangen könnten.

Da waren die Freunde: viele von ihnen waren tot, von Bomben zerrissen, vom Feuer verbrannt, vom Gericht des Führers gehenkt. Das Wiedersehen mit den Freunden war wie ein Wiederfinden nach einem entsetzlichen Erdbeben. Man betastete sie, ob sie noch ganz und heil waren. Sie bestaunten uns und waren beglückt, daß wir aus einer Welt kamen, die damals noch heil war.

Dann kam der Erfolg. Zucks Stücke wurden von unzähligen Bühnen gespielt, da kamen unzählige Briefe, und in manchen stand etwas Wesentliches. Erfolg ist, wenn man seine Grenzen kennt und eine säuberliche Bescheidung ausübt, etwas höchst Angenehmes und Liebenswertes. Er erleichtert das Leben, er bietet die Möglichkeit, vielen zu helfen, er schafft manchmal den Zustand des Außergewöhnlichen, der guten Freude, der Dankbarkeit für das Glück.

Es hatte alles wieder angefangen für uns, als ob nicht zwölf Jahre von Mord, Pest und Tod dazwischen gelegen wären.

Wir hatten keine Enttäuschungen erlebt, denn wer die Härte gegen sich selbst aufbringt, Menschen und Dinge zu sehen, wie sie sind, kann nicht enttäuscht werden.

Wir lebten eine Zeitlang an dem Ort, in dem Zucks Eltern wohnten. Sie hatten den Krieg überstanden, es war gelungen, sie aus ihrem brennenden Haus in Mainz zu retten, Freunde hatten sie in die Sicherheit eines Allgäuer Gebirgsdorfes gebracht, der Ort war ihre zweite Heimat geworden, und dort sind sie begraben.

Wir lebten viel in der Schweiz: in Chardonne am Genfer See bei französischen Freunden, oder in Zürich, im Haus einer alten Dame, einer Persönlichkeit, deren Haus die Atmosphäre des einstigen, unsterblichen Europas in reinster und geschlossenster Form noch einmal vorzauberte. Sommers wohnten wir in Saas-Fee, einem Gletscherdorf auf achtzehnhundert Meter Höhe, das durch hohe Berge von Zermatt und dem allbekannten Matterhorn getrennt war.

Wir hatten dort eine kleine Wohnung gemietet: drei Zimmer, eine Küche mit elektrischem Ofen, ein Badezimmer.

Zuck schrieb an einem neuen Stück, ich konnte wieder kochen und backen, und die Hauswirtschaft war so wenig mühselig, daß ich viel zum Schreiben kam – an eben diesem Buch hier. Und dabei mußte ich viel an Amerika denken.

Durch die Fenster unserer Wohnung sahen wir die Viertausender, die Gletscher, die Lärchenwälder, Wiesen und Äcker.

Wie blieben bis zum Winteranfang in Saas-Fee.

Die Feriengäste waren längst abgereist, als die herbstliche Bauernarbeit begann.

Im Wallis gibt es Roggen, Gerste, Kartoffel- und Gemüseanbau bis auf 1900 Meter, bis auf 1400 Meter wächst der Wein.

In den Hütten, die auf Steinfüßen stehen, wie unsere Maisscheune in Barnard, hub das Getreidedreschen an. Die Kartoffeln und das Spätgemüse wuren eingebracht, Schafe und Schweine geschlachtet, und eines Nachts kamen Füchse ins Dorf, heulten und bellten den Mond an und suchten nach dem Blut und den Eingeweiden der geschlachteten Tiere, die den Scheunenwänden entlang im Mondlicht hingen.

Ich liebte Saas-Fee, ich liebte die Landschaft, die Wohnung, die Leute, die das Haus besaßen, Bergführer und Tischler waren und mich in ihrer Einfachheit und ihrem Sinn für Unabhängigkeit an unsere Barnarder erinnerten. Ich liebte den unbeschwerlichen Haushalt, und ich hörte mit Freuden Zucks Schreibmaschine zu, die wie eine Mühle klang, die die Masse des eingelieferten Getreides kaum zu bewältigen vermag.

Fünf Jahre waren wir in Europa gewesen, in Deutschland, in Österreich, in der Schweiz, aber überall waren wir zu Besuch und nirgends zu Haus. Unsere Wohnung, die wir in Berlin gehabt hatten, war völlig zerstört durch Bomben.

Das beschlagnahmte Haus in Österreich war uns zurückgegeben worden, aber die Schäden, die dem Haus in den neun Jahren unseres Fortseins zugefügt wurden, schienen uns zu groß zu sein, um den Mut und das Geld aufzubringen, es wieder in guten Stand zu setzen. Auch war alles verändert, Neubauten standen ums Haus, es war auch nicht mehr unser Dorf mit den großen Bauernhöfen und der Landwirtschaft, es ist eine Siedlungsvorstadt von Salzburg geworden. Und so verkauften wir das wiedergewonnene Haus.

Und nach fünf Jahren traten wir die Reise an, zurück nach Amerika, zurück auf die Farm.

Die Farm gehörte uns nicht, aber ihr Besitzer, unser Mr. Ward, hatte sie für uns behütet und bewahrt. Sommers hatte er sie vermietet an außerordentlich ordentliche Stadtleute, und winters packte und wickelte er das Haus ein, daß es

Schnee, Eis und Stürmen standhalten konnte.

Wir fuhren auf einem langsamen Schiff, und ich hatte Freude daran, Nacht für Nacht die Zeit zurückzugewinnen, die mir auf der Fahrt abgenommen war. Nun stand fünf Abende lang auf der schwarzen Bordtafel: Heute um Mitternacht wird die Uhr um eine Stunde zurückgestellt. Diesmal kamen wir nicht in Hoboken an, sondern an einem Pier in New York. Wir blieben einige Tage in New York, Zuck hatte berufliche Verhandlungen, und ich ging unsere Freunde aufsuchen. Ich ging zuerst zu jenen, die für mich Amerika schlechthin vorstellten: es herrschte eine leidenschaftliche Sachlichkeit, eine respektvolle Strenge und eine liebevolle Kühle zwischen uns. Es wurde nicht viel gefragt, erforscht, ergründet wie in Europa, ich brauchte wenig Erklärungen abzugeben und fand ein Begreifen, das mit anderen Sinnen und Fühlern aufgenommen wurde.

Eine Woche später, um Mitternacht, fuhren wir von der Grand Central Station von New York ab – nach Vermont.

Wir fuhren in einem komfortablen Schlafwagen, den wir ganz für uns allein hatten, mitsamt einem kleinen eigenen Waschraum. Die breiten Betten waren weich, und man hätte sanft schlafen können, wenn wir nicht durch entsetzliches Rütteln und Schütteln des Waggons und plötzliches Anhalten des Zuges fast aus den Betten geworfen worden wären.

Das Eisenbahnwesen, das Waggon- und Schienenmaterial hatte sich in unserer Abwesenheit nicht nur verschlechtert, es war in einen geradezu bejammernswerten Zustand geraten. Wir saßen also an die Bettwand gepreßt, klammerten uns an Chromstangen, die in der Wand eingelassen waren, sahen den Gepäckstücken zu, die herunterfielen, ohne uns zu treffen, und nun am Boden rollten und hüpften. Das schwere Gepäck hatten wir aufgegeben.

Nach etwa drei Stunden Fahrt wurde es mit einem Male totenstill. Der Zug war stehengeblieben auf einer Station, und dort stand er nun drei Stunden lang und wartete auf ein paar Waggons von einem anderen Zug, die er nach Canada mitnehmen mußte. Und plötzlich erinnerten wir uns, daß dies der Nachtzug rätselhafter- und sinnloserweise von eh und je getan hatte. Wir nützten also seinen Stillstand aus, lösten die Hände von den Stangen und fielen in einen tiefen Schlaf. Pünktlich drei Stunden später wurden wir wachgerüttelt, setzten uns auf, da es besser war, im Sitzen gestoßen als im Liegen hochgeworfen zu werden wie ein Fußball. Einige Stunden später kamen wir tatsächlich an, ohne daß die Zugsgarnitur aus den Schienen geschleudert worden war.

Einige Jahre später wurde diese Bahnlinie eingestellt.

Wir kamen an dem »Eisenbahnknotenpunkt« an. Bahnhof und Stadt waren nicht schöner geworden, aber auf dem Perron stand einer unsrer liebsten Freunde, und in seiner Nähe stand sein großer Lastwagen, um unser Gepäck zu fassen. Wir umarmten uns, unsre Wangen wurden sehr feucht, die warme Sonne trocknete sie.

Zunächst fuhren wir alle drei mit dem Lastwagen in unsre Einkaufsstadt, unsre kleine Stadt mit den schönen alten Häusern und den vielen Läden. Die beiden Männer setzten sich in den Fruitstore* und tranken Bier. Ich machte Besorgungen, wie immer.

Zuerst ging ich in das Geschäft, das unserm Hausherrn gehörte. Es roch nach Schokolade, Käse und eisernen Geräten. Die Schwester des Besitzers war da, sie drückte mir die Hände und sagte: »Joe ist oben auf der Farm. Er erwartet euch.«

Dann schaute ich rasch in das Geschäft der alten Dame, die die schönsten Dinge verkaufte: Stoffe, Beutel, Schürzen, Spielzeug, Tassen, Teller, Gläser. Ich suchte mir eine große altmodische Küchenschürze aus, die durch die aufkommende Mode der Putzschürzchen und Feigenblätter gar nicht mehr so leicht zu haben war. Die Dame war zierlich und sehr alt, schon an die Neunzig. Sie erkannte mich dennoch und nannte mich beim Namen. »Wie gut, daß Sie wieder da sind –« sagte sie, dann trippelte sie zu einem der Ladentische, beugte ihren weißen Lockenkopf vor und schnupperte. Dann griff sie ein kleines, weißgrünes Polster aus den Dingen heraus und legte es mir in die Hände. Es war mit den Nadeln der Balsamfichte prall gefüllt und duftete. Ich bedankte mich für das unerwartete Geschenk, tat es mitsamt der neuen Schürze in meine Tasche und ging in das Geschäft nebenan, in das große, feine Geschäft, das von steingemahlenen Mehlsorten bis zu Kaviar, von Mandeln bis zu Eisennägeln aller Größen und Arten Vielfältiges führt. Man senkte unwillkürlich die Stimme,

* Eine Art Drugstore oder Snackbar, wo als einziger Alkohol Bier ausgeschenkt wird.

wenn man diesen Laden betrat, weil es dort still und feierlich zugeht, die Verkäufer waren immer zurückhaltend gewesen, aber von ruhiger Bereitschaft, einem das Verlangte aus der köstlichen Mannigfaltigkeit herauszusuchen und zu überlassen.

Zuck fand ich bei den Kaffeesorten, unsern Freund bei den Weinen, er besah die Flaschen, er prüfte, er wählte.

Die Besitzer und Angestellten kamen herbei, sie begrüßten uns, als wären wir nur eine Woche lang fort gewesen.

Dann aber brauste der Sturm über uns her.

Das war in den Läden, wo es Fleisch, Gemüse, Obst zu kaufen gab, wo es marktmäßig laut und fröhlich zugeht. Da liefen sie auf uns zu, umarmten uns, küßten uns, schüttelten uns fast die Hände aus den Gelenken und zeigten in ihrer Wiedersehensfreude keine Spur von neu-englischem Gehaben.

Wir waren ganz benommen, und unser Freund packte uns auf seinen Wagen und führte uns zu seinem wunderbaren, alten Haus auf dem Hügel.

Wir saßen, wie früher, beim festlich gedeckten Mittagstisch: der Hausherr schneidet den Braten in Stücke, teilt sie aus, die Hausfrau füllt die Teller mit Gemüsen und Reis. Die Kinder sitzen auf ihren gewohnten Plätzen und sind Erwachsene geworden.

Der Hausher sagte: »Ich danke Gott, daß unsre Freunde heimgekommen sind.«

Wir mußten bald aufbrechen, um heimzukommen.

Die beiden Männer stiegen vorne in das Wagengehäuse ein, ich setzte mich hinten hin aufs Gepäck. Wir fahren zur Farm, mit dem Umweg über Barnard. Da ist die Strecke, die ich Hunderte von Malen gefahren bin, und nach langer Zeit spüre ich wieder die Weite und sehe den geraden, ungewölbten Himmel über der Landschaft. Da war noch das Wiedersehen mit den Leuten von Barnard, und es verließen uns fast die Kräfte, um auf dem Wasser zu schwimmen, das von den Quellen der Zuneigung und der Freude gespeist war.

Wir fuhren von Barnard weiter, die Straße hinunter, dann bogen wir links in scharfer Kurve in den Wald ein. Der erste Gang mußte eingeschaltet werden, der Weg war unverändert steil, holprig, schmal. Wir fuhren durch den Hexenwald hinauf, an dem Luchsfelsen vorbei: dort ist die Wiese, drüben ist der Teich und dort steht das Haus.

Die Scheunentür steht offen, und in der Scheune werkt unser Mr. Ward.

Das Gepäck wird abgeladen, Mr. Ward hilft mir die Lebensmittel in die Küche tragen, ich verteile die Dinge, die ich eingekauft habe.

Mr. Ward sagt, daß die elektrische Kochplatte nicht funktioniert.

Zuck holt Holz und macht Feuer im Küchenofen.

Unser Freund verabschiedet sich und nimmt Mr. Ward mit zurück in die Stadt. Es ist Abend geworden, es ist fröstlich, der alte Eisenofen wärmt.

Das sind nun neunzehn Jahre her, daß ich dieses Buch zu Ende geschrieben habe. Das Buch hatte mit einem Traum geendet, einem immer wiederkehrenden Wachtraum vom Heimkommen auf die Farm. Der Traum war Wirklichkeit geworden, und diese Realität übertraf alle Traumvorstellungen.

In diesem ersten Sommer holten wir einige unsrer Tiere zurück, die wir beim Farmer gelassen hatten: drei Ziegen, sechs Leghennen, unsre Enten: Gösta und Emma, vor allem aber unsern Wolfshund Bertram. So waren die Ställe, die Wiesen, der Teich belebt, und es war ein Weniges an Melken und Füttern zu tun.

Es hätte alles wie früher sein können, aber mit uns war eine Veränderung vorgegangen, wir waren der Arbeit entwöhnt und das bißchen Arbeit machte uns Mühe. Wir waren nicht mehr gewöhnt, jegliche geistige Arbeit, sei es nur Schreiben oder Lesen, unterbrechen zu müssen, um Tiere zu füttern, Holz zu hacken, Öfen zu heizen, schwere Wassereimer zu tragen, ja selbst mit der Hausarbeit in dem großen Haus wurde ich nicht fertig, zumal ich nur einmal in der Woche auf ein paar Stunden Hilfe hatte.

Es begann uns an allen Ecken und Enden an Zeit zu fehlen, und wir wollten es damals noch nicht wahrhaben, daß wir Zeit vergeudeten an Arbeit, die nicht wie früher zu unsrer unmittelbaren Lebensnotwendigkeit gehörte. Es war ein milder Sommer, und manchmal konnte ich mit unserm neuerworbenen Wagen, einem kräftigen Willis Overland, zur Bibliothek fahren. Dort war alles ganz unverändert.

Im November mußten wir zurück nach Europa.

Wir gaben die Tiere bei dem Farmer ab, wir packten gemeinsam mit Mr. Ward das Haus ein zum Überwintern.

Wir hofften, daß uns nicht ein erster Schneefall überraschen würde.

Wir fuhren zurück, hinüber.

Nach Europa fahren, heißt in der amerikanischen Sprache nach »drüben« gehen, und im Synonymenlexikon fand ich unter dem Begriff: »drüben – abroard« unter anderm: Sonnenferne – Ultima Thule – niemand weiß wo – das Ende der Welt.

Wir kamen erst im Herbst nächsten Jahres zurück. Unsre amerikanischen Freunde hatten ein Haus für uns gemietet, in der kleinen Stadt, in die ich immer einkaufen ging. Das Haus war hundertjährig und doch sehr komfortabel eingerichtet, es lag an einem Fluß mit einer hohen Brücke.

In der Mitte der kleinen Stadt ist ein Park mit mächtigen Ulmen. In den stillen Nebenstraßen, in denen Autos wie geduldiges Hausvieh vor oder in den Hausgärten ihrer Besitzer stehen, lärmen die Vögel. Es gibt viele Bewohner in der Stadt, die die Vögel nicht nur am Gefieder, sondern auch an ihrem Gesang erkennen.

Abends, wenn es dunkel wird, ziehen die Hausbewohner ihre Vorhänge nicht zu, hinter den großen Glasfenstern steht ein Tisch mit einer hellen Lampe, und um den Tisch sitzen sie in Fauteuils, stricken oder lesen. Sie kümmern sich nicht um Vorübergehende, und die Vorübergehenden schauen ihnen nicht in die Fenster.

Die Arbeit in dem kleinen Haus am Fluß war nicht mühsam und ich brauchte mich nicht zu fürchten, wenn Zuck verreist war und ich allein war im Haus.

Im Jahr 1953 waren wir alle auf der Farm. Unsre ältere Tochter war da mit Mann und zwei Kindern. Die Jüngere kam zum Abschied, da sie sich entschlossen hatte, in Deutschland – später in Österreich – zu arbeiten und zu leben.

Wir lebten in diesem Sommer ohne Hühner, Ziegen, Enten. Unser Hund war tot. Mit dreizehn Jahren gestorben.

Nun hatten wir einen Jagdhund geschenkt bekommen und einen ganz jungen Dackel.

Es hätte ein schöner Sommer sein können, wenn nicht die Ahnung des Abschieds ihn beschattet hätte.

Als die Kinder fortgereist waren und wir allein auf der herbstlichen Farm umherwanderten, wußten wir: es war alles anders, ganz anders gekommen, als wir uns vorgestellt hatten. Wir machten uns zunächst die Tatsache klar, daß wir uns in der ungewöhnlichen Lage befanden, Geld in Europa verdienen zu müssen, um in Amerika leben zu können, eine groteske Umkehrung der historischen Tradition. Wir reisten hin und her und her und hin, die Reisen und das unstete Da- und Dortleben kosteten Unsummen.

Viele gute Angebote kamen nicht zustande, weil Zuck immer wieder im entscheidenden Augenblick wegmußte, zurück nach Amerika. Alles, was nach der Rückkunft in Europa so hoffnungsvoll und glücklich angefangen hatte, schien gefährdet. Zudem machten es die amerikanischen Paßbestimmungen, die damals noch herrschten, immer schwerer, ja fast unmöglich, den Verpflichtungen nachzukommen, und langsam begannen wir zu begreifen, daß unsre Existenz bedroht war.

Erfolg und Geld werden vielleicht auch einmal in Amerika kommen, aber wir wußten damals, daß wir nicht darauf warten konnten, daß wir nicht damit rechnen durften.

Dann fiel eine merkwürdige Entscheidung für uns. Wir hatten zwar gar keine Möglichkeit, die Farm zu kaufen, wir konnten sie winters nicht mehr bewohnen, wir konnten nicht mehr mit ihr und in ihr leben, und doch hatten wir eine vielfältige Sehnsucht nach ihr, sie war das Symbol der schwersten und glücklichsten Zeit unsres Lebens.

1955 geschah etwas lang Vorausgesagtes: Es kam die Straße. Jahrelang hatten die Farmer ihren Grund und Boden verteidigt, obwohl sie viel Geld bekamen für das Stück Land, das sie der Straße opfern sollten. Einmal hieß es, die Straße würde durch ein Tal geführt, das weit weg lag von der Farm, dann wieder sagte man, die Straße werde gar nicht gebaut. Aber eines Tages war sie da, die Straße. Ganz nahe an der Farm, viel näher, als man sichs in seinen Angstträumen ausgedacht hatte. Berge wurden versetzt, Schluchten gegraben, den Hexenfelsen zerstörten riesige Maschinen, die wie Urwelttiere durch die Urwälder stampften und fauchten und einsame Waldwege zerschnitten.

Die Farm ist jetzt bequem zu erreichen, sie liegt nahe an der großen weißen Straße, und vom Teich aus kann man die glitzernden Autos fahren sehen.

Zur selben Zeit wurden Pläne gefaßt, das Haus in Chardonne

überm Genfer See, in dem wir seit Jahren eine kleine Wohnung hatten für die Zeiten, die wir in Europa waren, mit einer 180grädigen Autokurve einzukreisen und Stücke von dem bezaubernden Hausgarten herauszuschneiden.

Wir waren viele Sommer in Saas-Fee gewesen, von 1938 bis 1957 genau sechzehn Mal. Wir kannten Land und Leute.
Wir gingen oft an einem Haus vorbei, das in einem großen Garten lag mit vielen Bäumen, und wir dachten: Da möchten wir wohnen.
Zu dieser Zeit waren noch wenige Häuser in Sass-Fee zu kaufen.
Ein paar Wochen später war der Kauf unterzeichnet.
Ich fuhr noch einmal hinüber nach Amerika und gab das Haus am Fluß auf und nahm Möbel, Bücher und Bilder und was uns lieb war mit ins neue Haus. Denn:

»Ein jegliches hat seine Zeit und alles Vornehmen unter dem Himmel hat seine Stunde. Geboren werden, Sterben, Pflanzen, Ausrotten, das gepflanzt ist. Steine zerstreuen, Steine sammeln. Herzen, Fern sein von Herzen, suchen, verlieren, behalten ...«

INHALT

Anthologien

Spiele ohne Ende
Erzählungen aus 100 Jahren
S. Fischer Verlag
Herausgegeben von
Hans Bender. 880 Seiten. Leinen

Über, o über dem Dorn
Gedichte aus 100 Jahren
S. Fischer Verlag
Herausgegeben von
Reiner Kunze
179 Seiten. Leinen

Gedanke und Gewissen
Essays aus 100 Jahren
S. Fischer Verlag
Herausgegeben von
Günther Busch und J. Hellmut
Freund. 664 Seiten. Leinen

100 Jahre S. Fischer 1886–1986
Das Klassische Programm
Ein Lesebuch. 352 Seiten. Brosch.

Kassetten

Franz Kafka
Werke
Kassette mit 7 Bänden
2304 Seiten. Geb.

Thomas Mann
Die Romane
Kassette mit 7 Bänden
5703 Seiten. Geb.

Luise Rinser
Kassette mit 4 Bänden
1506 Seiten. Geb.

Virginia Woolf
Romane
Kassette mit 5 Bänden
1284 Seiten. Geb.

Einzelbände

Ilse Aichinger
Die größere Hoffnung
Roman
Meine Sprache und ich
Erzählungen
verschenkter Rat
Gedichte. *564 Seiten. Leinen*

Raymond Aron
Frieden und Krieg
Eine Theorie der Staatenwelt
Mit einem Geleitwort zur
Neuausgabe von Richard
Löwenthal. 942 Seiten. Leinen

Paul Celan
Sprachgitter
Die Niemandsrose
Gedichte. *158 Seiten. Leinen*

Paul Celan
Übertragungen aus dem
Russischen. Alexander Blok.
Ossip Mandelstam.
Sergej Jessenin. *158 S. Leinen*

René Char
Draußen die Nacht wird regiert
Poesien
Französisch und deutsch
Mit einem Nachwort von Albert
Camus. Ausgewählt von Christoph
Schwerin. 215 Seiten. Leinen

Joseph Conrad
Lord Jim
Eine Geschichte
463 Seiten. Leinen

Tibor Déry
Der unvollendete Satz
Roman. *951 Seiten. Leinen*

Sigmund Freud
Kulturtheoretische Schriften
657 Seiten. Leinen

fi 490/1a

Albrecht Goes
Erzählungen.
Gedichte. Betrachtungen
240 Seiten. Leinen

Ernest Hemingway
Wem die Stunde schlägt
Roman. *455 Seiten. Leinen*

Hermann Hesse
Diesseits
Erzählungen. *208 Seiten. Leinen*

Hugo von Hofmannsthal
Erzählungen
520 Seiten. Leinen

Max Horkheimer
Theodor W. Adorno
Dialektik der Aufklärung
Philosophische Fragmente
304 Seiten. Leinen

Reiner Kunze
Die wunderbaren Jahre
Ausgewählte Gedichte
259 Seiten. Leinen

Golo Mann
Wallenstein
Sein Leben erzählt von Golo
Mann. *1126 Seiten. Leinen*

Henry Michaux
In der Gesellschaft der
Ungeheuer. Ausgewählte
Dichtungen
Französisch und deutsch
Zusammengestellt von
Christoph Schwerin
247 Seiten. Leinen

Eugene O'Neill
Meisterdramen
859 Seiten. Leinen

Boris Pasternak
Doktor Schiwago
Roman. *640 Seiten. Leinen*

Francis Ponge
Einführung in den Kieselstein
und andere Texte
Französisch und deutsch
296 Seiten. Leinen

Walther Rathenau
Schriften und Reden
482 Seiten. Leinen

Arno Schmidt
Zettels Traum
Typoskript. *1352 Seiten.*
Leinen im Schuber

Arthur Schnitzler
Die Schwestern oder
Casanova in Spa
Ein Lustspiel in Versen
Drei Akte in einem
Casanovas Heimfahrt
Novelle. *264 Seiten. Leinen*

Bruno Walter
Von der Musik und vom
Musizieren. *255 Seiten. Leinen*

Das Franz Werfel Buch
Herausgegeben von
Peter Stephan Jungk
436 Seiten. Leinen

Thornton Wilder
Die Brücke von San Luis Rey
Roman
Die Iden des März
Roman
Unsere kleine Stadt
Schauspiel. *519 Seiten. Leinen*

Carl Zuckmayer
Als wär's ein Stück von mir
Horen der Freundschaft
575 Seiten. 64 Abb. Leinen

Stefan Zweig
Sternstunden der Menschheit
Zwölf historische Miniaturen
256 Seiten. Leinen

S. Fischer

fi 490/1b

Fischer Bibliothek

Ilse Aichinger
Die größere Hoffnung
Roman

Rose Ausländer
Mein Atem heißt jetzt
Gedichte

Herman Bang
Sommerfreuden
Roman

Albert Camus
Der Fremde
Erzählung

Joseph Conrad
Herz der Finsternis
Erzählung

**Freya von den
Sieben Inseln**
Eine Geschichte von
seichten Gewässern

Tibor Déry
Niki
oder Die Geschichte
eines Hundes

William Faulkner
New Orleans
Skizzen und Erzählungen

Der Strom
Roman

Otto Flake
Die erotische Freiheit
Essay

Jean Giono
Ernte
Roman

Albrecht Goes
**Das Brandopfer/
Das Löffelchen**
Zwei Erzählungen

Nadine Gordimer
**Gutes Klima,
nette Nachbarn**
Erzählungen

Manfred Hausmann
Ontje Arps

S. Fischer

fi 188/5 a

Fischer Bibliothek

S. Fischer

fi 188/4b

Fischer Bibliothek

S. Fischer

fi 188/5 c

Fischer Bibliothek

Franz Werfel
**Eine blaßblaue
Frauenschrift**

Thornton Wilder
**Die Brücke von
San Luis Rey**
Roman

Die Frau aus Andros
Roman

Die Iden des März
Roman

Tennessee Williams
**Mrs. Stone und ihr
römischer Frühling**

Virginia Woolf
**Die Fahrt zum
Leuchtturm**
Flush
Die Geschichte eines
berühmten Hundes
Mrs. Dalloway
Roman

Carl Zuckmayer
Die Fastnachtsbeichte
Eine Erzählung

Eine Liebesgeschichte

Stefan Zweig
**Brief einer
Unbekannten/
Die Hochzeit von Lyon/
Der Amokläufer**
Drei Erzählungen

Erstes Erlebnis
Vier Geschichten
aus Kinderland

Legenden

Schachnovelle

**Vierundzwanzig
Stunden aus dem
Leben einer Frau**
Novelle

S. Fischer

fi 188/1 d

Alice Herdan-Zuckmayer

Das Kästchen
Die Geheimnisse einer Kindheit
248 Seiten. Geb. Fischer Bibliothek
Fischer Taschenbuch Band 733

Das Scheusal
Die Geschichte einer sonderbaren Erbschaft
200 Seiten. Geb. Fischer Bibliothek
Fischer Taschenbuch Band 1528

Die Farm in den grünen Bergen
Die Erlebnisse der Familie Zuckmayer auf der
Backwoodsfarm im amerikanischen Staat Vermont
während der Emigration.
320 Seiten. Geb. Fischer Bibliothek
Fischer Taschenbuch Band 142

Genies sind im Lehrplan nicht vorgesehen
Biographie und Autobiographie
288 Seiten und 12 Abb. Leinen. S. Fischer
Fischer Taschenbuch Band 5092

S. Fischer
Fischer Taschenbuch Verlag